D0999276

LA BÊTE NOIRE

Collection dirigée par Glenn Tavennec

L'AUTEURE

Rhys Bowen, auteure best-seller du *New York Times*, a été nommée dans tous les plus grands prix de romans policiers, et en a gagné de nombreux, dont les Agatha et Anthony Awards. Elle a écrit entre autres la série *Son Espionne Royale*, qui se déroule dans les années 1930 à Londres, la série *Molly Murphy Mysteries*, au début du XXᵉ siècle à New York, et la série *Constable Evans Mysteries*, au pays de Galles. Elle est née en Angleterre et partage aujourd'hui son temps entre la Californie du Nord et l'Arizona.

Retrouvez
LA BÊTE NOIRE
sur Facebook, Twitter et Instagram

RHYS BOWEN

SON ESPIONNE ROYALE ET LE MYSTÈRE BAVAROIS

Tome 2

Traduit de l'anglais par Blandine Longre

LA BÊTE NOIRE
Robert Laffont

Titre original : A ROYAL PAIN
© Janet Quin-Harkin, 2008
Traduction française : © Éditions Robert Laffont, S.A.S., Paris, 2019

ISSN : 2431-6385
ISBN : 978-2-221-24164-6
(éd. originale : ISBN 978-0-425-22163-1, The Berkley Publishing Group,
a division of Penguin Group, New York, 2008)

Dépôt légal : juin 2019

Je dédie ce roman à mes trois princesses :
Elizabeth, Meghan et Mary.
Et à mes princes : Sam et T. J.

Note

Ceci est une œuvre de fiction. Si quelques membres de la famille royale britannique jouent leur propre rôle dans ce roman, la princesse Hannelore de Bavière et lady Georgiana n'ont quant à elles jamais existé.

Une précision historique : l'Europe était à l'époque en plein bouleversement, les communistes et les fascistes rivalisant pour obtenir le pouvoir en Allemagne, pays ruiné et démoralisé à la suite de la Première Guerre mondiale. En Grande-Bretagne, le communisme faisait de grands progrès parmi les classes populaires et les intellectuels de gauche. À l'autre extrême, Oswald Mosley dirigeait une milice d'ultra-fascistes surnommés les Chemises noires. À Londres, des échauffourées et des combats sanglants éclataient fréquemment entre ces deux factions.

1.

Rannoch House
Belgrave Square
Londres
Lundi 6 juin 1932

Il était huit heures quand le réveil me tira du sommeil ce matin-là – une heure parfaitement indue. « L'avenir appartient à ceux qui se lèvent tôt » était l'un des dictons préférés de ma nourrice. Mon père avait lui aussi suivi ce précepte – mais cela ne lui avait guère réussi puisqu'il était mort, sans un sou vaillant, à l'âge de quarante-neuf ans.

D'après mon expérience, seules deux bonnes raisons obligent à se lever aux aurores : lorsque l'on part chasser et lorsque l'on doit prendre le Flying Scotsman[1] qui circule entre Édimbourg et Londres. Or, je ne m'apprêtais à faire ni l'un ni l'autre. La saison de la chasse n'avait pas commencé, et je me trouvais déjà à Londres.

Je cherchai à tâtons le réveil sur la table de chevet et le réduisis au silence d'un bon coup de la main.

— Bulletin officiel de la cour, 6 juin, annonçai-je à un public imaginaire, tandis que je me levais pour ouvrir les

---

1. Littéralement, l'« Écossais volant », train express en circulation depuis 1862. *(N.d.T.)*

11

lourds rideaux de velours. Lady Georgiana de Rannoch démarre une nouvelle journée trépidante, qui l'emportera dans un tourbillon de mondanités. Déjeuner à l'hôtel Savoy, thé au Ritz, visite chez Scaparelli pour essayer sa dernière robe de bal, puis dîner dansant au Dorchester – à moins qu'elle ne fasse rien de tout cela, ajoutai-je.

À dire vrai, cela faisait bien longtemps que je n'avais pas inscrit de sorties à mon agenda, et ma vie n'avait jamais été un tourbillon effréné de mondanités. J'aurais bientôt vingt-deux ans, et pas un carton d'invitation n'était visible sur le manteau de ma cheminée. Une pensée affreuse me vint soudain à l'esprit : sans doute devais-je accepter le fait que je commençais à me faire vieille et que j'étais vouée au célibat pour le restant de mes jours. Une seule perspective s'ouvrait peut-être à moi : suivre la suggestion de la reine en devenant la dame d'honneur de ma grand-tante – la dernière fille encore en vie de la reine Victoria –, qui vivait au fin fond du comté du Gloucestershire. Les années à venir, passées à promener des chiens pékinois et à tenir des pelotes de laine à tricoter, défilèrent devant mes yeux.

Avant d'aller plus loin, je suppose qu'il me faut me présenter. Je suis Victoria Georgiana Charlotte Eugénie de Glen Garry et Rannoch – mais mes amis me surnomment Georgie. J'appartiens à la Maison Windsor, je suis la petite-cousine du roi George V, trente-quatrième prétendante au trône d'Angleterre dans la ligne de succession, et j'étais ces temps-ci fauchée comme les blés.

Oh, attendez ! Un autre choix s'offrait à moi : épouser le prince Siegfried de Roumanie, de la lignée des Hohenzollern-Sigmaringen – un homme que j'avais secrètement surnommé Face de Poisson. Mais ce sujet n'avait pas été abordé ces derniers temps, Dieu merci. Sans doute d'autres personnes avaient-elles découvert qu'il avait une préférence marquée pour les garçons.

Ça allait clairement être l'une de ces journées d'été anglais qui évoquent une promenade à cheval sur un chemin champêtre bordé d'arbres, un pique-nique dans un pré avec au menu des fraises à la crème, une partie de croquet suivie d'un thé pris sur la pelouse. Même dans le centre de Londres, les oiseaux gazouillaient avec frénésie. Le soleil miroitait sur les fenêtres situées de l'autre côté de la place. Une douce brise agitait les voilages. Le facteur faisait sa tournée dans Belgrave Square en sifflotant. Quant à moi, que me réservait cette journée ?

— Oh, mince alors ! m'exclamai-je, me rappelant soudain la raison pour laquelle j'avais fait sonner mon réveil.

J'étais en effet attendue dans une demeure de Park Lane. Je fis ma toilette, enfilai une tenue élégante et descendis à la cuisine pour préparer du thé et des toasts. Vous constaterez que j'étais devenue une merveilleuse femme d'intérieur en moins de deux mois. Quand, en avril, j'avais déguerpi de notre château écossais, je ne savais même pas faire bouillir de l'eau. J'étais maintenant capable de réchauffer des haricots blancs en boîte et de cuire un œuf. Pour la première fois de mon existence, je vivais sans domestiques, n'ayant pas les moyens d'en engager. Mon frère, le duc de Glen Garry et Rannoch – que l'on surnomme généralement Binky –, avait promis de m'envoyer une bonne employée sur notre domaine, mais celle-ci ne s'était pas encore matérialisée. J'imagine qu'aucune mère écossaise très pieuse, presbytérienne de surcroît, n'accepterait de lâcher sa fille dans un soi-disant lieu de débauche tel que Londres. Quant à me donner de quoi payer les gages d'une domestique londonienne… En fait, Binky était aussi fauché que moi. Voyez-vous, après que notre père se fut tué d'un coup de fusil à la suite du krach boursier de 1929, mon frère hérita du domaine et des dettes de ce dernier, sans compter les droits de succession absolument exorbitants dont il avait dû s'acquitter.

Je me débrouillais donc sans personne et, franchement, j'en étais rudement fière. La bouilloire siffla. Je fis du thé et tartinai mes toasts d'une épaisse couche de l'excellente confiture d'orange Cooper's Oxford (oui, je sais, j'étais censée faire preuve de frugalité, mais il y a un niveau de vie au-dessous duquel on ne peut tout de même pas sombrer). Je me débarrassai des miettes sur mes vêtements d'un coup de brosse rapide, puis j'enfilai mon manteau. J'aurais pu m'en passer, car il allait faire chaud ; mais je ne pouvais toutefois pas courir le risque d'être vue habillée comme je l'étais, surtout à Belgravia, un quartier du gratin londonien situé au sud de Hyde Park – là où se dresse Rannoch House, notre résidence.

À mon passage, un chauffeur qui attendait près d'une Rolls m'adressa un élégant salut. Je serrai davantage mon manteau autour de moi. Après avoir traversé Belgrave Square, je remontai Grosvenor Crescent et, avant d'aller affronter la circulation autour de Hyde Park Corner, je m'arrêtai pour contempler avec envie l'étendue verdoyante du parc. J'entendis des claquements de sabots, et deux cavaliers débouchèrent de Rotten Row. L'un d'eux, une jeune fille, montait un splendide cheval gris ; elle avait belle allure avec son chapeau melon noir et sa veste d'équitation de bonne coupe. Ça aurait pu être moi si j'étais restée en Écosse, où j'avais eu l'habitude de monter à cheval tous les matins en compagnie de mon frère. Je me demandai si ma belle-sœur, Fig, prenait mon cheval pour aller en promenade et si, ce faisant, elle lui abîmait la bouche. Elle avait en effet tendance à tirer sans ménagement sur les rênes et elle était beaucoup plus lourde que moi.

Je remarquai alors d'autres personnes. Des individus beaucoup moins élégants. Certains portaient des pancartes, d'autres des panneaux à la manière des hommes-sandwichs : *J'ai besoin d'un travail*, *Mes services en échange d'un repas*, *L'effort physique ne me fait pas peur.*

J'avais grandi à l'abri des dures réalités de la vie. Je m'y trouvais à présent confrontée au quotidien. En raison de la Grande Dépression, des gens faisaient la queue pour obtenir un bol de soupe et un morceau de pain. Un homme, debout sous l'arc de Wellington, avait une allure plus distinguée – souliers bien cirés, manteau et cravate. Il portait même des décorations militaires. *Blessé sur la Somme, prêt à accepter n'importe quel emploi.* Le désespoir se lisait sur son visage et il était évident qu'il répugnait à devoir s'exhiber ainsi. Je regrettai de ne pas avoir les moyens de l'embaucher sur-le-champ. Mais, au fond, j'étais logée à la même enseigne que la plupart de ces chômeurs.

Un agent de police donna un coup de sifflet, la circulation s'arrêta et je traversai la rue à toute allure en direction de Park Lane. Le numéro 59 était plutôt modeste pour ce quartier huppé – une maison géorgienne typique de la haute société, toute de briques rouges et de moulures blanches, avec un perron menant à la porte d'entrée et une grille autour de la cage d'escalier extérieure donnant sur le sous-sol, où logeaient les domestiques. Même si elle ressemblait à Rannoch House, cette demeure était beaucoup plus grande et imposante. Plutôt que de gravir le perron, j'empruntai avec précaution le sombre escalier de service et dénichai la clé sous un pot de fleurs. J'ouvris et me retrouvai dans un vestibule affreux, miteux, où planait encore une odeur de chou.

Voilà, vous connaissez maintenant mon horrible secret. Je gagne ma vie en faisant le ménage chez les gens. L'annonce que j'ai placée dans le *Times* indique que l'agence du Diadème est recommandée par lady Georgiana de Glen Garry et Rannoch. Je ne me charge pas du gros nettoyage. Ni lavage des sols à la brosse ni récurage des cuvettes de cabinets, Dieu m'en préserve ! Je ne saurais même pas par où commencer. Je me contente d'ouvrir les résidences londoniennes des aristocrates en villégiature sur leurs terres qui ne veulent pas s'embêter à envoyer leur personnel à l'avance pour accomplir cette tâche – ce qui leur occasionnerait par ailleurs des frais supplémentaires. Il me suffit d'ôter les housses de protection du mobilier, de faire les lits, de balayer et d'épousseter. Tout au moins j'y parviens sans trop de casse – car il vous faut aussi savoir qu'il m'arrive de me montrer particulièrement maladroite.

Ce travail n'est pas sans danger. Les maisons où je suis employée appartiennent à des gens de mon milieu. Je mourrais de honte si, affublée de ma petite toque blanche et agenouillée devant l'âtre, je tombais un jour sur l'une des jeunes filles qui ont fait leurs débuts dans le monde avec moi ou, pire encore, sur l'un de mes anciens cavaliers. Pour l'instant, les seuls à connaître mon secret sont Belinda Warburton-Stoke, ma meilleure amie, et une fripouille peu fiable du nom de Darcy O'Mara. Et moins j'en dirai à son sujet, mieux je me porterai.

Avant de devenir femme de ménage, je n'avais jamais vraiment réfléchi aux conditions d'existence des classes inférieures – en effet, lorsque je me remémorais mes visites à l'étage des domestiques, je revoyais avant tout de grandes cuisines bien chauffées, où planaient des odeurs de gâteaux tout juste sortis du four et où on m'autorisait à étaler la pâte au rouleau et à lécher la cuiller.

Je trouvai le placard à balais, dans lequel je pris un seau et des chiffons, un plumeau et un balai mécanique. Dieu merci on était en été, et je n'avais pas de feux à préparer dans les chambres. Transporter du charbon jusqu'au troisième étage n'était pas mon occupation préférée, pas davantage que de m'aventurer dans ce que mon grand-père appelait « l'trou à charbon » pour y remplir des seaux. Mon grand-père ? Oh, navrée, je suppose que je n'ai pas encore parlé de lui. Si mon père était l'un des cousins germains du roi George V et l'un des petits-fils de la reine Victoria, ma mère est, elle, une actrice originaire de l'Essex. Son père, qui vit toujours dans ce comté, possède une petite maison devant laquelle trônent des nains de jardin. Cet agent de police à la retraite est un authentique cockney[1]. Je l'adore au plus haut point. Il est le seul à qui je peux absolument tout confier.

À la dernière minute, j'eus la présence d'esprit de sortir ma toque de ma poche et de la poser sur mes cheveux indisciplinés. Une bonne ne peut être vue sans sa coiffe. Je poussai la porte tapissée de feutre qui donnait sur les pièces principales de la maison et percutai un gros tas de bagages, qui s'écroula aussitôt avec fracas. Qui diable avait eu l'idée d'empiler des valises contre la porte menant à l'office ? Avant que je puisse les ramasser, un cri retentit et une dame âgée, tout de noir vêtue, apparut dans l'embrasure de la porte la plus proche en agitant une canne dans ma direction. Elle portait un bonnet démodé noué sous le menton et un manteau de voyage. Une pensée affreuse me traversa l'esprit : et si je m'étais trompée d'adresse ? Et si j'avais fait erreur en notant le numéro de la rue, et que je n'étais pas entrée dans la bonne demeure ?

— *Que se passe-t-il ?* me demanda-t-elle en français tout en observant ma tenue. *Vous êtes la bonne ?*

C'était une bien étrange façon d'accueillir une domestique dans une ville où la plupart des gens de maison ont déjà du mal à s'exprimer dans un anglais correct. Fort heureusement, j'ai fréquenté une école suisse et je parle plutôt bien le français. Je répondis que j'étais en effet la bonne envoyée par l'agence du Diadème pour ouvrir la maison ; on m'avait par ailleurs informée que les occupants n'arriveraient pas avant le lendemain.

---

1. Ainsi désigne-t-on les habitants de l'East End, qui regroupe les quartiers populaires de l'est londonien. *(N.d.T.)*

— *Nous sommes venus plus tôt que prévu*, précisa-t-elle, toujours en français. *Jean-Claude nous a conduits en automobile depuis Biarritz jusqu'à Paris, où nous avons pris le train de nuit.*

— Jean-Claude est votre chauffeur ?

— Non, le marquis de Chambourie, répliqua-t-elle. Il est aussi pilote de course. Il ne nous a fallu que six heures pour gagner Paris.

Elle dut soudain se rendre compte qu'elle bavardait avec une femme de chambre.

— Comment se fait-il que vous parliez un français passable, alors que vous êtes anglaise ?

Je fus tentée de rétorquer que je le parlais rudement bien, mais me contentai de murmurer que j'avais déjà passé des vacances sur la Côte d'Azur avec ma famille.

— Où vous avez fraternisé avec des marins français, à n'en pas douter, grommela-t-elle.

— Et vous êtes la gouvernante de madame, je suppose ? ironisai-je.

— Sachez, chère demoiselle, que je suis la comtesse douairière Sophia de Liechtenstein.

Au cas où vous vous demanderiez pourquoi une comtesse originaire d'un pays germanophone ne s'adressait pas à moi en allemand, je tiens à préciser que les dames bien nées de sa génération parlaient habituellement le français, quelle qu'eût été leur langue maternelle.

— Ma bonne est montée me préparer une chambre, poursuivit-elle en indiquant l'escalier d'un geste de la main. Ma gouvernante et le reste de mon personnel arriveront demain par le train, comme prévu. Étant donné que Jean-Claude a une voiture à deux places, ma bonne a dû voyager assise sur les bagages. J'ai cru comprendre que cela lui avait été fort désagréable, ajouta-t-elle avant de marquer une pause pour me jeter un regard mauvais. Et il m'est fort désagréable de n'avoir aucun siège où m'asseoir.

J'ignorais tout de l'étiquette de la cour du Liechtenstein et de la manière dont on s'adresse à une comtesse douairière de ce pays, mais j'avais appris qu'en cas de doute, mieux vaut viser haut.

— Je suis désolée, Votre Altesse, on m'a dit de venir aujourd'hui. Si j'avais su que vous aviez, parmi vos parents, un pilote de course, j'aurais ouvert la maison hier, répliquai-je avant de ravaler tant bien que mal un sourire.

Elle me considéra en fronçant les sourcils – s'efforçant probablement de déterminer si j'avais fait preuve ou non d'insolence. Elle ne parvint qu'à marmonner un « Hmmm » peu convaincu.

— Je vais ôter la housse d'un siège confortable afin que Votre Altesse puisse y prendre place.

Je me dirigeai vers un vaste salon plongé dans la pénombre et arrachai le drap qui recouvrait un fauteuil, soulevant un nuage de poussière.

— Ensuite, j'irai préparer votre chambre. Je suis sûre que la traversée a été fatigante et que vous avez besoin de repos.

— C'est un bon bain qu'il me faut, déclara-t-elle.

Ah, cela allait sans doute poser un léger problème, songeai-je. J'avais vu mon grand-père mettre en route la chaudière de Rannoch House, mais je n'avais aucune expérience en la matière. La bonne de la comtesse serait peut-être plus au fait que moi.

Il faudrait bien que quelqu'un s'en charge, de toute manière. Comment disait-on : « Allumer la chaudière n'est pas dans mon contrat » en allemand ?

— Je vais voir ce qu'il est possible de faire, répondis-je avant d'incliner la tête et de me retirer.

Je m'emparai de mon équipement et montai l'escalier. La bonne me sembla aussi âgée et désagréable que sa maîtresse, ce qui était compréhensible si elle avait fait Biarritz-Paris en automobile juchée sur une pile de bagages. Elle avait choisi pour la comtesse la plus belle

19

chambre qui, située à l'avant de ma maison, donnait sur Hyde Park. Elle avait déjà ouvert les fenêtres et enlevé les housses de protection. Je tentai de m'adresser à elle en français, puis en anglais, avant de deviner qu'elle ne devait parler que l'allemand – une langue dans laquelle j'étais seulement capable de dire : « J'aimerais un verre de vin chaud » et : « Où est le remonte-pentes ? » Je parvins à lui indiquer avec force gestes que je souhaitais faire le lit. Elle parut dubitative. Nous trouvâmes des draps et nous le fîmes à deux. Fort heureusement, car elle se montra très exigeante sur la manière de plier les coins. Elle alla aussi chercher des dizaines de couvertures et d'édredons supplémentaires dans les autres chambres situées au même étage, étant donné que la comtesse était toujours frileuse en Angleterre. Ce fut du moins ce que je crus comprendre.

Une fois terminé, le lit aurait parfaitement convenu à la princesse au petit pois.

Après avoir fait la poussière et balayé le parquet sous l'œil critique de la bonne, je la conduisis dans la salle de bains, où j'ouvris les robinets de la baignoire.

— *Heiss Bad für...* la comtesse, dis-je, tâchant d'expliquer que sa maîtresse désirait un bain chaud.

Par miracle, un *vlouff* sonore retentit, et de l'eau chaude jaillit d'un petit appareil fixé au-dessus de la baignoire – sans doute un chauffe-eau à gaz.

Avec l'impression d'être une magicienne, je regagnai le rez-de-chaussée d'un pas triomphant afin d'aller dire à la comtesse que sa chambre était prête et qu'elle pouvait prendre un bain dès que cela lui chanterait.

Alors que je m'apprêtais à descendre la dernière volée de marches, j'entendis des voix venir du salon. Il m'avait pourtant semblé comprendre que seules la comtesse et sa bonne se trouvaient dans la maison. Je m'immobilisai, hésitante. À cet instant, une voix d'homme s'éleva et, dans un anglais fortement accentué, déclara :

— Ne vous inquiétez pas, ma tante, et permettez-moi de vous aider. Je me chargerai personnellement de porter vos bagages jusqu'à votre chambre si vous estimez qu'ils sont trop lourds pour votre bonne. Même si j'ai du mal à comprendre pourquoi vous avez à votre service une domestique incapable de remplir les tâches les plus élémentaires. Si vous décidez de vous compliquer la vie, il ne faut vous en prendre qu'à vous-même.

Sur ces entrefaites, un jeune homme sortit de la pièce, mince, pâle et raide comme un piquet. Ses cheveux d'un blond tirant sur le blanc, lissés en arrière, donnaient à son visage un aspect spectral, pareil à celui d'un crâne ; on aurait dit Hamlet revenu à la vie. Il arborait une expression dédaigneuse, comme si une odeur nauséabonde lui montait aux narines, et ses grosses lèvres, semblables à celles d'une morue, étaient pincées. Je le reconnus au premier regard, évidemment. Ce n'était autre que le prince Siegfried, mieux connu sous son surnom de Face de Poisson – l'homme que tout le monde espérait me voir épouser.

2.

Il me fallut un moment pour réagir. Pétrifiée d'horreur, je ne parvenais pas à me faire obéir de mes jambes, alors que mon cerveau m'ordonnait de fuir. Siegfried se baissa pour ramasser une boîte à chapeaux et une mallette ridiculement petite, puis s'engagea dans l'escalier. Si j'avais été en mesure de raisonner logiquement, je me serais sans doute aussitôt mise à quatre pattes et j'aurais fait semblant d'astiquer le sol. Les aristocrates ne prêtent jamais attention aux domestiques occupés à leurs tâches. Mais j'étais tellement troublée de le voir que je fis ce que ma mère avait accompli avec succès de si nombreuses fois et avec tant d'hommes différents – je tournai les talons et déguerpis.

Je montai l'escalier à toute vitesse et atteignis le deuxième étage pendant que Siegfried arrivait au premier avec une agilité remarquable. *Ne surtout pas entrer dans la chambre de la comtesse*, me dis-je, preuve que j'étais encore capable d'avoir des pensées cohérentes. J'ouvris la porte située au bout du palier et m'élançai à l'intérieur avant de la refermer aussi discrètement que possible derrière moi. C'était une chambre à coucher donnant sur l'arrière de la maison, l'une de celles où la bonne avait trouvé des couvertures supplémentaires.

J'entendis des pas sur le palier.

— Est-ce la chambre qu'elle a choisie ? demanda Siegfried. Non, non et non ! Elle ne conviendra pas du tout. Trop bruyante. La circulation l'empêchera de fermer l'œil.

À ma grande horreur, ses pas se rapprochèrent. J'embrassai la pièce du regard. Il n'y avait pas d'armoire à proprement parler, simplement une haute commode. Nous avions ôté les housses de protection du meuble et du lit. Il n'y avait pas une seule cachette en vue.

La porte voisine fut ouverte.

— Non, non. Vraiment trop laide, déclara Siegfried.

Je me précipitai vers la fenêtre et l'ouvris. Un jardinet se trouvait plusieurs mètres en contrebas, mais j'aperçus une gouttière à portée de main, ainsi qu'un petit arbre que je pourrais atteindre, à environ trois mètres en dessous. Je me hissai par-dessus le châssis de la fenêtre et m'agrippai à la gouttière. Elle me parut suffisamment solide, et j'entamai la descente. Je remerciai le ciel d'avoir fait mes études aux Oiseaux, une institution privée pour jeunes filles en Suisse. À part apprendre le français et où placer un évêque à table, descendre le long d'une gouttière pour rejoindre des moniteurs de ski dans la taverne locale était l'une des rares compétences que j'y avais acquises.

Mon uniforme de bonne, trop serré, m'encombrait. La lourde jupe s'enroula autour de mes jambes et, tandis que je cherchais une prise pour mon pied, je crus entendre un bout de tissu se déchirer. La voix de Siegfried retentit alors distinctement dans la chambre que je venais de quitter :

— *Mein Gott*, non, non et non ! Cet endroit est épouvantable. Parfaitement épouvantable. Ma tante ! Vous avez loué une maison épouvantable – sans même un jardin digne de ce nom.

Le son de sa voix se rapprocha de la fenêtre. Je crois avoir déjà dit qu'il m'arrive d'être particulièrement maladroite lorsque je suis anxieuse. Sans que je comprenne comment, mes mains glissèrent de la gouttière. Je basculai en arrière et dégringolai dans l'arbre. Je sentis des branches me griffer le visage et, lâchant un cri perçant, j'attrapai la plus proche ; je m'y cramponnai de toutes mes forces. L'arbre oscillait de façon inquiétante, mais au moins j'étais cachée par son feuillage. J'attendis que les voix de Siegfried et de sa tante s'éloignent, puis je me laissai tomber. Je franchis à toute allure le petit portail du jardin, m'empressai de récupérer mon manteau dans le vestibule de l'office et m'enfuis. Il me faudrait appeler la comtesse afin de lui expliquer que, malheureusement, la jeune personne envoyée par l'agence du Diadème pour ouvrir sa maison s'était subitement sentie mal – elle avait semble-t-il développé une sévère allergie à la poussière.

À peine avais-je fait quelques pas dans Park Lane que j'entendis quelqu'un crier mon nom. L'espace d'un instant, je crus que Siegfried, en regardant par une fenêtre, m'avait reconnue – une pensée affreuse –, mais je pris alors conscience que le prince, ne comptant pas parmi mes amis, ne m'aurait jamais appelée Georgie.

Je me retournai et vis Belinda Warburton-Stoke accourir vers moi, les bras grands ouverts. Elle était absolument superbe dans une tenue de soie turquoise ornée d'un passement rose bonbon, par-dessus laquelle elle avait revêtu une cape dont les manches agitées par la brise donnaient l'impression qu'elle volait – le tout complété d'un petit chapeau rose surmonté de plumes, qu'elle portait incliné sur un œil, avec espièglerie.

— Chérie, c'est bien toi ! s'exclama-t-elle en m'enveloppant dans un nuage de luxueux parfum français. Cela fait une éternité ! Tu m'as terriblement manqué.

Belinda est tout mon contraire. Je suis grande, j'ai des taches de rousseur et une chevelure blonde tirant sur le roux. Petite, brune avec de grands yeux marron, elle est sophistiquée, élégante et très délurée. J'étais malgré tout vraiment contente de la voir.

24

— Ce n'est pas moi qui suis partie en virée sur la Méditerranée.

— Ma chère, aurais-tu refusé une invitation de deux semaines sur le yacht d'un merveilleux Français ?

— Sans doute pas. Était-ce aussi divin que tu l'espérais ?

— Divin, mais bizarre. Je pensais avoir été conviée parce qu'il s'était entiché de moi, vois-tu. Je croyais être tombée sur un bon filon vu qu'il est fabuleusement riche. Et il a un titre de duc, par-dessus le marché. Il faut aussi reconnaître que les Français sont de sublimes amants – si libertins et pourtant si romantiques. Bref, en fin de compte, il avait aussi invité non seulement sa femme mais aussi sa maîtresse, et il leur rendait consciencieusement visite dans leurs cabines respectives une nuit sur deux, chacune leur tour. J'en ai été réduite à jouer au rami avec sa fille de douze ans.

Je pouffai.

— Et à flirter avec les matelots ?

— Ils avaient tous de la bedaine et la quarantaine bien tassée. Pas une seule belle brute épaisse parmi eux. À mon retour, carrément frustrée, j'ai découvert que tous les hommes désirables avaient déserté Londres, lui préférant la campagne ou l'Europe. Par conséquent, te voir est un rayon de soleil bienvenu dans mon existence par ailleurs lugubre. Et toi, ma chère Georgie, que deviens-tu ? poursuivit-elle en me regardant attentivement.

— D'après toi ? dis-je en désignant ma tenue.

— Tu t'es battue contre un lion dans la jungle ? suggéra-t-elle, m'observant d'un air sceptique. Chérie, tu as une affreuse égratignure sur une joue, de la saleté sur l'autre et des feuilles dans les cheveux. À moins que tu n'aies fait une folle partie de jambes en l'air dans le parc ? Raconte, je suis dévorée de curiosité et serai folle de jalousie si ma seconde hypothèse est la bonne.

— J'ai dû fuir à toutes jambes à cause d'un homme.

— Quelqu'un a cherché à t'attaquer ? En plein jour ?

Je m'esclaffai.

— Mais non ! J'étais occupée à gagner ma croûte, comme d'habitude, en ouvrant une maison avant l'arrivée de ses occupants venus d'Europe, si ce n'est que ces derniers ont débarqué avec un jour d'avance et que l'un d'eux n'est autre que le redoutable prince Siegfried.

— Face de Poisson en personne ? C'est tout simplement épouvantable ! Qu'a-t-il dit en te voyant en uniforme de bonne ? Plus important encore, que lui as-tu répondu ?

— Il ne m'a pas vue. Je me suis échappée par une fenêtre du deuxième étage. Heureusement que nous sommes devenues expertes dans la descente et l'ascension des gouttières quand nous étions aux Oiseaux. D'où mes égratignures et les feuilles dans mes cheveux. J'ai atterri dans un arbre. Une matinée fort pénible, en somme.

— Ma pauvre petite Georgie... quelle épreuve. Approche.

Elle ôta les feuilles de ma chevelure, puis sortit un mouchoir de son sac et m'en tamponna la joue. Une bouffée de Chanel flotta autour de moi.

— C'est un peu mieux, mais tu as besoin d'un réconfortant. Et si nous allions déjeuner quelque part ? Je te laisse le choix du lieu.

Je mourais d'envie de faire un bon repas en sa compagnie, mais mes ressources étaient au plus bas.

— Il y a des petits cafés le long d'Oxford Street, suggérai-je. Ou bien dans l'un des grands magasins ? Je crois que les dames peuvent y déjeuner.

Belinda me dévisagea comme si je lui avais proposé de manger de l'anguille en gelée dans la très malfamée Old Kent Road.

— Un grand magasin ? Mais enfin, ma chérie, c'est bon pour les mémés qui sentent la naphtaline et les petites banlieusardes au foyer de Coulsdon qui ont besoin de la permission de leur gentil mari pour venir faire des emplettes en ville. Toi et moi, nous ferions un peu trop sensation dans un lieu pareil – nous aurions l'air de paons lâchés au milieu d'un poulailler. Ça leur ôterait l'envie de terminer leur sole grillée. Bon, où aller ? Je suppose que le Dorchester pourrait faire l'affaire, à la rigueur. Le Ritz n'est pas loin, même à pied, mais je trouve que seul leur thé vaut vraiment le déplacement. C'est aussi valable pour l'hôtel Brown's... on n'y croise que des vieilles dames en tailleur de tweed. À quoi bon aller dans un endroit s'il ne s'y trouve personne d'assez bien pour me remarquer ? Bon, autant nous rabattre sur le Savoy. Au moins, on est assuré d'y manger correctement...

— Pas si vite, Belinda, l'interrompis-je. Je continue de faire des ménages en échange d'un salaire de misère. Je ne peux pas m'offrir un repas dans ce genre de restaurant.

— C'est moi qui régale, répondit-elle avec un grand geste de sa main gantée de turquoise. Quand j'étais sur le yacht du Français, nous avons fait halte à Monte-Carlo pendant un ou deux jours, et tu sais combien je suis douée pour les jeux d'argent. En outre, j'ai réalisé une vente. Oui, quelqu'un a bel et bien acheté l'une de mes créations et m'a payée comptant.

— C'est merveilleux, Belinda. Raconte-moi tout.

Elle passa son bras sous le mien et nous nous mîmes en route le long de Park Lane.

— Eh bien, tu te rappelles la robe violette que j'avais essayé de vendre à cette odieuse Mme Simpson, pensant que cette tenue incarnait l'idée qu'une Américaine devait se faire de la royauté ?

— Évidemment, acquiesçai-je, rougissant au souvenir de ma brève et désastreuse carrière de mannequin – Belinda m'avait demandé de présenter cette robe et... bon, mieux vaut oublier cet épisode.

— Bon, eh bien j'ai rencontré une autre Américaine au Crockford's – oui, j'avoue que je me suis remise à jouer, je le crains – et je lui ai dit que j'étais une styliste de mode pleine d'avenir qui créait des tenues pour les membres de la famille royale. Elle m'a rendu visite dans ma boutique et a aussitôt acheté la robe en question. Elle l'a même réglée sur-le-champ et…

Elle s'interrompit à la vue d'une porte qui venait de s'ouvrir ; un homme la franchit et s'immobilisa en haut du perron en affichant un air de dédain absolu.

— C'est Siegfried, sifflai-je. Il va me voir. Filons.

Trop tard, il descendait déjà les marches en regardant dans notre direction.

— Ah, lady Georgiana ! Nous voici de nouveau réunis. Quelle agréable surprise.

Rien sur son visage ne laissait transparaître que ladite surprise lui était particulièrement agréable, mais il s'inclina légèrement.

Je serrai mon manteau autour de moi afin de dissimuler au mieux mon uniforme de femme de chambre. J'étais toutefois particulièrement consciente de ma joue égratignée et de mes cheveux en bataille. Je devais faire peur à voir. Non que je souhaite que Siegfried me trouve attirante, mais j'ai mon amour-propre, tout de même.

— Votre Altesse, le saluai-je avec un signe de tête régalien. Puis-je vous présenter mon amie Belinda Warburton-Stoke ?

— Je crois avoir déjà eu le plaisir de vous croiser, dit-il – néanmoins, aucune des habituelles allusions faites par la plupart des jeunes hommes qui avaient rencontré Belinda ne perçait dans sa voix. En Suisse, me semble-t-il.

— Bien sûr. Enchantée de vous revoir, Votre Altesse. Comptez-vous séjourner longtemps à Londres ?

— Ma tante arrive tout juste d'Europe, je suis donc bien évidemment obligé de lui rendre une visite de politesse. La maison qu'elle a louée est cependant épouvantable. Même un chien n'en voudrait pas.

— Oh, comme je vous plains, dis-je.

— Je tâcherai de le supporter, d'une manière ou d'une autre, répliqua-t-il sur un ton suggérant qu'il s'apprêtait à passer la nuit dans les oubliettes de la Tour de Londres. Et où allez-vous comme cela, mesdemoiselles ?

— Déjeuner au Savoy, répondit Belinda.

— Le Savoy. On y mange plutôt bien. Puis-je me joindre à vous ?

— Très volontiers, minauda mon amie.

J'enfonçai mes ongles dans son avant-bras. Je savais qu'elle entendait s'amuser de la situation. Mais ce n'était absolument pas mon cas. Je décidai de jouer l'une de mes cartes maîtresses.

— C'est fort aimable à vous, Votre Altesse. Nous avons tant de choses à nous dire. Êtes-vous remonté à cheval, ces derniers temps ? Depuis votre fâcheux accident... ? demandai-je gentiment.

Son visage se contracta brièvement en signe d'agacement.

— Ah, je viens de me rappeler que j'ai promis à un ami de le retrouver à son club. Vraiment navré. Une autre fois, peut-être ?

Il claqua des talons – une bien étrange coutume européenne – et inclina brusquement la tête pour nous saluer.

— Je vous fais mes adieux, lady Georgiana, mademoiselle Warburton-Stoke.

Puis il s'éloigna avec raideur dans Park Lane, à aussi vive allure que le lui permettaient ses bottes.

3.

Belinda me regarda, puis éclata de rire.

— Quelle mouche l'a piqué ? demanda-t-elle.

— As-tu oublié qu'il était tombé de cheval lors de notre dernière rencontre, chez les Mountjoy ? Alors qu'il s'était vanté d'être un excellent cavalier. Il fallait bien que je l'empêche de déjeuner avec nous. Qu'est-ce qui t'a pris de l'inviter ?

— Je sais, c'était plutôt culotté de ma part, reconnut Belinda, les yeux pétillants de malice, mais je n'ai pas pu résister. Toi dans ton uniforme de femme de chambre et le prince Siegfried au Savoy – délectable.

— Et moi qui croyais que tu étais mon amie.

— Je le suis, ma chérie, bien sûr. Mais reconnais que cela aurait été tordant !

— Mon pire cauchemar se serait réalisé, veux-tu dire.

— Pourquoi te soucier de ce que peut penser cet odieux personnage ? Je croyais que l'idée était de le dissuader – histoire qu'il préfère se passer l'épée au travers du corps plutôt que de t'épouser.

— Parce qu'il risquerait d'aller tout raconter au palais, surtout s'il s'apercevait de ma tenue, et tout particulièrement s'il se rendait soudain compte que c'était moi qui, un peu plus tôt, étais en train de faire le ménage chez sa tante. Et si le palais l'apprenait, je serais expédiée à la campagne comme dame d'honneur de la dernière fille encore en vie de la reine Victoria.

— Oh, je vois, tu as sans doute raison, répondit Belinda en s'efforçant de réprimer un sourire. J'avoue que j'ai plutôt manqué de tact. Allez, viens, tu te sentiras mieux après un excellent déjeuner au Savoy, ajouta-t-elle en m'entraînant dans Park Lane. Prenons un taxi.

— Je ne peux pas aller au Savoy habillée ainsi, Belinda.

— Aucun problème, dit-elle en m'obligeant à bifurquer dans Curzon Street. Mon salon de modiste est à deux pas. Nous allons y faire un saut, et je te prêterai une tenue.

— Il est hors de question que je porte l'une de tes robes. Et si je l'abîmais ? Tu me connais, je renverserais forcément quelque chose dessus.

— Ne sois pas bête. Tu me rendras en réalité service. Tu pourras faire la promotion de mes créations quand tu fraieras avec tes parents royaux. Ce serait un beau coup, pas vrai ? Belinda Warburton-Stoke, nommée styliste officielle de la famille royale !

— D'accord, mais je ne veux pas de jupe-culotte, répliquai-je à la hâte, me remémorant le fiasco de mon unique expérience de mannequin. Des habits normaux, que je pourrai porter sans me prendre les pieds dedans ou me ridiculiser.

Belinda partit de son merveilleux rire cristallin.

— Tu es trop mignonne, Georgie.

— Mignonne, mais maladroite, grommelai-je d'un air sombre.

— Je suis certaine que ça passera avec le temps.

— Je l'espère. Non que je sois constamment maladroite. C'est toujours au mauvais moment et au mauvais endroit que cela m'arrive, chaque fois en présence de gens avec lesquels il ne faut surtout pas commettre d'impair. Cela doit avoir un lien avec ma nervosité, je suppose.

31

— Mais enfin, pourquoi serais-tu nerveuse ? s'étonna Belinda. Tu es une jeune femme très attirante, quasiment le plus beau parti de Grande-Bretagne, et tu dégages une pureté virginale tout à fait charmante – justement, à ce propos, quoi de neuf ?

— Tu veux parler de ma virginité ?

Deux nourrices qui passaient par là en poussant chacune un landau se tournèrent vers nous avec une expression parfaitement scandalisée. Belinda et moi échangeâmes un grand sourire.

— Nous devrions reprendre cette conversation dans un lieu moins public, proposai-je avant de l'entraîner sans ménagement dans l'entrée de l'immeuble qui abritait son salon de modiste.

Une fois dans la petite pièce située à l'étage, elle me fit essayer plusieurs tenues avant de choisir une robe de crêpe Georgette marron clair avec une cape dorée courte et vaporeuse.

— Les capes sont très en vogue, et celle-ci va si bien avec ta chevelure.

Elle n'avait pas tort. En me regardant dans le miroir en pied, j'eus la sensation d'être devenue quelqu'un d'autre. Je ne ressemblais plus à une godiche : j'étais grande, élégante – du moins jusqu'à ce que je contemple mes pieds. Je portais en effet de solides chaussures noires à lacets.

— Il va falloir te débarrasser de ces souliers, déclara mon amie. Nous n'aurons qu'à faire un saut chez Russell & Bromley avant le déjeuner.

— Le bottier de luxe ? Je n'ai pas un sou, Belinda, je te l'ai déjà dit.

— Ce sont les chaussures qui parachèvent une tenue, Georgie, répondit-elle avec désinvolture. Et puis, tu me rembourseras le jour où tu deviendras reine quelque part. Sait-on jamais, tu finiras peut-être avec un maharajah qui te couvrira de diamants.

— Avant de m'enfermer dans un harem ? Non merci. Je crois que je me contenterai d'un Anglais moins fortuné.

— Tu vas tellement t'ennuyer, ma chérie. Et ne t'attends à aucune prouesse au lit.

Elle descendit du trottoir et héla un taxi qui s'immobilisa près d'elle dans un crissement de pneus.

— Déposez-nous d'abord chez Russell & Bromley, annonça-t-elle au chauffeur, comme si cela coulait de source.

Pour elle, c'était le cas. Alors que cela me donnait encore l'impression d'être Cendrillon.

Il fallut à Belinda une demi-heure pour me choisir une paire d'escarpins dorés, puis nous filâmes au Savoy. Tandis que mon amie bavardait joyeusement, je retrouvai le moral. Le taxi tourna sous le portique admirablement moderne, aux contours harmonieux, du Savoy, et un concierge s'avança d'un bond pour ouvrir notre portière. J'entrai dans le bâtiment d'un pas majestueux, avec le sentiment d'être sophistiquée et séduisante ; j'étais enfin une femme du monde. Du moins jusqu'au moment où ma cape, qui flottait derrière moi, se coinça dans la porte à tambour. Je fus brutalement tirée en arrière, à moitié étranglée, et, honteuse, je dus attendre plantée là que le concierge m'aide à me dégager – tandis que Belinda ricanait.

— Tu crées des vêtements dangereux, le savais-tu ? lui dis-je alors que nous nous dirigions vers le restaurant. Cela fait maintenant deux fois que l'un d'eux essaie de me tuer.

— Les gens normaux n'ont semble-t-il aucun problème avec, répondit-elle, encore hilare. Ce sont peut-être des tenues communistes qui ont fait le serment d'anéantir la Maison Windsor par tous les moyens.

— Si tel est le cas, je t'empêcherai d'en vendre à mes cousins.

Alors que nous atteignions l'entrée du restaurant, je rajustai la cape afin que la broche cesse de me meurtrir le cou.

— Avez-vous une réservation, mademoiselle ? s'enquit le maître d'hôtel.

— Je suis Belinda Warburton-Stoke, et je viens déjeuner avec lady Georgiana de Rannoch, annonça-t-elle d'une voix mielleuse, tout en lui glissant discrètement un billet dans la main. Hélas, je suis navrée, nous n'avons pas réservé... Mais vous allez être un amour, j'en suis certaine, et nous trouver une petite place quelque part...

— Bienvenue, lady de Rannoch. Vous nous faites un grand honneur, assura-t-il en s'inclinant devant moi.

Il nous escorta jusqu'à une charmante table pour deux.

— Je vais demander au chef de venir vous faire ses recommandations, ajouta-t-il.

— Il est utile d'avoir un nom illustre, je dois le reconnaître, fis-je observer une fois que nous fûmes assises.

— Tu devrais t'en servir plus souvent. On te ferait probablement crédit partout.

— Oh non, pas question de contracter des dettes. Tu connais la devise familiale – « La mort plutôt que le déshonneur ».

— S'endetter n'a rien de déshonorant, affirma Belinda. Pense aux droits de succession qui ont accablé ton frère après le suicide de votre père.

— Ah mais il a bradé la moitié du domaine, l'argenterie et la propriété que nous possédions dans le comté du Sutherland pour pouvoir s'en acquitter.

— Que c'est magnanime et assommant de sa part ! Je suis contente d'appartenir à la petite noblesse bourgeoise, et non à l'aristocratie. Nos ancêtres n'attendaient rien de leurs descendants. Mon arrière-arrière-grand-père était commerçant, naturellement. Les gens de ton milieu refusaient catégoriquement de le fréquenter, alors qu'il aurait eu de quoi acheter tous leurs domaines réunis. Quoi qu'il en soit, j'ai toujours apprécié les vices des classes inférieures – et justement, à propos de vices, tu ne m'as encore rien dit...

— À quel sujet ?

— Ta virginité, ma chérie. J'espère sincèrement que tu as fini par t'en débarrasser.

J'ai le teint si clair que, lorsque je rougis, je ne peux malheureusement le cacher.

— Bon, tu l'as fait, finalement ? poursuivit-elle de sa voix sonore, carillonnante, s'attirant les regards fascinés des clients des tables voisines. Ne me dis pas le contraire ! Enfin, Georgie, quel est le problème ? Dire que tu as sous la main quelqu'un de *si* compétent, tout disposé à te rendre ce service...

Le pauvre jeune homme qui était en train de remplir nos verres d'eau manqua lâcher sa carafe.

— Belinda ! sifflai-je.

— Je suppose que ce débauché de Darcy O'Mara est toujours dans la course ?

— Justement, non.

— Oh, vraiment ? Qu'est-il arrivé ? Vous sembliez vous entendre à merveille, la dernière fois que je t'ai vue.

— Nous ne nous sommes pas querellés, rien de ce genre. Il a disparu peu de temps après la tristement célèbre partie de campagne des Mountjoy. Il a tout simplement cessé de me rendre visite, et j'ignore où il peut être.

— Tu n'es pas passée le voir ?

— J'en serais incapable. S'il ne veut plus de moi, pas question de me jeter à ses pieds.

— C'est pourtant ce que je ferais. Darcy est indéniablement l'un des hommes les plus intéressants de Londres. Regardons les choses en face : ils se font extrêmement rares, tu ne trouves pas ? En ce moment, je suis si frustrée sexuellement que cela me met au supplice.

Patientant devant notre table, le chef faisait mine de remettre de l'ordre dans nos couverts d'un air affairé.

Belinda commanda toutes sortes de plats délicieux – une salade d'endives au saumon fumé et des côtes d'agneau grillées accompagnées d'un bordeaux moelleux à souhait, le tout suivi d'un succulent pudding au pain beurré. Nous venions de terminer le dessert et on nous avait apporté des cafés quand retentit, à travers le restaurant, un rire qui avait tout du braiement – une sorte de « hi han ». Un jeune homme se leva alors de table, les épaules encore secouées par l'hilarité.

— C'est tordant ! s'exclama-t-il avant de se diriger vers nous.

— Tu vois maintenant ce que je voulais dire : tous les types séduisants ont déserté Londres, marmonna Belinda. Voilà à quoi se résume actuellement la fine fleur de la gent masculine britannique. Son père possède une maison d'édition, mais le fils est complètement nul au lit.

— Je ne crois pas l'avoir déjà rencontré.

— C'est Gussie Gormsley, ma chérie.

— Gussie ?

— Augustus de son vrai prénom. Le fils de lord Gormsley. Je suis surprise qu'il ne soit pas sur ta liste des bons partis. Sans doute en raison de ses liens avec le monde de l'édition. Mais il n'y a aucun commerçant ni rien de tout ça dans sa famille. Par ici, Gussie ! l'appela-t-elle en lui adressant un signe de la main.

Le jeune homme blond, bien charpenté, aurait fait un avant idéal au rugby. À la vue de mon amie, son visage s'illumina.

— Ohé, Belinda, ma vieille ! Depuis le temps qu'on ne s'était pas vus !

— Je reviens tout juste de la Méditerranée. Connaissez-vous ma bonne amie Georgiana de Rannoch ?

— Ce n'est tout de même pas la sœur de Binky ? Bonté divine !

— Cela semble vous surprendre, dis-je.

— Je croyais… Eh bien, votre frère a toujours laissé entendre que vous étiez une frêle demoiselle timide et réservée, alors que je découvre au contraire une créature absolument séduisante.

— Georgie est sans doute le plus beau parti de Grande-Bretagne, déclara Belinda avant que je puisse bredouiller la moindre réponse. Les hommes se battent littéralement pour elle. Des princes étrangers, des millionnaires américains…

— Pas étonnant que Binky soit aussi discret à votre sujet, dit Gussie. Il faut que je vous présente à ce vieux Lunghi.

Il se tourna et agita la main en direction de la table qu'il venait de quitter.

— Lunghi ? fit Belinda.

— Lunghi Fotheringay, ma vieille, précisa-t-il – prononçant évidemment ce patronyme « Fungy », comme il se doit.

— Lunghi Fungy ? C'est à se tordre ! rit Belinda. Et d'où lui vient ce prénom ?

— Il revient d'Inde, figurez-vous. Il nous a montré une photo de lui sur laquelle il porte une pièce d'étoffe drapée autour de la taille, et quand on lui a demandé ce que c'était, il a dit que c'était un *lunghi*. Et comme nous avons trouvé ça hilarant, nous l'avons rebaptisé Lunghi Fungy. Par ici, mon vieux ! lança-t-il à son compagnon. Il y a là deux délicieuses jeunes femmes que je tiens à vous présenter.

Tous les yeux du Savoy convergèrent vers nous, et je me sentis rougir. Mais Belinda arbora son radieux sourire tandis qu'approchait M. Fotheringay. Il était mince, brun et plein de sérieux. Plutôt pas mal, pour tout dire.

Une fois les présentations terminées, Gussie reprit :

— Au fait, nous organisons une petite bringue chez nous la semaine prochaine. Ça vous dirait de vous joindre à nous ?

— Avec plaisir, si nous sommes libres, répondit Belinda. Avez-vous invité qui que ce soit d'intéressant ?

37

— Excepté nous, voulez-vous dire ? demanda le sombre et maussade Lunghi en la dévisageant avec gravité – il était clair que, de nous deux, c'était elle qui avait piqué son intérêt. Je peux vous assurer que nous sommes les Londoniens les plus fascinants du moment.

— Cela semble malheureusement être le cas, acquiesça Belinda. La ville est singulièrement dépourvue d'attraits ces temps-ci. Nous acceptons donc cette offre. D'accord, Georgie ?

— Pourquoi pas ? dis-je en feignant la nonchalance, comme si ce genre d'invitation était courante.

— À la semaine prochaine, alors. Je vous enverrai un carton par la poste, histoire que ce soit officiel et tout. Nous sommes dans Arlington Street – un grand immeuble moderne de pierre blanche près de Green Park. La résidence St James's Mansions. Vous reconnaîtrez l'appartement aux notes de jazz qui en sortiront et aux visages renfrognés des voisins.

Belinda et moi prîmes congé.

— Eh bien, tu vois, me dit-elle tout en réglant l'addition sans sourciller. Il t'arrive des choses agréables quand nous sommes ensemble. Et tu as impressionné Gussie, n'est-ce pas ?

— C'est plutôt ta robe qui lui a fait de l'effet. Mais cette fête sera sans doute amusante.

— L'un d'eux fera peut-être l'affaire, tu sais.

— De quoi veux-tu parler ?

— De ta virginité, ma chérie. Franchement, qu'est-ce que tu peux être bornée, parfois.

— Tu as pourtant affirmé que Gussie ne valait pas grand-chose au lit, fis-je observer.

— Pour moi, non. Mais il te conviendra sans doute, vu que tu n'auras pas d'attentes démesurées.

— Merci tout de même. Cependant, j'ai décidé d'attendre d'être amoureuse. Je n'ai pas envie de finir comme ma mère, qui passe d'un homme à l'autre.

— Quand on parle du loup…, murmura Belinda.

Je levai les yeux et vis maman entrer. Elle s'immobilisa sur le seuil du restaurant, faisant mine d'embrasser la salle du regard, alors qu'en réalité elle attendait que tous les gens présents la remarquent. Je dus reconnaître qu'elle avait une allure absolument superbe, vêtue d'une ample tenue de soie blanche avec juste ce qu'il fallait de saisissantes touches de rouge. Un chapeau cloche de paille blanche tressé de rubans rouges encadrait ses traits délicats.

— Madame la duchesse, quel plaisir, murmura le maître d'hôtel en approchant promptement.

Cela faisait des années que ma mère n'était plus mariée à un duc, mais elle lui sourit de charmante façon, sans rectifier son erreur.

— Bonjour, François. Ravie de vous revoir, répondit-elle de cette voix mélodieuse qui avait charmé les publics des théâtres du monde entier avant que mon père ne lui mette le grappin dessus.

Elle s'avança dans la salle, puis m'aperçut et, surprise, écarquilla ses immenses yeux bleus.

— Seigneur, Georgie ! C'est toi ! Je t'ai à peine reconnue, ma chérie. Tu es très chic, pour une fois. Tu as dû te trouver un riche amant.

— Bonjour, maman.

Nous échangeâmes des baisers de convenance, les lèvres de l'une restant à deux centimètres de la joue de l'autre.

— J'ignorais que tu étais en ville, poursuivis-je. Je t'imaginais en séjour dans la Forêt-Noire, à cette époque de l'année.

— Je suis venue voir… une connaissance.

Il y avait dans sa voix une sorte de timidité affectée.

— Tu es donc encore avec machin-chose ?

— Max ? En fait, oui et non. C'est ce qu'il croit. Mais on se lasse, à force de ne pas pouvoir causer de temps à autre. C'est toujours aussi merveilleux au lit, il est vrai, mais il est toujours agréable de bavarder et, pour une raison qui m'échappe, je n'arrive tout simplement pas à apprendre l'allemand. Du reste, Max aime seulement parler de chasse. J'ai par conséquent décidé de faire un petit saut à Londres. Ah, le voilà !

Je vis une main lui faire signe à l'autre bout du restaurant.

— Il faut que je me sauve, ma chérie. Es-tu toujours installée à Rannoch House, cette vieille demeure lugubre ? Il faut que nous allions prendre le thé ensemble, d'accord ? *Ciao !*

Sur ce, elle s'éloigna en me laissant, comme d'habitude, déçue et contrariée, avec tant de choses passées sous silence. Vous aurez probablement déjà deviné que, en tant que mère, elle ne m'avait jamais vraiment donné entière satisfaction. Belinda me prit le bras.

— Je ne sais pas pourquoi tu refuses de finir comme ta mère. Elle a une garde-robe de rêve.

— Mais à quel prix ? Elle a vendu son âme, d'après mon grand-père.

Le portier nous héla un taxi.

Je regardai par la vitre et me rendis compte que je frissonnais. Ce n'était pas seulement la rencontre avec ma mère qui m'avait déstabilisée. Alors que nous nous installions dans l'automobile, j'avais cru apercevoir Darcy O'Mara entrer dans le Savoy avec, à son bras, une grande fille brune.

4.

— Tu es bien silencieuse, fit observer Belinda alors que le taxi nous ramenait chez moi. Le repas ne t'a pas réussi ?

— Si, c'était succulent, répondis-je avant de prendre une profonde inspiration. As-tu aperçu Darcy, par hasard ? Il est entré au Savoy tandis que nous en partions.

— Darcy ? Non, il ne me semble pas l'avoir vu.

— Bon, mon imagination me joue sans doute des tours. Mais j'aurais juré que c'était lui. Il était accompagné d'une jeune femme fort séduisante.

— Ma foi, soupira Belinda. Il est connu que les hommes de son acabit n'ont pas le dévouement d'un épagneul, et je suis certaine qu'il a de solides appétits charnels.

— Tu dois avoir raison.

Je passai le reste du trajet plongée dans une profonde mélancolie. En me montrant bêtement réticente, j'avais semble-t-il laissé échapper mes chances d'être avec Darcy. Mais voulais-je vraiment de lui ? Il était irlandais, catholique, fauché, peu fiable et peu recommandable à tous les égards – mis à part qu'il était le fils d'un pair. Mais dès que je l'imaginais avec une autre, j'éprouvais, au fond de moi, une douleur presque physique.

De surcroît, ces rencontres fugaces avec ma mère me laissaient toujours un peu déprimée. J'avais tant à lui dire, et jamais je n'en avais le temps. Et à présent, elle était apparemment sur le point de passer à un autre homme – encore un. C'était la pensée de finir comme elle qui m'avait incitée à rester prudente et à ne pas céder à quelqu'un comme Darcy. Je n'étais pas certaine d'avoir hérité de son inconstance, mais j'étais en revanche convaincue que mes ancêtres Rannoch m'avaient légué leur vaillance. « La mort plutôt que le déshonneur ».

Mon uniforme de bonne et mes godillots fourrés dans un sac en papier de chez Harrods, j'entrai dans Rannoch House, toujours vêtue de l'élégante tenue prêtée par Belinda. Lorsque j'avais voulu la lui rendre, elle avait insisté pour que je la garde ; je n'aurais qu'à donner sa carte si l'on me complimentait sur mon allure. Elle avait sans doute raison, quoiqu'elle pensât à l'évidence que je voyais souvent mes parents royaux alors que c'était rarement le cas. Pour autant que je le sache, la prochaine fois que je poserais les yeux sur le roi et la reine, ce serait à Balmoral, le manoir où j'étais sommée de me rendre chaque été – il était en effet situé tout près du château de Rannoch. Un lieu où, par ailleurs, les costumes des Highlands étaient de rigueur.

En pénétrant dans le sombre vestibule, je remarquai une enveloppe sur le paillasson. Je la ramassai, pleine d'attentes. Il était rare que je reçoive du courrier, car peu de gens me savaient à Londres. Cependant, dès que je vis de quoi il retournait, je faillis lâcher la lettre. Elle venait du palais et avait été livrée par messager. Tout mon corps se glaça.

Le secrétaire personnel de la reine m'écrivait : *Sa Majesté la reine espère que vous pourrez venir prendre le thé avec elle demain, mardi 7 juin. Elle s'excuse de vous prévenir un peu tard, mais un problème présentant un caractère d'urgence est survenu.*

Évidemment, je pensai aussitôt que Siegfried avait aperçu l'uniforme de femme de chambre sous mon manteau et s'était empressé de se rendre au palais pour raconter l'affreuse vérité. J'allais être expédiée à la campagne et...

— Attends une seconde ! m'exclamai-je à haute voix.

Elle était certes reine d'Angleterre, impératrice des Indes et de tout le tralala, mais elle ne pouvait m'obliger à agir contre mon gré. On n'était plus au Moyen Âge. Elle ne pouvait ni me faire décapiter ni me jeter dans la Tour de Londres. Je n'avais rien fait de mal. Je savais que mon activité domestique était plus ou moins indigne de mon rang, mais je gagnais honnêtement ma vie. Je ne demandais à personne de subvenir à mes besoins. Je tâchais de faire mon chemin toute seule, en des temps difficiles. Elle devrait être fière de mon esprit d'initiative.

Voilà. Tout était réglé. C'était exactement ce que j'allais lui dire.

Je me sentis beaucoup mieux. Je montai dans ma chambre d'un pas énergique et ôtai la robe de Belinda. Puis, assise à mon secrétaire, je préparai une facture – la moitié de la somme prévue – à l'attention de la comtesse douairière Sophia ; j'y ajoutai un mot expliquant la soudaine aversion de la bonne pour la poussière londonienne.

★

Mardi 7 juin 1932

Cher journal,
Belle matinée ensoleillée. Palais de Buckingham cet après-midi. Thé avec la reine. Je ne compte pas y manger grand-chose. Franchement, l'étiquette royale est absurde. Cette fois, je devrai sans doute distraire

l'attention de S. M. et enfourner un gâteau à la va-vite.
Je me demande ce qu'elle me veut. Rien de réjouissant,
je le crains...

Tout en m'habillant en prévision de ma visite au
palais, je me sentis tout à coup moins courageuse. Sa
Majesté est une femme redoutable. Elle est petite et
paraît plutôt inoffensive à première vue, mais souvenez-
vous de mon arrière-grand-mère, la reine Victoria.
Elle n'était pas bien grande, elle non plus, et pourtant
tout l'Empire tremblait lorsqu'elle haussait un sourcil. La reine Mary n'est pas aussi puissante, mais il
suffit de poser le regard sur son dos droit comme
un piquet et sur ses yeux d'un bleu glacial, qui vous
scrutent et vous jaugent franchement, pour sentir vos
jambes se dérober – quand bien même on serait doté
d'une forte personnalité. En outre, elle n'aime pas qu'on
la contrarie.

Je contemplai les tenues suspendues dans mon armoire
en me demandant laquelle ferait meilleure impression.
J'écartai sans hésiter la création de Belinda, qui faisait
trop mondaine. Je possède quelques toilettes très habillées
et assez élégantes, mais mes vêtements d'été, du moins
ceux que je porte en journée, manquent malheureusement d'allure. Ma robe préférée, en coton, avait besoin
d'être correctement repassée, et je ne maîtrisais pas
encore l'usage du fer. Je m'y risquai toutefois, laissant
plus de plis qu'il n'y en avait au départ – sans parler de
deux ou trois marques de roussi. Le moment était mal
choisi pour s'entraîner. Je finis par choisir la simplicité :
un tailleur bleu marine et un corsage blanc. Le tout
ressemblait assez à un uniforme scolaire mais, au moins,
j'avais l'air convenable et soignée. J'y ajoutai mon chapeau
de paille blanc (rien à voir avec la petite coiffe élégante de
ma mère) et des gants de même teinte, puis je me mis
en route.

La journée étant chaude, j'avais le visage plutôt rouge en arrivant au bout de Constitution Hill, l'avenue menant au palais, et je pris soin de le tamponner avec mon mouchoir imbibé d'eau de Cologne avant de devoir passer devant les gardes. L'entrée des visiteurs se situe à l'autre extrémité du bâtiment. Je pus au moins emprunter une porte latérale, puisque je n'étais pas venue en carrosse ou en Rolls. Je traversai l'avant-cour avec, comme d'habitude, l'impression d'être épiée et la crainte de trébucher sur un pavé.

Je fus reçue avec une extrême courtoisie et escortée à l'étage jusqu'aux appartements royaux. Par chance, je n'eus pas à affronter l'escalier d'honneur avec son tapis rouge et ses statues ; j'empruntai de simples volées de marches pour gagner un bureau aussi quelconque que n'importe quelle étude notariale londonienne. J'y fus accueillie par le secrétaire de la reine.

— Ah, lady Georgiana. Veuillez me suivre. Sa Majesté vous attend dans son salon privé.

Il paraissait tout à fait joyeux, voire guilleret. Je fus tentée de lui demander si Sa Majesté s'était renseignée sur les horaires des trains à destination du lointain comté du Gloucestershire. Mais sans doute ne lui avait-elle pas dévoilé la raison pour laquelle elle m'avait convoquée. Il ignorait peut-être tout de ma grand-tante et de ses pékinois.

Dieu merci, nous ne sommes pas catholiques, songeai-je. *Au moins, ils ne m'enfermeront pas au couvent en attendant de me trouver un époux convenable.* À cette idée, je me figeai d'effroi au milieu du couloir. Et si, en pénétrant dans le salon, j'y découvrais le prince Siegfried et un prêtre tout disposé à nous marier ?

— Par ici, dit le secrétaire. Lady Georgiana, madame, m'annonça-t-il.

Je pris une profonde inspiration et entrai dans la pièce. La reine était assise dans un fauteuil de style Chippendale devant une table basse. Bien qu'elle ne fût plus de la première jeunesse, elle avait un teint parfait, lisse, et pas une ride en vue. Je devinais en outre qu'elle n'avait pas besoin des divers produits cosmétiques coûteux que ma mère utilisait pour tenter de préserver sa beauté de jeune femme.

Sur la table déjà dressée, je vis du thé, assorti d'un étalage appétissant de gâteaux placés sur deux plateaux d'argent superposés d'un présentoir en cristal. Sa Majesté me tendit la main.

— Ah, Georgiana, ma chère. C'est très gentil à vous d'être venue.

Comme si on pouvait refuser quoi que ce soit à une reine.

— C'est très aimable à vous de m'avoir invitée, madame.

Je me risquai, tout en la saluant d'une révérence, à lui planter sur la joue le baiser d'usage ; cette fois, j'y parvins sans me cogner le nez.

— Asseyez-vous donc. Tout est prêt. Du thé de Chine ou d'Inde ?

— De Chine, s'il vous plaît.

La reine le versa elle-même.

— Et prenez quelque chose à grignoter.

— Après vous, madame, dis-je consciencieusement.

Je savais pertinemment que, selon le protocole, les invités ne pouvaient manger que ce que Sa Majesté consommait. Lors de ma visite précédente, elle s'était contentée d'une tranche de pain complet.

— Je ne crois pas avoir beaucoup d'appétit aujourd'hui, déclara-t-elle, ce qui me déprima davantage encore.

Se rendait-elle compte du supplice qu'elle infligeait à ses visiteurs, contraints de contempler des tartes aux fraises et des éclairs sans pouvoir en manger un seul ? J'étais sur le point de répondre que je n'avais pas faim non plus, quand elle se pencha en avant.

— À la réflexion, ces éclairs ont l'air délicieux, vous ne trouvez pas ? Cessons de penser à notre ligne, pour une fois.

Elle était de bonne humeur. Pour quelle raison ? Était-ce un thé d'adieu, à l'issue duquel elle me réserverait un sort terrible ?

— Comment vous portez-vous depuis notre dernière rencontre, Georgiana ? s'enquit-elle en me fixant de son regard si pénétrant.

J'étais alors occupée à mordre dans mon éclair en tâchant de ne pas me mettre de la crème sur la lèvre supérieure.

— Très bien, merci, madame.

— Vous êtes donc restée à Londres. Vous n'êtes finalement ni partie à la campagne ni rentrée chez vous, en Écosse.

— En effet, madame. J'avais prévu d'aller tenir compagnie à sir Hubert à son retour en Angleterre après son séjour à l'hôpital, mais il a décidé d'aller se rétablir dans un sanatorium suisse. (Sir Hubert Anstruther, l'un de mes anciens beaux-pères préférés, avait été grièvement blessé lors d'une expédition dans les Alpes.) Quant à l'Écosse, je n'ai pas vu l'intérêt d'y retourner.

— Et vous avez des journées bien remplies, je suppose ?

— Je trouve à m'occuper. J'ai des amis. Hier, j'ai déjeuné au Savoy.

— C'est bien d'avoir des occupations. J'espère cependant que vous ne passez pas votre temps à déjeuner au Savoy.

Où voulait-elle en venir ?

— En ces temps de crise économique, il y a tant de choses à mettre en œuvre, poursuivit-elle. Une jeune femme comme vous, qui n'a encore ni mari ni enfants dans les jambes, pourrait faire tant de bien autour d'elle et servir d'exemple. Proposer son aide dans les soupes populaires, donner des conseils d'hygiène aux mères de

47

nourrissons de l'East End, ou même rejoindre la Women's Health and Beauty League[1]. Des causes extrêmement louables, Georgiana, qui valent la peine qu'on leur consacre du temps et de l'énergie.

Cet entretien n'allait donc pas si mal se passer que cela, songeai-je. Si elle me proposait de me rendre utile auprès des habitants de l'East End, c'est qu'elle s'attendait à l'évidence à ce que je reste à Londres.

— Ce sont d'excellentes suggestions, madame, acquiesçai-je.

— Je parraine plusieurs œuvres de bienfaisance méritantes. Je me renseignerai afin de savoir laquelle apprécierait le plus vos services.

— Merci, madame.

Je le pensais vraiment. Pour tout dire, l'idée de participer à une œuvre caritative me plaisait. Et cela me permettrait de ne pas rester oisive entre deux missions domestiques.

— Mais nous reviendrons à ce sujet plus tard, dit Sa Majesté avant de prendre une gorgée de thé de Chine. Pour l'heure, j'espère vous convaincre de devenir ma complice afin d'exécuter un petit plan que je suis en train de mettre sur pied.

Elle me dévisagea de son regard franc, et ses yeux bleus limpides restèrent rivés aux miens un long moment.

— Je suis extrêmement inquiète pour mon fils, Georgiana.

— Le prince de Galles ?

— Naturellement. Ses frères me donnent satisfaction, chacun à sa manière. Du moins, en tant que membres de la royauté, ils semblent tous dotés d'un sens du devoir qui manque cruellement à David. C'est la faute de cette

---

1. Mouvement fondé en Grande-Bretagne par Mary Bagot Stack dans les années 1930, incitant les femmes à faire de l'exercice afin de préserver la santé « raciale » et promouvoir la maternité. (*N.d.T.*)

Américaine. D'après ce que j'ai pu apprendre, et ce que vous-même avez pu observer, la fascination qu'il éprouve à son égard est toujours aussi grande. Elle le tient entre ses griffes et n'a pas l'intention de le lâcher. Pour le moment, la question d'un mariage n'est pas envisageable, bien entendu, étant donné qu'elle a encore un mari – pauvre idiot. Mais si elle venait à divorcer... ma foi, vous voyez dans quelle situation fâcheuse nous nous retrouverions.

— Son Altesse n'aurait jamais le droit d'épouser une divorcée, tout de même !

— Qui pourrait l'en empêcher, s'il devenait roi ? Il serait également nommé chef de l'Église. Or, Henri VIII lui-même a réécrit les règles par convenance personnelle, n'est-ce pas ?

— Je suis certaine que vous vous inquiétez inutilement, madame. Le prince de Galles se plaît sans doute à mener une vie de play-boy en ce moment, mais il s'acquittera de son devoir vis-à-vis de son pays quand il accédera au trône. Dans la famille royale, c'est inné.

Elle me tapota la main.

— J'espère sincèrement que vous avez raison, Georgiana. Mais je ne peux rester les bras croisés, sans rien faire pour sauver mon fils de la ruine et notre famille du déshonneur. Il est temps qu'il épouse une jeune femme convenable, de surcroît capable de lui donner des enfants dignes de notre lignée. Et non une Américaine de quarante ans. Ce serait inconcevable. Pour ce faire, j'ai élaboré un plan, précisa-t-elle en me lançant un regard de conspiratrice. Connaissez-vous la famille royale de Bavière ?

— Non, je n'ai rencontré aucun de ses membres, madame.

— Il n'y a évidemment pas de lien de parenté entre nous, et ils sont catholiques, ce qui est regrettable. Ils ne règnent plus officiellement, mais ils jouissent encore d'un prestige et d'un respect considérables dans cette région de l'Allemagne. Il semble que de nombreux partisans souhaitent restaurer la monarchie en Bavière, ce qui fait d'eux des alliés non négligeables contre ce ridicule petit parvenu de *Herr* Hitler.

— Vous envisagez donc une union avec un membre de cette famille, madame ?

Elle se pencha plus près de moi encore, bien que nous soyons seules dans la pièce.

— Ils ont une fille, Hannelore. Tout le monde la dit très belle. Elle a dix-huit ans et vient de quitter le couvent où elle a été élevée ces dix dernières années. Si mon fils avait l'occasion de faire sa connaissance, comment pourrait-il rester indifférent au charme virginal d'une beauté de cet âge ? Elle lui ferait forcément oublier cette Simpson et retrouver son sens du devoir.

Je hochai la tête.

— Mais en quoi cela me concerne-t-il, madame ?

— Laissez-moi vous expliquer ce que j'ai en tête, Georgiana. Si David avait l'impression qu'on cherche à lui imposer la présence de la princesse Hannelore, il se braquerait. Il a toujours été têtu, même enfant, voyez-vous. En revanche, s'il l'apercevait à l'autre bout d'une pièce et qu'on lui laissait entendre qu'elle est promise à un autre – un prince beaucoup moins puissant, par exemple –, cela l'inciterait à la poursuivre de ses assiduités – vous savez combien les hommes aiment cela. J'ai donc écrit aux parents d'Hannelore et l'ai l'invitée à venir en Angleterre ; elle pourra y faire ses débuts dans le monde et se perfectionner dans notre langue. J'ai néanmoins décidé qu'elle ne logerait pas au palais, mais chez vous, précisa-t-elle en me décochant un regard perçant.

— Chez moi ? m'exclamai-je d'une voix aiguë, oubliant d'ajouter « madame » – par chance, je n'étais pas en train d'avaler une gorgée de thé, car j'aurais alors couvert de postillons le fauteuil Chippendale.

— Quoi de plus plaisant pour une demoiselle que de séjourner chez une personne de son âge et d'un rang convenant au sien ? Comme vous l'avez dit, vous sortez avec vos amis, vous déjeunez au Savoy. La princesse Hannelore sera ravie de fréquenter des jeunes gens et de se joindre à leurs activités. Puis, en temps voulu, nous ferons en sorte qu'elle soit invitée aux mêmes réceptions que mon fils.

Elle continua de parler, tandis que le sang me battait aux tempes ; comment lui expliquer qu'il m'était impossible de recevoir une jeune lady de sang royal dans une maison où je vivais sans domestiques et me nourrissais de haricots blancs en boîte ?

— J'espère que je peux compter sur vous, n'est-ce pas, Georgiana ? Pour le bien de l'Angleterre ?

J'ouvris la bouche. Et me contentai d'acquiescer :

— Bien entendu, madame.

5.

Je sortis du palais de Buckingham d'un pas chancelant, comme dans un rêve. D'ici quelques jours, une princesse allemande s'installerait à Rannoch House, où je n'avais ni personnel ni de quoi la nourrir. Les reines ne pensaient jamais à ce genre de menus détails. Il ne lui était probablement pas venu à l'esprit de me demander si j'avais de quoi recevoir une invitée royale ou si j'avais besoin d'un peu d'aide sur le plan financier. Et quand bien même elle aurait promis de m'allouer une rente afin de mener son projet à bien, le fait est que je n'avais ni femmes de chambre, ni majordome, ni, plus important encore, cuisinière. Les Allemands ont de l'appétit, je le savais. Mes compétences culinaires quasi inexistantes ne feraient absolument pas l'affaire.

Pourquoi n'avais-je pas parlé franchement et avoué la vérité à la reine ? Maintenant que j'étais devant le fait accompli, il me semblait vraiment idiot d'avoir accepté une mission aussi absurde. Mais, sentant ses yeux bleu acier braqués sur moi, je n'avais pas eu le courage de m'opposer à sa volonté. En somme, j'avais réagi comme d'innombrables antiquaires qui pour rien au monde n'auraient laissé la Reine s'emparer de l'une de leurs pièces les plus prisées, et qui pourtant s'étaient surpris à la lui remettre de bonne grâce.

Qu'allais-je faire, à présent ? Je n'en avais pas la moindre idée. Il fallait que je me confie à quelqu'un – quelqu'un de sage, qui aurait une idée pour me tirer de cette situation fâcheuse. Il serait inutile d'en parler à Belinda. Elle trouverait cela hilarant et attendrait simplement de voir comment j'allais me sortir de cette situation. Il faut dire qu'elle ne pouvait imaginer à quel point j'étais démunie. Pour son vingt et unième anniversaire, elle avait hérité d'une petite rente qui lui avait permis d'acheter une maison et d'engager une bonne. Ses créations vestimentaires lui assuraient également un revenu – sans parler des gains qu'elle réalisait au casino. Pour elle, être fauchée signifiait se priver de champagne pendant quelques jours.

Oh, mon Dieu ! me dis-je. Et si cette princesse s'attendait à ce que je lui serve du caviar et du bon vin ? Elle ne se contenterait sûrement pas de haricots en boîte et de thé.

J'eus soudain un éclair de génie. Mon grand-père était la seule personne au monde vers laquelle je pouvais me tourner. Je ne veux pas parler du duc écossais dont le fantôme hante désormais les remparts du château de Rannoch (en jouant de la cornemuse, à en croire les domestiques – sans doute se laissent-ils emporter par leur imagination, car il n'en avait jamais joué de son vivant), mais de mon grand-père roturier, le policier à la retraite. Je gagnai en toute hâte la station de métro la plus proche et traversai bientôt l'est londonien afin de rejoindre les banlieues de l'Essex, où était située sa jolie petite maison mitoyenne.

Je remontai l'allée bordée d'une pelouse de la taille d'un mouchoir de poche et de deux parterres de roses parfaitement entretenus, sous l'œil vigilant des nains de jardin, et frappai à la porte. Aucune réponse. C'était un contretemps inattendu. Il était dix-huit heures, et j'étais certaine que grand-papa n'avait pas les moyens d'aller

53

dîner au restaurant. Je ravalai ma déception et m'apprêtais à rebrousser chemin quand je me rappelai qu'il avait un jour mentionné sa voisine. Ou, plus précisément, « la vieille bique d'à côté », car c'était ainsi qu'il l'avait décrite – non sans affection cependant. Peut-être saurait-elle où il se trouvait. Un frisson d'inquiétude me parcourut. Il n'avait pas été en très bonne santé durant l'hiver, et j'espérais qu'il n'avait pas été hospitalisé.

Je toquai à la porte de la maison voisine. Aucune réponse non plus.

— Bon sang, marmonnai-je.

Levant les yeux, je vis un mouvement derrière un rideau de tulle. Quelqu'un m'observait. Alors que je tournais les talons, la porte s'ouvrit. Une grande femme rondelette, qui portait un tablier à fleurs, me dévisagea depuis le seuil.

— C'est pour quoi ? demanda-t-elle.

— Je suis venue voir mon grand-père, commençai-je. Je suis Georgiana de Rannoch et je…

Elle laissa échapper un grand cri de joie.

— Je sais qui vous êtes. Mince alors, pour une surprise ! Si on m'avait dit qu'un membre de la famille royale se pointerait un jour sur le pas de ma porte ! Je suis censée vous faire la révérence ou un truc de ce genre ?

— Bien sûr que non, répondis-je. Je souhaite simplement savoir où est mon grand-père. Je suis venue lui rendre visite et…

— Entrez donc, mon canard, m'interrompit-elle en me tirant presque à l'intérieur. Je vais vous dire où qu'il est, votre grand-papa. Dans mon séjour, en train de casser la croûte. Vous avez qu'à vous joindre à nous. Il y en a assez pour trois.

— C'est très aimable à vous.

— Je vous en prie ! Vraiment, je vous en prie ! s'exclama-t-elle avec chaleur.

— Pardon, mais vous êtes madame… ?

— Huggins, ma chérie. Hettie Huggins, précisa-t-elle.

Il me parut plutôt regrettable que quelqu'un ne prononçant pas ses « h » – signe d'un manque d'instruction évident – ait un nom pareil. Je lui tendis malgré tout la main en souriant.

— Enchantée, madame Huggins.

— Contente de faire votre connaissance, pour sûr, Vot' Altesse.

— Je ne suis pas une altesse, mais une simple lady. Et vous pouvez m'appeler Georgiana.

— Vous êtes une aristo très comme il faut, voilà ce que vous êtes, déclara-t-elle.

Elle s'était déjà engagée dans le couloir quand mon grand-père apparut.

— Qu'est-ce qui se passe, Hettie ?

Puis il me vit, et son visage s'illumina.

— Mince alors ! Si je m'y attendais ! Ça me fait rudement plaisir de te voir. Allez, viens donc embrasser ton vieux grand-papa.

Je m'exécutai, heureuse de sentir son odeur de savon de Marseille et sa joue mal rasée piquer la mienne.

— J'ai failli repartir, mais je me suis souvenue de ta voisine. Je me suis dit qu'elle saurait peut-être me renseigner. Et quand Mme Huggins n'a pas ouvert tout de suite, j'ai pensé…

— Elle est un peu nerveuse, en ce moment. C'est à cause des huissiers.

— Des huis sciés ? m'étonnai-je.

Je savais ce qu'était un huis clos, mais un huis scié ? Des images de portes débitées en planches flottèrent dans mon esprit.

— Ben oui. Elle veut rien avoir à faire avec eux, mais ils arrêtent pas de rappliquer.

Cette explication m'embrouilla encore davantage les idées. D'où lui venait cette peur irrationnelle des portes, même sciées ? Et comment faisaient-elles pour lui rendre visite ? Mme Huggins avait-elle des hallucinations ?

— Des huis sciés ? répétai-je. Mais pourquoi les craignez-vous ?

— Parce qu'ils essaient de m'expulser, voilà pourquoi, répondit-elle. J'ai juste eu un peu de retard pour régler mon loyer quand j'ai été malade et qu'il a fallu payer la note du médecin.

Comprenant enfin de quoi il retournait, je rougis d'avoir été aussi stupide.

— Oh, des huissiers ! Je vois.

— Elle est pas propriétaire de sa maison, contrairement à moi, expliqua mon grand-père. Elle a pas eu la chance d'avoir une gentille fille qui aurait pu lui acheter son logis, pas vrai, ma Hettie ?

— J'ai quatre filles, et elles ont toutes épousé des sales types. C'est moi qui dois les aider, alors que ça devrait être l'inverse.

— Et avez-vous des fils, madame Huggins ? demandai-je avant que cette conversation ne devienne beaucoup trop larmoyante à mon goût.

Son visage se vida de toute expression.

— J'ai eu trois garçons. Tous tués pendant la guerre. À quelques jours les uns des autres.

— Je suis vraiment navrée.

— Ouais, bon, y a pas grand-chose qu'on puisse y faire maintenant, hein ? C'est pas les regrets qui vont les ramener à la vie. Alors j'essaie de me débrouiller du mieux que je peux. Bon, arrêtons de parler de choses déprimantes. Entrez et venez donc vous reposer un peu, ma jolie.

Elle me poussa vigoureusement dans une minuscule salle à manger, meublée non seulement d'une table et de quatre chaises, mais aussi de deux fauteuils, un de chaque côté de la cheminée, et d'un buffet sur lequel était posé un poste de radio.

— J'espère que ça vous embête pas qu'on soit dans cette pièce, reprit-elle. On se sert du petit salon que pour les grandes occasions. Allez, asseyez-vous, mon canard.

Elle m'indiqua une chaise, sur laquelle je pris place avec la sensation d'irréalité que j'éprouvais invariablement dès que je me retrouvais dans une maison ordinaire. J'avais grandi dans un château. J'étais accoutumée à des pièces plus vastes que toutes celles de ce logis réunies, à des couloirs suffisamment longs pour y faire du patin à roulettes et à de violentes bourrasques glaciales surgissant de cheminées assez larges pour y faire rôtir un bœuf. Cette salle à manger me rappelait le petit cottage qui servait de cabane de jardin à mes cousines Élisabeth et Margaret.

— Je viens du palais, où j'ai pris le thé, dis-je, tandis que mes pensées se tournaient de nouveau vers la famille royale.

— Au palais, ça alors ! s'exclama Mme Huggins en regardant mon grand-père d'un air plein de respectueuse admiration. Il n'y a rien de très chic ici, hélas, juste de la bonne nourriture ordinaire.

J'observai la table. Vu l'heure, je m'étais attendue à trouver ici aussi du thé, de fines tranches de pain et des petits gâteaux. Mais ce que je vis n'avait rien à voir avec ce à quoi j'étais habituée : des tranches de jambon et de rôti de porc froid, une moitié de pâté en croûte, un bon morceau de fromage, une grosse miche de pain croustillante, des oignons au vinaigre et une assiette de tomates – sans oublier un cake aux fruits qui me parut fort moelleux et des petits biscuits faits maison.

— C'est un vrai festin, fis-je remarquer.

— C'est ce qu'on mange tous les soirs, pas vrai, Albert ?

Mon grand-père hocha la tête, et je compris alors qu'il ne s'agissait pas d'un simple thé, mais de leur dîner.

— On soupe pas aussi tard que les aristos, nous autres, précisa-t-il.

— Tout cela m'a l'air parfaitement délicieux, dis-je, acceptant volontiers les tranches de jambon qu'il avait déposées dans mon assiette.

— Alors, quel bon vent t'amène en Essex ? demanda-t-il tandis que nous entamions notre repas. Et me dis pas que tu ne faisais que passer.

— Je suis venue car j'ai besoin d'un conseil, grand-papa. Pour tout dire, j'ai un petit problème.

— C'est à cause d'un jeune homme ? s'enquit-il en jetant un coup d'œil inquiet à Mme Huggins.

— Non, cela n'a rien à voir. Simplement…

Je regardai Mme Huggins, qui était tout ouïe. Je ne pouvais tout de même pas m'expliquer en sa présence, mais il aurait été impoli de prendre mon grand-père à part afin de lui parler en tête à tête.

— Tu peux dire tout ce que tu veux devant Hettie, précisa-t-il, ce qui résolut mon dilemme. On n'a pas de secrets l'un pour l'autre, elle et moi, sauf si c'est à propos de mes petites amies.

— À d'autres ! pouffa-t-elle.

Je pris conscience que leur relation avait évolué depuis ma dernière visite.

— Voici ce qui m'arrive, grand-papa, commençai-je.

Je lui racontai alors mon entretien avec la reine.

— Je ne sais plus que faire, conclus-je. Je ne peux pas accueillir une princesse chez moi, mais je n'ose pas non plus affronter Sa Majesté et lui dire la vérité. Elle serait tellement horrifiée d'apprendre que je vis à la dure, sans domestiques, qu'elle m'expédierait sur-le-champ à la campagne pour servir de dame d'honneur à une vieille tante royale, me lamentai-je d'une voix stridente.

— Du calme, ma chérie. Te fais pas du mouron comme ça.

— Du quoi ?

— Du mouron. Du tracas, si tu préfères. Tu connais pas cette expression ?

— Non, je ne l'avais jamais entendue.

— Quoi de plus normal ? intervint Mme Huggins. C'est pas au palais qu'ils vont parler l'argot.

Mon grand-père sourit, puis se gratta le menton.

— Bon, tout ça demande réflexion. Elle vient pour combien de temps, cette princesse étrangère ?

— Aucune idée. La reine a laissé entendre qu'elle souhaitait nous recevoir à Sandringham House, l'une des résidences royales, et que nous serions invitées à quelques parties de campagne.

— Dans ce cas, son séjour à Londres devrait pas durer plus d'une semaine ?

— C'est possible. Pourquoi ?

— Parce que je me disais que je pourrais peut-être te dénicher une cuisinière et un majordome.

— Vraiment ? Qui ça ?

— Nous ! annonça mon grand-père avant d'éclater de rire. Hettie et moi. Elle se débrouille pas mal aux fourneaux, et je peux me faire passer pour un majordome si besoin.

— Grand-papa, je ne peux exiger de toi que tu deviennes mon domestique. Ce ne serait pas bien.

— Ah mais tu nous rendrais aussi un petit service, ma chérie, répondit-il en lançant un autre coup d'œil à Mme Huggins. Tu vois, si Hettie n'est pas chez elle quand les huissiers se pointeront avec un ordre d'expulsion, ça l'arrangera. Ils sont censés le donner en mains propres, non ?

— Je n'aurais cependant pas les moyens de vous rémunérer.

— T'inquiète pas pour ça, ma chérie. On veut pas de gages. En revanche, tu auras besoin d'un peu d'argent pour nourrir la princesse.

— Elle s'attendra probablement à ce qu'il y a de mieux, acquiesça Mme Huggins. À mon avis, la reine a tort de s'imaginer que vous devez payer tout ça de votre poche.

— Elle ne pense pas à ce genre de détails, voilà tout, expliquai-je. La famille royale n'a jamais à prendre cela en considération. Ses membres n'ont même jamais d'argent sur eux.

— Y en a qui s'embêtent pas, commenta Mme Huggins en adressant un signe de tête entendu à mon grand-père.

— Tu devrais peut-être écrire à ton frère pour lui demander de t'aider, suggéra mon grand-père en se grattant de nouveau le menton. Il te doit une fière chandelle, après tout.

— Oui, tu as raison, mais il est terriblement fauché, lui aussi.

— Dans ce cas, dis-lui que tu comptes venir en Écosse avec la princesse. D'après ce que je sais de ta bêcheuse de belle-sœur, elle ferait n'importe quoi pour éviter d'avoir à recevoir chez elle des personnages royaux en visite officielle.

— C'est une idée formidable, grand-papa ! m'exclamai-je en riant. Absolument formidable. Et je rappellerai à Binky qu'il a aussi promis de m'envoyer une bonne. Oh, Seigneur ! Je suis sûre que la princesse s'attend à avoir une femme de chambre à son service.

— Pas question que je me charge d'habiller une princesse, déclara Mme Huggins. Je saurais même pas comment on s'y prend avec toutes ces robes chics, et mes mains calleuses risqueraient d'abîmer sa peau délicate.

— Si mon frère m'envoie une bonne écossaise, elle pourra s'en occuper, répondis-je. Pour ce qui me concerne, je suis maintenant habituée à me débrouiller seule.

— Bon, quand est-ce qu'elle doit arriver, cette princesse ? demanda mon grand-père.

— Dans les prochains jours. Mon Dieu, je me passerais bien de la recevoir.

— Te fais pas de mouron, me rassura-t-il en me tapotant le genou. Tout ira bien, tu verras.

6.

Le majordome du château de Rannoch étant devenu dur d'oreille, il me fallut cinq bonnes minutes pour lui faire comprendre que je ne souhaitais pas parler à lady Georgiana, car *j'étais* lady Georgiana. Ma belle-sœur, Fig, finit par lui arracher l'appareil des mains.

— Georgiana ? Que se passe-t-il encore ?

— Pourquoi se passerait-il quelque chose ?

— Vu les tarifs astronomiques du téléphone en ce moment, j'imagine que vous n'auriez pas appelé et de ce fait gaspillé de l'argent s'il ne s'agissait d'une véritable urgence. Vous appelez depuis Rannoch House, je suppose ?

— Oui, et c'est en effet assez pressant, répondis-je avant de prendre une profonde inspiration. Je voulais savoir si Binky et vous comptiez rester chez vous dans les semaines à venir.

— Évidemment, répliqua-t-elle d'un ton sec. Partir en vacances est tout bonnement au-dessus de nos moyens, ces temps-ci. Il est désormais impensable d'aller faire un tour en Méditerranée durant l'été. J'emmènerai probablement le petit Podge chez mes parents dans le Shropshire, mais hormis cela, nous devrons nous contenter de trouver à nous divertir au château de Rannoch, quoique cette perspective paraisse fort déprimante.

— C'est une bonne nouvelle, pour tout dire, car j'ai une proposition qui devrait égayer votre été. J'ai l'intention de venir en visite avec un groupe d'Allemands.

— Des Allemands ? Chez nous ? Quand cela ?

— En fin de semaine, je pense.

— Vous comptez arriver cette semaine avec un groupe d'Allemands ?

Le vernis social d'ordinaire irréprochable de Fig commençait à se craqueler. Une lady est censée ne jamais laisser transparaître ses émotions.

— Combien d'Allemands ? poursuivit-elle d'une voix à présent stridente.

— J'ignore combien de personnes feront partie de l'escorte de la princesse.

— La princesse ? répéta-t-elle, cette fois réellement ébranlée.

— Oui. C'est en fait très simple : j'ai pris le thé au palais hier après-midi, et Sa Majesté la reine m'a demandé si j'aurais l'obligeance d'accueillir une princesse bavaroise en visite officielle et…

— C'est à *vous* qu'elle s'est adressée ? Pourquoi ?

Le fait que j'aie des liens de parenté avec le roi, et pas elle, contrariait considérablement Fig, tout particulièrement parce que ma mère était d'humble naissance et que de surcroît elle avait été actrice. Ma belle-sœur frayait rarement avec la royauté, hormis lors d'une ou deux soirées à Balmoral.

— Sa Majesté estime que l'atmosphère du palais serait sans doute un peu trop guindée pour une jeune fille et que celle-ci s'amuserait davantage en compagnie de quelqu'un proche d'elle en âge. En des circonstances normales, je me serais volontiers conformée aux désirs de la reine en recevant cette princesse à Rannoch House mais, comme vous le savez, mon frère a cessé de me verser une rente, et je ne peux donc pas engager de gens de maison.

Par conséquent, je ne vois pas comment je pourrais offrir l'hospitalité à qui que ce soit, surtout à une personne de haut rang.

— Mais pourquoi ne l'avez-vous pas expliqué à Sa Majesté ?

— Vous auriez voulu que je lui avoue que je vis seule dans notre résidence londonienne pour la simple raison que mon frère refuse de rémunérer des domestiques ? De quoi aurions-nous eu l'air, Fig ? Pensez à notre famille. Quel déshonneur !

Avant qu'elle puisse répondre, je continuai jovialement :

— C'est ainsi que j'ai eu cette idée de génie ! Je vais emmener ces Allemands en Écosse. Ils vont drôlement s'amuser. Nous pourrons organiser des fêtes, des excursions au bord de la mer, puis, en août, une partie de chasse une fois que la saison sera ouverte. Vous savez combien les Allemands aiment tirer du gibier.

— En août ? s'exclama Fig d'une voix qui avait monté d'un octave. Vous pensez qu'ils resteront jusqu'en août ?

— Je n'en ai pas la moindre idée. Personne ne discute de ce genre de détails insignifiants avec Sa Majesté.

— Je suis censée accueillir sous mon toit un groupe d'Allemands jusqu'au mois d'août ? Georgiana, savez-vous quelles quantités de nourriture ces gens ingurgitent ?

— Je ne vois pas d'autre solution, répondis-je, savourant chaque seconde de cette conversation.

— Dites à la reine que vous ne pouvez vous en charger. Rien de plus facile.

— Personne ne refuse quoi que ce soit à Sa Majesté, Fig. Et quand bien même je lui annoncerais que c'est impossible, il me faudrait lui expliquer pourquoi et cela aurait tout un tas de répercussions pénibles. Comme je vous l'ai dit, ce problème pourrait être résolu très simplement. Je serais ravie de recevoir la princesse à Rannoch House si on m'en donnait les moyens. Sa Majesté m'a informée qu'elle souhaitait nous inviter à

Sandringham House et, bien entendu, plusieurs parties de campagne seront également organisées afin de divertir Son Altesse. Les dépenses ne devraient donc pas être excessives. Il suffirait à Binky de me verser de nouveau ma rente pendant quelque temps et de m'envoyer la bonne qu'il m'a promise.

— Georgiana, vous connaissant, je suis tentée de croire que vous essayez de me faire du chantage, déclara Fig d'une voix glaciale.

— Quoi ? Oh, grands dieux, non ! Jamais de la vie. Je voulais juste vous rappeler que mon frère et vous avez une petite dette envers moi et que vous devriez me remercier de ce que j'ai fait pour Binky. Si je n'avais pas démasqué le meurtrier de Gaston de Mauxville, mon frère serait encore en train de se morfondre en prison, je le crains. Il aurait peut-être même déjà été pendu, vous laissant seule pour élever le petit Podge et gérer le domaine. Me fournir une bonne en échange me paraît bien peu de chose.

Un silence accueillit ces paroles, seule la respiration de Fig était audible.

— Nous avions demandé à Maggie, votre bonne, finit-elle par dire. Cependant, comme vous le savez, elle était réticente à l'idée de quitter sa mère, laquelle est en mauvaise santé. Et aucune autre domestique ne peut convenir, vraiment. Mme Hanna, la blanchisseuse, a bien une fille, mais elle n'est pas fiable du tout. L'autre jour, elle a renversé de la soupe sur le corsage de lady Branston.

Je fus tentée de répliquer qu'il aurait été difficile de rater le corsage de l'opulente lady Branston.

— Si ma rente m'était de nouveau versée, je pourrais engager une bonne londonienne pendant quelque temps seulement. Mon amie Belinda emploie une fille très convenable. Je pourrais passer par la même agence.

— Mais comment ferez-vous pour les autres domestiques ? demanda Fig, qui paraissait à présent désespérée.

Vous ne pouvez recevoir une princesse allemande avec une simple bonne. Qui cuisinera ? Qui servira à table ?

— Eh bien, justement, j'ai des amis qui partent faire un séjour à l'étranger, figurez-vous, et je peux embaucher provisoirement leur cuisinière et leur majordome. Ainsi, il ne me reste plus qu'à régler ce problème de bonne et celui des frais de bouche. Les invités s'attendront à ce qu'on leur serve des repas.

Une longue pause s'ensuivit.

— Il faut que j'en discute avec Binky, reprit enfin ma belle-sœur. Les temps sont durs, Georgiana, vous le savez bien. Je suis sûre que vous voyez tous les jours les files d'attente devant les soupes populaires.

— En effet, mais je ne crois pas que vous en soyez réduite à de telles extrémités, n'est-ce pas, Fig ?

— Non, mais nous sommes bel et bien contraints de vivre de ce que nous produisons sur le domaine, rétorqua-t-elle avec ardeur. Nous ne pouvons plus faire venir de Fortnum les petites gâteries qui rendent d'ordinaire l'existence confortable. Binky a même renoncé à son Gentleman's Relish, et vous savez à quel point il adore cette pâte d'anchois. Nous devons dorénavant nous contenter de modestes aliments du terroir.

— Dommage que la saison de la chasse n'ait pas commencé, répondis-je. Sinon, vous auriez pu abattre assez de cervidés pour nourrir les Allemands. Je crois savoir qu'ils aiment beaucoup la venaison.

— Je parlerai à Binky, s'empressa-t-elle de dire. Je comprends parfaitement que nous ne pouvons déshonorer notre nom auprès de Sa Majesté ou d'étrangers.

Je raccrochai avec une profonde satisfaction.

★

Le lendemain, deux lettres arrivèrent par le courrier du matin. La première était de Binky, m'informant qu'il faisait transférer une petite somme sur mon compte bancaire – il ne pouvait se permettre de me donner davantage dans un délai aussi court et en des temps si difficiles, mais il espérait que cela suffirait à couvrir temporairement mes besoins financiers. En dessous, Fig avait ajouté : *Assurez-vous de vérifier soigneusement les références des domestiques que vous engagerez CHEZ NOUS, et gardez l'argenterie sous clé !!* La seconde lettre venait du palais. Son Altesse Royale la princesse Hannelore arriverait samedi par le train, après une traversée en ferry. Il me restait donc deux jours pour transformer Rannoch House en demeure digne d'accueillir une princesse, pour faire venir mon grand-père et Mme Huggins comme majordome et cuisinière, et pour embaucher une femme de chambre.

Après avoir écrit à mon grand-père pour le prévenir, je me mis aussitôt à la tâche afin d'ouvrir le reste de la maison. Depuis que je m'y étais installée, je ne m'étais servie que de ma chambre, de la cuisine et du petit salon. Les meubles des autres pièces étaient encore ensevelis sous des housses de protection. Je travaillai comme une forcenée, époussetant, balayant et faisant les lits. J'y parvins sans trop d'encombres. Je réussis toutefois à casser une statuette qui, autant que je sache, ne datait pas de l'époque Ming – mais je recollai sans mal la jambe du cheval caracolant. Et tandis que je secouais un drap par la fenêtre, je le lâchai sur la tête d'un colonel qui passait dans la rue. Fort mécontent, il menaça d'aller me dénoncer à ma maîtresse.

Quand grand-papa arriva, j'étais épuisée. Mme Huggins et lui firent le tour de la maison sans émettre de commentaire ; je pris alors conscience d'une chose : ils n'avaient sans doute pas la moindre idée de l'ampleur de la tâche que je venais d'accomplir et s'imaginaient que la demeure était toujours aussi propre et rangée. Mais mon grand-père finit par s'arrêter net, la tête penchée sur le côté à la manière d'un oiseau.

— Tu vas quand même pas me faire croire que t'as fait ce lit toute seule ?

— Si, évidemment. Et j'ai aussi nettoyé toutes les autres pièces.

— Ça par exemple ! s'étonna Mme Huggins. Dire que vous êtes une lady et tout le tralala.

En découvrant l'immense cuisine, elle sembla plutôt consternée, et davantage encore quand elle vit que le cellier était vide. Je lui dis de préparer une liste et d'aller faire des provisions.

— J'ai pas la moindre idée de ce qu'il faut préparer pour une princesse allemande, mon canard, et je sais pas cuisiner les cochonneries qu'on mange à l'étranger, comme les cuisses de grenouille, les machins à l'ail et ce genre de choses.

— Ce sont des plats français, lui dit mon grand-père. Les Allemands aiment les boulettes de farine bouillies.

— Cuisinez comme vous en avez l'habitude, madame Huggins, je suis certaine que ce sera parfait, répondis-je.

En mon for intérieur, je commençais toutefois à me demander sérieusement si les choses allaient vraiment se dérouler à la perfection. Grand-papa et son amie étaient adorables, mais que savaient-ils de l'étiquette en usage dans une cour royale ? Je me rappelai alors que la princesse sortait du couvent. Sans doute n'avait-elle qu'une très vague idée de la vie à la cour. Maintenant que mon majordome et ma cuisinière étaient installés dans la maison, je me mis en quête d'une bonne, ce qui se révéla plus compliqué que ce à quoi je m'étais attendue. Tous les domestiques les mieux qualifiés avaient apparemment suivi leurs maîtres et maîtresses respectifs à la campagne. L'agence dans laquelle je me rendis promit de m'envoyer des jeunes filles afin que je puisse leur faire passer un entretien d'ici le lundi ou le mardi suivant, le temps que leurs références soient vérifiées. Lorsque je demandai si on pouvait me trouver une employée temporaire pour le samedi et le dimanche, j'eus l'impression que la dame aux manières raffinées installée derrière son bureau était sur le point de faire une crise cardiaque.

— Une employée temporaire ? s'offusqua-t-elle, grimaçant comme si chaque mot qu'elle prononçait lui était douloureux. Pour la fin de cette semaine ? Je regrette, mais nous ne fournissons pas ce genre de service.

Elle semblait insinuer que je souhaitais embaucher une danseuse du ventre tout droit sortie d'une casbah.

Je me retrouvai donc dans de beaux draps. Une princesse européenne ne s'attendrait pas à devoir faire couler son bain elle-même ou à mettre ses robes sur des cintres. Elle ne saurait probablement même pas comment s'y prendre. Et elle ne s'attendrait pas non plus à ce que la cuisinière quitte ses fourneaux pour s'en charger. Il me fallait une bonne, et ce au plus vite. Je fis alors la seule chose qui me vint à l'esprit et m'empressai d'aller rendre visite à Belinda dans sa petite maison de Knightsbridge.

— J'ai besoin d'un service ! annonçai-je dès que sa domestique me fit entrer dans le salon ultramoderne avec son mobilier scandinave et ses miroirs Art déco. Puis-je t'emprunter ta bonne pour le week-end ?

Fig aurait été horrifiée de m'entendre employer un américanisme aussi vulgaire, mais, pour une fois, je n'avais d'autre choix.

— Emprunter ma bonne ? répéta Belinda, ébahie. Enfin, ma chérie, comment pourrais-je survivre sans elle ? Je dois me rendre à une fête samedi soir. Qui préparerait ma tenue ? Et le dimanche est son jour de congé. Non, je regrette, c'est impossible.

— Oh, mon Dieu, je suis fichue ! Je dois accueillir une princesse allemande, et le personnel dont je dispose est à peine qualifié.

— La dernière fois que je suis allée à Rannoch House, tu n'avais pas de domestiques du tout. Les choses se sont apparemment améliorées.

— Ce ne sont pas vraiment des domestiques. En fait, je suis allée chercher mon grand-père et sa voisine jusqu'en Essex.

— En Essex ? s'étonna-t-elle en écarquillant les yeux. Et tu crois réellement qu'ils sauront servir une princesse ?

— C'est mieux que rien. La reine m'a imposé cette mission, et je fais mon possible pour tout organiser. De plus, la princesse en question sort tout juste du couvent. Ça ne pourrait pas aller plus mal.

— C'est à mourir de rire, ma chérie ! s'écria mon amie, radieuse.

— Cela n'a rien d'amusant, Belinda. Toute cette affaire se soldera probablement par un désastre.

— Mais pour quelle raison S. M. a-t-elle décidé de te refiler une princesse ? Ils refont la décoration au palais de Buckingham ou quoi ?

— Euh… elle estime que la princesse sera plus à l'aise avec quelqu'un de son âge, expliquai-je sans dévoiler la vraie raison de la visite d'Hannelore – à savoir que la reine voulait la marier au prince de Galles.

Il était en effet fort possible que Belinda, qui fréquentait le beau monde, croise mon cousin David. Et je ne pouvais pas compter sur la discrétion de mon amie, qui s'empresserait de vendre la mèche.

— J'espère qu'elle ne s'attend pas à frayer avec les jeunes bohèmes de la haute, vu que tu ne côtoies pas ce milieu, n'est-ce pas, ma chérie ? fit-elle remarquer.

— Si ses parents ont pris la peine de la cloîtrer dans un couvent, ils préféreront qu'elle évite ce genre de fréquentations, j'imagine.

— Très judicieux. Tu n'as pas idée de ce qui se fait de nos jours, déclara Belinda en croisant ses longues jambes, dévoilant ainsi de merveilleux bas de soie blancs. Justement, l'autre soir, le prince est venu à une fête accompagné d'un autre garçon.

— Le prince de Galles ? fis-je, horrifiée.

— Mais non. David aime les vieilles peaux, tout le monde le sait. Je veux parler du prince George, son plus jeune frère. Ils ont fait circuler une photographie sur laquelle il ne porte *que* son casque de soldat de la Garde royale, précisa-t-elle en gloussant.

La reine était-elle au courant ? Ou bien George était-il l'un de ses fils qui, d'après elle, lui donnaient satisfaction ?

— Je ferais mieux d'y aller, annonçai-je.

— Au fait, n'oublie pas que nous sommes invitées chez Gussie et Lunghi la semaine prochaine, ajouta Belinda en me raccompagnant à la porte. Nous allons drôlement nous amuser, j'en suis sûre. Vu que le père de Gussie est plein aux as, il y aura probablement un orchestre et Dieu sait quoi encore.

— J'ignore si je pourrai m'y rendre, avec cette princesse sur les bras.

— Amène-la, ma chérie. Qu'elle découvre quel genre de fêtards nous sommes, nous autres Anglais !

Sa Majesté n'aurait guère approuvé les fêtes que Belinda trouvait divertissantes, j'en étais certaine ; alors que je rentrais chez moi à pied, j'eus l'impression d'être sur le point de passer un examen pour lequel je n'avais pas révisé. Et si j'attrapais soudain les oreillons, histoire d'obliger le palais à accueillir la princesse ? Cela serait-il vraiment si terrible ?

Mais le bon vieux sang des Rannoch l'emporta, naturellement. « Un Rannoch ne bat jamais en retraite. » Un précepte que l'on m'avait maintes fois répété dans mon enfance. Comment oublier que notre ancêtre Robert Bruce Rannoch après que l'un de ses bras eut été tranché, avait simplement ramassé son épée avec son autre main et repris le combat ? Je ne pouvais reculer devant un événement aussi anodin que la visite d'une princesse. Tête haute, je me dirigeai vers ma destinée d'un pas décidé.

7.

Rannoch House
Samedi 11 juin 1932

> *Cher journal,*
> *La princesse allemande doit arriver aujourd'hui.*
> *Je pressens une catastrophe imminente.*

En me rendant à la gare de Victoria, je faillis perdre mon sang-froid et dus me passer un bon savon. *C'est une toute jeune fille, fraîchement sortie de l'école,* me rabrouai-je avec sévérité. *Elle sera enchantée de découvrir une grande ville et tous ses attraits. Elle sera aussi ravie d'être seule avec un chaperon de son âge. Tout ira pour le mieux. Elle ne restera que quelques jours, et la reine sera satisfaite.*

Ainsi encouragée par cette petite discussion avec moi-même, je me frayai un chemin à travers la gare, où résonnaient les chuintements des locomotives à vapeur, les cris et les coups de sifflet, pour gagner le quai situé au fond à droite, réservé au train assurant la correspondance avec le ferry. Alors que ce monstre immense entrait en gare en envoyant de grandes bouffées de fumée dans les airs, il me vint à l'esprit que je n'avais jamais vu la princesse. Comment allais-je la reconnaître ? On m'avait dit qu'elle était jolie, et rien d'autre. Aurait-elle l'air allemand ? Et à quoi ressemblaient les Allemandes, au juste ? J'en avais rencontré de nombreuses quand j'étais à l'école en Suisse, mais les jeunes filles de la haute portaient généralement des toilettes parisiennes, si bien qu'on ne pouvait les différencier en fonction de leur nationalité.

Je me plaçai de façon à voir passer tous les passagers descendant du train, et j'attendis. Je m'approchai de plusieurs demoiselles, chacune d'elles me gratifiant d'un regard méfiant lorsque je lui demandai si elle était la princesse Hannelore. Le quai se vida peu à peu. Elle n'était pas venue. Elle avait dû changer d'avis et rester chez elle, me dis-je, et un grand soulagement m'envahit. Puis, à travers la fumée qui se dissipait, j'entrevis un groupe de trois personnes qui, agitant les bras, négociaient avec un porteur : une dame âgée corpulente, une femme brune au teint cireux et à l'air sévère, habillée avec simplicité, et une jeune fille très jolie, pleine de charme – ses longs cheveux blond clair étaient tressés en une natte enroulée autour de sa tête, et elle portait un costume marin de lin bleu. La dame qui l'accompagnait était pour sa part vêtue d'une cape grise bordée d'une soutache verte – indéniablement allemande –, assortie d'un petit chapeau tyrolien orné d'une plume sur le côté.

Je les rejoignis à la hâte.

— Seriez-vous la princesse Hannelore, par hasard ? demandai-je à la plus jeune.

— *Ja*, voici Son Altesse, me répondit la dame en indiquant l'intéressée d'un signe de tête. Vous êtes la domestique de lady Georgiana de Rannoch ? lança-t-elle avec un fort accent, en me fixant d'un œil critique. Nous vous avons attendue (mot qu'elle prononça « attentue »). Vous êtes en retard.

— Je suis lady Georgiana. Je suis venue en personne chercher Son Altesse.

Elle eut alors un mouvement de recul et me fit une petite révérence.

— *Ach, Verzeihung.* Pardonnez-moi. Très honorée que vous veniez nous accueillir. Je suis la baronne Rottenmeister, la dame de compagnie de Son Altesse.

Oh, Seigneur ! Je n'avais pas songé un seul instant que la princesse serait accompagnée ! C'était pourtant naturel. Étais-je bête. Un roi n'enverrait pas sa fille, récemment sortie du couvent, dans un pays étranger sans chaperon.

— Baronne, fis-je en m'inclinant à mon tour. C'est très aimable à vous de nous amener Son Altesse en visite. Pensez-vous rester longtemps en Angleterre ?

— Je suis avec la princesse. Elle reste, je reste. Elle part, je pars.

Oh, quelle poisse ! Et je n'avais pas préparé de chambre pour une dame de compagnie. Comment et quand allais-je m'en charger à son insu ?

— Puis-je vous présenter Son Altesse Royale la princesse Maria Theresa Hannelore Wilhelmina Mathilda ? reprit la baronne Rottenmeister en désignant la jeune fille d'une main gantée de noir. Votre Altesse, je vous présente lady Georgiana de Glen Garry et Rannoch.

— Salut, pépée, répondit la ravissante princesse d'une voix douce et charmante, tout en me tendant la main.

Je restai interdite. Dans quelle langue s'était-elle donc exprimée ?

— Salupépé ? répétai-je.

— Comment va, jolie pépée ? insista-t-elle, affichant un grand sourire.

— Pépée ?

Son sourire s'évanouit.

— C'est faux ? Je parle un très bon anglais moderne. Je suis super douée, pas vrai ?

— Votre Altesse, où avez-vous appris à parler notre langue ? demandai-je, fort perplexe. Au couvent ?

Elle pouffa malicieusement.

— Au couvent ? Non ! Au village (mot qu'elle prononça « fillache »), il y a un bon cinéma et nous regardons beaucoup de films américains. Le soir, nous grimpons par la fenêtre du dortoir. Je connais tous les films de gangsters. George Raft, Paul Muni... Vous avez vu *Scarface*[1] ?

— Non, je regrette.

— Un très bon film, plein de fusillades. Bang bang, t'es mort ! J'adore les gangsters. Il y a des fusillades, à Londres ?

— Non, très peu, fort heureusement, répondis-je en réprimant un sourire, car elle paraissait si sérieuse.

— Mince ! Trop dommage. Les fusillades arrivent seulement à Chicago, alors ?

— J'en ai bien peur. Londres est un lieu sûr.

Elle soupira, l'air déçu.

— Bon, où vous voulez que je trimballe tout ça ? intervint le porteur avec impatience.

— Votre chauffeur nous attend dans la rue ? s'enquit la baronne Rottenmeister.

— Je n'ai pas de chauffeur à Londres, expliquai-je. Nous allons prendre un taxi.

— Un taxi ? *Gott im Himmel* !

— Un taxi, très bonne idée, déclara Hannelore avec animation. Passe-moi mon coffret à bijoux, Irmgardt.

— Je n'ai pas été présentée à votre amie, dis-je en désignant la femme au teint cireux.

— Une amie ? Foici la femme te champre te Son Altesse, répliqua la baronne d'un ton glacial, avec ce même fort accent.

Je lui adressai un sourire radieux. La princesse était venue avec sa bonne. Naturellement ! Quelle personne normale voyagerait sans domestique ? J'étais sauvée.

---

1. L'acteur George Raft (1901-1980) joua dans de nombreux films de gangsters dans les années 1930 et 1940. Paul Muni (1895-1967) tient le rôle principal dans *Scarface*, de Howard Hawks, sorti en salles en avril 1932.

— Allons vite chercher le taxi, ordonna la baronne, impérieuse, avant d'ouvrir la marche.

La princesse Hannelore se faufila près de moi.

— On va se débarrasser de cette vieille peau. On va bien rigoler, toutes les deux, d'ac', ma jolie ?

— Oh oui, assurément, acquiesçai-je en lui rendant son sourire.

Lorsque le taxi nous déposa devant Rannoch House, même la baronne Rottenmeister parut impressionnée.

— *Ja*, fit-elle en hochant sa tête qui surmontait un cou épais. Belle maison. C'est *gut*.

Hannelore regarda autour d'elle, enthousiaste.

— Regardez, murmura-t-elle en me montrant un homme qui traversait Belgrave Square avec un étui à violon à la main. Un gangster !

— Non, c'est un violoniste. Il s'installe au coin des rues et gagne de l'argent en jouant de son instrument. Je vous l'ai dit, il n'y a pas de gangsters à Londres.

Hannelore contempla la place verdoyante ; une nourrice impeccablement vêtue poussait un landau tandis que, près d'elle, une fillette poussait elle aussi un landau à poupée en tout point semblable.

— J'aime bien Londres, déclara-t-elle. Même sans gangsters.

— Et s'il y en avait, je ne crois pas que vous les verriez dans Belgrave Square, fis-je remarquer. C'est l'un des quartiers les plus respectables de la capitale. Nous sommes à quelques pas du palais de Buckingham.

— Nous allons voir le roi et la reine bientôt ? s'enquit Hannelore. Ça me botte de rencontrer ces vieux schnocks !

Je songeai qu'il lui faudrait rapidement prendre des cours de langue avant que je la présente aux « vieux schnocks ».

Je sonnai à la porte afin d'annoncer notre arrivée à mes nombreux domestiques. Mon grand-père ouvrit, en queue-de-pie. Je manquai tomber à la renverse.

— Bonjour, lady d'Rannoch, dit-il en s'inclinant gravement.

— Bonjour, Spinks, répondis-je en réprimant un sourire. Voici la princesse Hannelore et sa dame de compagnie, la baronne Rottenmeister, qui séjourneront chez nous avec leur bonne.

— Vot' Altesse, m'dame la baronne, les salua mon grand-père en s'inclinant de nouveau.

— Spinks, notre fidèle majordome, précisai-je.

Tandis que nous entrions, je vis une silhouette rondelette vêtue d'un élégant uniforme bleu et d'un tablier blanc amidonné.

— Et voici Mme Huggins, notre gouvernante, ajouta mon grand-père.

— Enchantée, pour sûr, dit l'intéressée en exécutant une petite révérence.

— Les bagages sont encore dans le taxi, Spinks, intervins-je, fort embarrassée. Pourriez-vous aller les chercher et les porter jusqu'à la chambre de la princesse ? Oh, et il faudrait préparer une chambre pour la baronne.

— Ça sera fait en deux coups de cuiller à pot, lady d'Rannoch ! répliqua grand-papa.

— Irmgardt, Mme Huggins vous montrera votre chambre lorsque vous aurez terminé d'aider le majordome avec les bagages, dis-je.

La bonne me fixa d'un regard vide.

— Elle ne parle pas votre langue du tout, expliqua la baronne. C'est une fille extrêmement stupide.

— Dans ce cas, traduisez-lui ce que je viens de lui dire, je vous prie.

La baronne débita mes instructions à toute allure. Irmgardt opina du chef d'un air renfrogné, puis descendit le perron en direction du taxi.

— Je vais voir quelle chambre je préfère, déclara alors la baronne. J'ai beaucoup d'exigences. Je veux du silence. Une pièce ni trop chaude ni trop froide. Et proche de la salle de bains.

Avant que je puisse l'en empêcher, elle s'engagea dans l'escalier d'un pas raide.

— C'est une emmerdeuse, pas vrai ? dit la princesse Hannelore en me regardant.

Elle dut s'apercevoir que j'affichais un air consterné.

— Votre Altesse, vous devriez éviter d'employer ce mot, conseillai-je gentiment.

— C'est un vilain mot ? demanda-t-elle d'un air innocent. Mais je l'entends souvent dans les films.

— Dans les films américains, peut-être. En Angleterre, cela ne se dit pas.

— D'ac' ! Et nous devons être bonnes copines. Je ne suis pas « Votre Altesse ». Mes amis m'appellent Hanni.

— Annie ? dis-je, car c'était ainsi qu'elle l'avait prononcé – avant de comprendre qu'il s'agissait de « Hanni », diminutif de Hannelore.

— Oui, c'est ça.

— Et moi, je suis Georgie. Bienvenue à Londres.

— Je sens que je vais m'amuser comme une folle, affirma-t-elle.

À cet instant, la baronne redescendit l'escalier d'un pas majestueux.

— J'ai choisi ma chambre, annonça-t-elle. Paisible. Loin de la rue. Votre bonne fera mon lit.

— Ma bonne ? m'étonnai-je en jetant un coup d'œil en direction de la rue, où Mme Huggins et mon grand-père bataillaient avec une montagne de valises. Je crains qu'elle ne soit pas…

— Mais elle a déjà dit qu'elle ferait le lit tout de suite. Une fille gentille.

Je levai les yeux vers l'escalier et faillis tomber à la renverse une nouvelle fois. Belinda se tenait là, dans un coquet uniforme de bonne qui semblait tout droit sorti d'une farce à la française.

— J'me suis occupée de tout, lady d'Rannoch, m'annonça-t-elle avec son plus bel accent populaire.

8.

Quand arriva l'heure du dîner, mes invitées étaient installées dans leurs chambres respectives. Elles avaient pris un bain chaud – mon grand-père ayant copieusement alimenté la chaudière. Dans la salle à manger, la table avait été mise – serviettes et nappe blanches, argenterie bien astiquée. Belinda s'était éclipsée pour se rendre à sa fête, après m'avoir promis d'essayer de revenir le lendemain, en fonction de la sévérité de sa gueule de bois. De bonnes odeurs s'échappaient de la cuisine. Tout se déroulait à merveille, me semblait-il.

— J'espère que votre cuisinière comprend que j'ai l'estomac délicat, dit la baronne Rottenmeister en nous rejoignant au rez-de-chaussée. Je mange comme un moineau, pour des raisons de santé.

Vu son tour de taille impressionnant, j'en doutais, mais je gardai cette remarque pour moi. Hanni apparut, ravissante dans une robe de soirée rose ornée de roses. Je commençai même à espérer qu'elle parviendrait à attirer l'attention du prince de Galles et que l'avenir de la monarchie britannique serait ainsi assuré. Peut-être me conférerait-on un nouveau titre de noblesse en guise de remerciements. Marquise de Belgravia, par exemple ? Et à ce titre s'ajouterait peut-être une propriété – mon propre domaine, où je serais lady de l'île de je ne sais où. Je suis certaine qu'il existe des îles écossaises qui attendent encore d'être octroyées à des personnes méritantes. Avec ces plaisantes pensées en tête, je conduisis mes invitées dans la salle à manger.

— Il fait très froid, dans cette pièce, déclara la baronne. Pourquoi n'y a-t-il pas de feu dans la cheminée ?

— Parce que nous sommes en été. Nous cessons de chauffer après le 1er mai.

— Je vais attraper un rhume. Ma poitrine est extrêmement délicate.

Je n'aurais certainement pas décrit ainsi cette partie de son anatomie, sans compter qu'elle portait une pèlerine de fourrure par-dessus sa robe de soirée noire. Elle ne paraissait pas non plus se soucier du fait que la jeune fille dont elle avait la charge était décolletée et vêtue d'une robe de soie des plus légères – sans que cela semblât la déranger.

Le repas arriva par le monte-plats, et mon grand-père commença à nous servir.

— Qu'est-ce donc ? demanda la baronne en explorant son assiette du bout de sa fourchette.

— Une tourte au bœuf et aux rognons, précisa mon grand-père. De la bonne vieille boustifaille anglaise qui tient au corps.

— Tourtobaf ? répéta la baronne. Et que signifie « boustifaille » ? Je ne connais pas ce mot.

— C'est de l'argot, m'dame la baronne. Ça veut dire « nourriture ».

— Je ne pense pas que je vais aimer.

Elle goûta toutefois une petite bouchée.

— Pas mauvais, reconnut-elle avant d'engloutir tout le contenu de son assiette.

Quand arriva le dessert, elle parut intriguée.

— Il n'y a pas de potage ? Pas de poisson ? Pas de volaille ? Pas de salade ? Comment vais-je rester en forme avec si peu à manger ?

— Depuis que je vis seule, je suis habituée à dîner en toute simplicité, répondis-je. Lorsque nous serons invitées à souper au palais avec le roi et la reine, je suis sûre que de nombreux plats nous seront servis.

— En attendant, je suppose qu'il me faut souffrir, soupira-t-elle avec une résignation exagérée.

— Je trouve que c'était super bon, dit Hanni. Meilleur que les repas au couvent. Les bonnes sœurs font tout le temps pénitence.

Le dessert fut placé devant nous.

— Qu'est-ce que c'est ? demanda la baronne.

— Du pudding à la mélasse et de la crème anglaise, dit mon grand-père. L'une des spécialités de Mme Huggins.

— À la molasse ? dit-elle en l'examinant avec méfiance.

— Non, à la mélasse, corrigea mon grand-père, qui croisa mon regard et m'adressa un clin d'œil.

— Jamais entendu parler, répliqua la baronne.

Je dus baisser les yeux vers mon assiette par crainte de rire.

— C'est un plat traditionnel qui se prépare avec du suif, expliquai-je.

— Du suif ? C'est donc mauvais pour ma digestion.

Elle le mangea pourtant, terminant avant tout le monde et acceptant volontiers d'être resservie.

— Il faut bien que j'avale quelque chose, reprit-elle d'un ton résigné. Les familles nobles mangent toutes aussi simplement en Angleterre ?

— Il y a une crise économique, répondis-je. Les gens ordinaires ont tellement de difficultés que nous essayons de vivre modestement.

— À quoi bon être bien né si on ne peut pas se nourrir correctement ? Il nous reste si peu de privilèges.

— J'aime le pudding à la mélasse ! s'exclama Hanni. Et demain, vous me faites visiter Londres. Nous irons à des fêtes, nous danserons et nous nous amuserons.

Je songeai que ces projets risquaient d'être sévèrement restreints par son chaperon, mais jugeai plus sage de me

taire. Puis la baronne s'excusa pendant quelques instants, et Hanni se tourna vers moi.

— Il faut se débarrasser de l'emmerdeuse, siffla-t-elle.
Elle m'empêchera de prendre du bon temps. Nous
devrions la descendre.

— La descendre où ça ?

La princesse afficha un grand sourire.

— Vous savez, la descendre. La zigouiller. Bang,
bang ! Bon débarras.

— Je ne pense pas que nous puissions zigouiller la
baronne. Mais il est vrai qu'elle risque de gâcher notre
plaisir.

— Alors nous devons trouver un plan pour la forcer
à repartir en Allemagne.

— Comment ?

— En rendant les choses désagréables. Elle aime
manger. Servez-lui très peu de nourriture. Elle n'aime
pas avoir froid. Ouvrez toutes les fenêtres. Et elle aime
les bains. Coupez l'eau chaude.

Je la dévisageai, stupéfaite.

— Pour une fille qui sort du couvent, vous êtes particulièrement retorse.

— Que veut dire « retorse » ?

— Sournoise.

— Oh, c'est comme rouler quelqu'un, comprit-elle,
radieuse. Ouais, OK, ma jolie !

— *Ach, das ist gut.* Vous devenez amies, c'est bien
entre jeunes filles, déclara la baronne en revenant dans
la pièce.

Après le café, j'accompagnai mes invitées à l'étage. La
baronne réclama des couvertures supplémentaires, se
plaignit de l'humidité qui régnait dans sa chambre et
m'assura qu'elle avait vu une araignée dans un coin.

— Je suis navrée. La maison est toujours humide,
même en été, précisai-je. Et il y a souvent des araignées,
j'en ai peur. Mais toutes ne sont pas venimeuses.

— Des araignées venimeuses ? À Londres ?

— Seulement de temps en temps.

Elle demanda ensuite où était ma bonne. Je répondis que celle-ci avait pris sa soirée.

— Sa soirée ? Vous permettez à votre personnel de sortir le samedi soir ? C'est incroyable. En Allemagne, les domestiques sont toujours à notre service.

Une fois que j'en eus enfin terminé avec elle, je fis un saut dans la chambre d'Hanni afin de voir si elle était bien installée. Elle était assise devant sa coiffeuse tandis qu'Irmgardt lui brossait sa longue chevelure dorée. Elle ressemblait réellement à une princesse de conte de fées.

— Il va me falloir vous surveiller de près, lui dis-je. Vous risquez de briser de nombreux cœurs, à Londres.

— Qu'est-ce que je vais briser ? demanda-t-elle avec son adorable sourire plein d'innocence.

— Des cœurs. Des tas de messieurs anglais vont tomber amoureux de vous.

— Je l'espère. Je veux être une poule sensuelle et sexy. Vous pouvez me donner des tuyaux ?

— Cela m'étonnerait, ris-je nerveusement. Je suis censée garder l'œil sur vous. Et je n'ai rien de très sensuel ou de sexy.

— Mais vous n'êtes pas fierche encore, n'est-ce pas ?

— Fierchancor ?

— Vous êtes une femme d'expérience. Pas fierge.

— Oh, je vois, vierge. Eh bien, si, je le suis encore, je le crains.

— Ce n'est pas bon, dit-elle en agitant un doigt d'un air de réprimande. Pour une jeune fille de dix-huit ans comme moi, c'est différent. Les hommes aiment savoir que je suis fierge. Mais pour une vieille comme vous, ce n'est pas bon. Les hommes vont penser que quelque chose ne va pas chez vous.

— Je ne suis pas si vieille que cela, protestai-je. J'aurai vingt-deux ans en août prochain.

Elle ne parut cependant pas convaincue.

— Nous devons faire quelque chose pour vous. Dare-dare !

— On croirait entendre mon amie Belinda.

— Belinda ? Elle me plaît, cette Belinda. Je la rencontrerai bientôt ?

Je ne pouvais lui avouer qu'elle l'avait déjà croisée, alors qu'elle rangeait les vêtements de la baronne dans son armoire. Au lieu de quoi je répondis :

— Oui, j'en suis certaine. Nous nous entendons très bien, elle et moi. Mais c'est elle, la femme d'expérience. Si vous avez besoin de savoir la moindre chose, il faut vous adresser à elle.

— Elle me présentera peut-être un mec sensuel et sexy ?

— Votre Altesse, à mon avis, tout le monde espère que vous vous réserverez pour le mariage et que vous épouserez un prince.

— Mais les princes sont si ennuyeux, vous ne trouvez pas ?

C'était mauvais signe. Elle était censée tomber éperdument amoureuse de mon cousin David.

— Nous avons des princes extrêmement divertissants, en Angleterre. Vous ferez bientôt leur connaissance.

Au milieu de la nuit, quelque chose me tira soudain du sommeil et je restai étendue sur mon lit, à me demander ce qui avait pu me réveiller. Puis j'entendis le parquet grincer. L'une de mes invitées avait dû se rendre aux toilettes, supposai-je. Je me levai toutefois, au cas où elle ne trouverait pas l'interrupteur. Je venais d'entrebâiller ma porte quand, le souffle coupé, je vis une silhouette sombre qui montait l'escalier. Avant d'avoir le temps de me ressaisir, je reconnus Irmgardt, la bonne d'Hanni. Sans me voir, elle passa devant moi sur la pointe des pieds et poursuivit vers l'étage supérieur, où se trouvaient les chambres des domestiques.

Pourquoi était-elle descendue au rez-de-chaussée ? Elle n'était à l'évidence pas allée chercher quelque chose pour sa maîtresse, car elle se serait alors dirigée vers la chambre de cette dernière pour le lui apporter. Elle avait les mains apparemment vides, mais je me rappelai tout à coup l'avertissement de Fig, qui m'avait demandé de garder l'argenterie sous clé. Ses références avaient tout de même dû être soigneusement vérifiées avant qu'elle n'entrât au service de la princesse. Peut-être était-elle simplement allée boire un verre d'eau. Je refermai ma porte et retournai me coucher.

Le lendemain matin, je transmis les instructions d'Hanni à mon grand-père et à Mme Huggins : rationner la nourriture et couper l'eau chaude. Ils se montrèrent fort réticents.

— Hein ? s'exclama Mme Huggins. Pour qu'elle s'imagine que je sais pas cuisiner comme il faut ? Je suis fière de mes repas, ah ça oui.

— Et je veux pas que ce vieux dragon me tombe dessus parce qu'elle peut plus prendre de bains, renchérit grand-papa. Elle a déjà agité sa canne dans ma direction à deux ou trois reprises.

— Explique-lui que la chaudière est vieille, qu'elle n'en fait qu'à sa tête et qu'on ne sait jamais si nous allons avoir de l'eau chaude ou pas. Dis-lui que les Anglais sont habitués aux bains froids et que mon frère, le duc, ne peut pas s'en passer.

— J'espère que tu sais ce que tu fais, mon canard, répondit-il en secouant la tête. Je voudrais pas qu'elle aille se plaindre à la reine pour lui dire qu'on la traite mal.

— Oh, je ne pense pas qu'elle ferait une chose pareille.

Je n'en étais pourtant pas si sûre. J'avais plutôt l'impression que c'était une cause perdue. Il me semblait que la baronne Rottenmeister était l'une de ces créatures qui ne se dérobaient jamais à leur devoir, aussi affreux pût-il être. À l'instar de mes ancêtres, pour tout dire. Oh,

Seigneur, pourvu que le sang des Rannoch ne coule pas dans ses veines !

★

Dimanche 12 juin 1932

Cher journal,
Il pleut à verse. Comment occuper une princesse en visite officielle et son chaperon ? Je n'en ai pas la moindre idée. Hanni a l'air plutôt gentille et devrait être facile à vivre. La baronne, c'est une autre paire de manches.

Dimanche matin, la baronne, Irmgardt et Hanni durent se rendre à la messe. Je les y envoyai en taxi. La baronne fut horrifiée d'apprendre que je ne me joindrais pas à elles.

— En Angleterre, nous appartenons tous à l'Église anglicane, expliquai-je. C'est la religion d'État, précisai-je, voyant qu'elle avait du mal à me suivre. Le chef de l'Église est le roi, mon cousin. Nous n'allons à la messe que si nous en avons envie.

— Et vous êtes une parente du chef de l'Église ? Quelle nation de païens, déclara-t-elle en se signant.

À leur retour, Mme Huggins s'apprêtait à faire cuire du bacon, des œufs et des rognons pour le petit déjeuner, mais j'insistai pour qu'elle prépare du porridge.

— C'est notre repas ? demanda la baronne.

— Oui, une spécialité écossaise, dis-je. C'est ce que nous mangeons chez moi, au château de Rannoch.

Hésitante, elle remua la bouillie avec sa cuiller.

— Et de quoi l'accompagne-t-on ?

— De rien. En Écosse, nous y ajoutons juste un peu de sel.

Elle soupira et s'emmitoufla davantage dans son châle. Par chance, la météo était de notre côté, pour une fois.

La brève période ensoleillée avait cédé la place à un temps estival typiquement anglais, c'est-à-dire qu'il faisait frisquet et qu'il pleuvait des cordes. J'en vins moi-même à contempler l'âtre vide avec regret et faillis revenir sur ma décision de ne pas allumer de feu. Mais, sachant ce qui était en jeu, j'enfilai vaillamment un cardigan de laine. Belinda ne réapparut pas de toute la matinée. La fête à laquelle elle s'était rendue n'avait pas dû s'achever avant l'aube et, pour elle, se lever tôt signifiait ouvrir l'œil autour de onze heures.

Mme Huggins insista vigoureusement pour cuisiner un vrai déjeuner dominical.

— Je veux pas que ces étrangères pensent qu'on fait mal les choses en Angleterre. Le dimanche, on mange du rôti, c'est comme ça.

Je la persuadai cependant de ne pas l'accompagner de trop de pommes de terre au four, de leur préférer quantité de légumes verts et de faire un dessert léger. Elle proposa une préparation sucrée à base de lait caillé. Parfait.

La baronne termina rapidement sa viande.

— Bonne *Fleisch*, dit-elle. La *Fleisch*, c'est sain.

Je remarquai néanmoins qu'elle n'attaqua pas la montagne de légumes avec le même enthousiasme, et elle n'aima guère le dessert.

— Dulêkaïé ? Qu'est-ce donc ? demanda-t-elle.

Je n'avais jamais raffolé de ce plat, l'associant à de la nourriture pour convalescents, mais je réussis à donner l'impression de le manger avec plaisir. Après le déjeuner, comme il pleuvait trop pour se promener, nous nous installâmes dans l'immense salon, tandis que le vent sifflait dans la cheminée. La baronne fit la sieste dans un fauteuil. La princesse et moi jouâmes au rami.

— Personne ne va venir ? Aucun visiteur ? s'enquit la baronne en ouvrant brièvement l'œil. La vie est très ennuyeuse, dans ce pays.

— Je crois que la pluie s'arrête, dit Hanni en regardant par la fenêtre. Nous allons en promenade. Vous me montrerez Londres.

Nous laissâmes sa dame de compagnie assoupie dans son fauteuil.

— Allons marcher dans ce beau parc, proposa Hanni. Cet endroit est très romantique, non ?

Nous traversâmes donc Hyde Park ; des gouttelettes nous coulaient dessus depuis les marronniers et Rotten Row, l'allée cavalière, était détrempée. Le parc me sembla presque désert, jusqu'à ce que nous atteignions le Speakers' Corner, où une petite foule était rassemblée autour d'un orateur juché sur une caisse.

— Les travailleurs se soulèveront et prendront ce qui leur appartient de droit ! criait-il.

L'entouraient d'autres jeunes hommes, qui déambulaient avec gravité en portant des pancartes : *Adhérez au Parti communiste, Agissez pour un monde meilleur, À bas la monarchie, Égalité pour tous, Travailleurs, debout !*

Hanni les observa avec intérêt.

— Ils peuvent parler comme ça sans être arrêtés par la police ? s'étonna-t-elle.

— Oui, c'est le Speakers' Corner, où chacun a le droit de dire ce qu'il veut, aussi idiot cela soit-il.

— Vous trouvez les communistes idiots ?

— Pas vous ?

— Je pense que ce serait bien si tout le monde pouvait avoir de l'argent, une maison et de quoi manger à sa faim.

— Et vous croyez que les communistes pourraient obtenir tout cela ? Voyez la pagaille qui règne en Russie.

— Je ne sais pas, reconnut-elle.

L'un de ses gants tomba alors sur le sol mouillé, et elle laissa échapper un petit cri perçant. L'un des jeunes communistes, baissant aussitôt sa pancarte, bondit pour le ramasser.

— Tenez, mademoiselle, dit-il en le lui rendant.

Il s'inclina galamment devant elle.

— Merci beaucoup, répondit Hanni en rougissant de façon charmante. Votre ami parle très bien, ajouta-t-elle, indiquant l'orateur.

Le garçon lui adressa un sourire radieux.

— Souhaitez-vous venir à l'un de nos meetings ? Ils se déroulent au St Mary's Hall, dans l'East End. Vous y seriez la bienvenue.

— Vous voyez, les communistes sont gentils, me chuchota Hanni tandis que le jeune homme levait de nouveau sa pancarte. Et c'est un beau gars.

Elle n'avait pas tort, je dus l'admettre, bien qu'il portât une veste de tweed élimée et un pull-over tricoté à la main. Il s'exprimait cependant comme un gentleman, ce qui m'intrigua.

À cet instant, nous entendîmes des bruits de bottes, et un groupe d'individus vêtus de chemises noires ornées d'un emblème représentant un éclair s'approchèrent à grands pas des communistes.

— Retournez chez vous, en Russie ! hurla l'un d'eux. L'Angleterre aux Anglais !

— Merde alors, on est aussi anglais que toi, mon vieux ! brailla l'orateur depuis son estrade de fortune. Et on a le droit de prendre la parole !

— Vous n'êtes qu'une bande d'intellectuels et de tapettes ! Vous emmerdez le monde, railla l'une des Chemises noires, bondissant vers lui et le faisant basculer de sa caisse.

Et soudain, une bagarre éclata autour de nous. Hanni poussa un cri. Le jeune homme avec lequel elle avait sympathisé essaya de se frayer un passage dans la mêlée pour la rejoindre, mais une brute en chemise noire lui décocha un coup de poing. Tout à coup, un bras vigoureux m'attrapa par la taille et m'entraîna brusquement à l'écart de l'échauffourée. Levant les yeux pour protester, je me trouvai nez à nez avec Darcy O'Mara.

— Par ici, avant que les choses ne tournent au vinaigre, marmonna-t-il en nous conduisant, Hanni et moi, plus loin dans le parc, alors que les coups de sifflet de la police se faisaient entendre.

— Ces voyous ne peuvent pas interdire la liberté d'expression en Grande-Bretagne ! hurla quelqu'un tandis que les agents intervenaient pour séparer les combattants. On va leur montrer de quoi on est capables !

— Merci, Darcy, dis-je. Vous êtes arrivé à point.

— Ma foi, ignoriez-vous que je suis votre ange gardien ? répondit-il avec ce sourire espiègle qui m'était maintenant familier. Que diable faisiez-vous au milieu de ce rassemblement de communistes ? Comptez-vous échanger le château de Rannoch contre une masure de paysan ?

— Nous nous sommes retrouvées là par hasard, expliquai-je. Nous nous promenions tranquillement et Hanni a voulu voir le Speakers' Corner de plus près.

— Une amie à vous ? demanda-t-il en observant ma compagne. Je ne crois pas l'avoir déjà rencontrée.

— Votre Altesse, je vous présente l'honorable Darcy O'Mara, fils et héritier de lord Kilhenny d'Irlande. Darcy, voici Son Altesse la princesse Hannelore de Bavière. Elle est en visite chez moi, à Rannoch House.

— Vraiment ? Tiens donc, répliqua-t-il, les yeux brillants. Ravi de faire votre connaissance, Votre Altesse.

Il lui fit une révérence des plus convenables, puis porta à ses lèvres la main qu'elle lui tendait.

— Je vous raccompagnerais bien volontiers jusqu'à Belgrave Square, mesdemoiselles, mais je suis malheureusement déjà en retard à un rendez-vous. J'espère toutefois vous revoir bientôt, maintenant que je suis de retour à Londres. Votre Altesse, lady Georgiana.

Puis il s'évanouit dans la foule à présent nombreuse.

— Waouh, nom de Dieu, visez un peu ça, mince alors ! s'exclama Hanni. Quel type formidable. Ne me dites pas que c'est votre régulier !

— Mon quoi ?

— Votre chéri. Votre jules. Ce n'est pas le mot correct ?

— En Angleterre, nous employons un langage un peu moins haut en couleur, fis-je observer.

— Que dites-vous, alors ?

— « Petit ami », ou « amoureux ».

— Et M. O'Mara est votre petit ami ?

— Apparemment plus, dis-je avec un soupir.

9.

Rannoch House
Lundi 13 juin 1932

Lundi matin : temps de nouveau froid et venteux. Encore du porridge pour le petit déjeuner. La bouillie de flocons d'avoine de Mme Huggins, qui n'excellait pas dans ce domaine, ressemblait à du papier mâché gluant. Je mangeai le contenu de mon bol en feignant de le trouver délicieux. Je me dis que la baronne en aurait peut-être bientôt assez.

— Quand est-ce que le roi et la reine nous inviteront au palais ? demanda-t-elle, pleine d'espoir.

— Je l'ignore. Cela dépendra de leur emploi du temps.

— Il est très anormal que la princesse ne soit pas reçue par le roi, répliqua-t-elle. On mange bien, au palais ?

— La famille royale s'efforce elle aussi de faire des repas simples, répondis-je, sachant que c'était le cas.

— Au fait, où est votre bonne ?

— Je crains qu'elle ne soit pas encore revenue de chez sa mère.

— Les domestiques en Angleterre n'ont aucun sens du devoir. Vous devez la renvoyer immédiatement et trouver une bonne jeune fille allemande digne de confiance, déclara la baronne en agitant sa canne dans ma direction.

Le courrier arriva à cet instant. Deux lettres m'étaient adressées. La première venait du palais, nous invitant à dîner mardi soir. La seconde, qui m'avait été réexpédiée depuis ma boîte postale, était signée de Mme Bantry-Bynge, l'une des clientes régulières de l'agence du Diadème. De temps à autre, cette dame laissait son époux le colonel à la campagne et faisait un saut à Londres pour voir sa couturière – du moins officiellement, car elle avait en réalité un rendez-vous galant avec un individu détestable et obséquieux du nom de Boy. Elle m'avait déjà engagée pour préparer sa chambre à plusieurs reprises. C'était une tâche simple, et elle me payait généreusement. Elle achetait ainsi mon silence, affirmait Belinda.

Mme Bantry-Bynge avait besoin de mes services ce mercredi. Elle comptait passer la soirée en ville et dîner avec des amis.

— Et merde, grommelai-je.

Jamais une lady ne prononcerait ce mot à haute voix, mais il arrive qu'on le marmonne hors de portée d'oreilles lorsque la situation est gravissime. Comment diable allais-je trouver une excuse pour laisser Hanni et la baronne seules pendant plusieurs heures ? Peut-être pourrais-je convaincre l'une des personnes présentes au palais le mardi soir d'emmener Hanni faire un tour en Rolls ; à moins que je ne puisse confier la princesse et son chaperon à Belinda – où qu'elle se trouve.

J'étais en train de leur montrer l'invitation à dîner quand on toqua à la porte. Justement, Belinda fit son entrée dans le vestibule, éblouissante dans un imperméable argenté.

— Il pleut des cordes, mes chers, déclara-t-elle tandis que mon grand-père-majordome l'aidait à se défaire. Un temps tout bonnement affreux. J'ai donc préféré venir te

92

voir directement, Georgie, afin de te remonter le moral avec une bonne nouvelle.

— Très aimable à toi. Mais tu ne connais pas mes invitées, dis-je en la conduisant dans le petit salon. Je vous présente Mlle Belinda Warburton-Stoke. Une très bonne amie d'école.

— Enchantée, fit Belinda en exécutant une gracieuse révérence.

— C'est étrange, dit la baronne en la dévisageant. Vous me rappelez vraiment quelqu'un.

— J'ai des tas de parents un peu partout, répondit Belinda avec désinvolture. Vous plaisez-vous à Londres ?

— Pour l'instant, il pleut et nous passons notre temps dans cette maison, rétorqua la baronne.

— Oh, ciel ! Tu comptes leur proposer une sortie aujourd'hui, n'est-ce pas, Georgie ?

— Étant donné qu'il pleut, je pensais les emmener visiter la National Gallery, ou bien la galerie des pairesses[1] de la Chambre des lords.

— Mais c'est absolument déprimant. Allez plutôt faire des emplettes chez Harrods ou dans Bond Street.

— Oh, *ja*, des emplettes ! s'exclama Hanni, dont le visage s'illumina. Ça me plaît.

— Très bien, acceptai-je à contrecœur, me demandant si l'étiquette royale m'obligerait à payer ses achats de ma poche. Nous irons faire les magasins.

Belinda ouvrit alors son sac à main.

— Georgie, si je suis venue te voir, c'est parce que l'invitation est arrivée ce matin.

— Quelle invitation ?

— À la fête de Gussie, ma chérie. Tiens, dit-elle en me tendant le carton, particulièrement imposant.

---

1. Galerie où les épouses des pairs pouvaient assister aux débats de la Chambre des lords. *(N.d.T.)*

Augustus Gormsley et Edward Fotheringay vous invitent à une soirée de gaieté, de chahut et d'éventuelle débauche à St James's Mansions, le mercredi 15 juin à partir de 20 h 30.

C'était extrêmement ennuyeux. J'avais très envie d'y aller, mais je ne pouvais tout de même pas convier une princesse étrangère en visite officielle à une soirée d'éventuelle débauche, et il m'était également impossible de m'y rendre sans lui proposer de m'accompagner.

— Je ne pense pas pouvoir me libérer. Je ne peux tout de même pas laisser Son Altesse seule ici.

— Qu'elle vienne avec toi, suggéra joyeusement Belinda. Fais-lui découvrir le beau monde londonien. D'après ce que je sais, un ou deux princes devraient être présents.

— Je ne crois pas que…, commençai-je.

À cet instant, Hanni regarda le carton par-dessus mon épaule et lâcha un petit cri de joie.

— Des garçons et des danses ! s'exclama-t-elle. Oui, ça devrait me plaire.

— Bien, c'est donc réglé, déclara Belinda. Je passerai vous prendre mercredi à vingt heures. Il faut que je me sauve, ma chérie. Je travaille sur un nouveau modèle.

Je la reconduisis dans le vestibule.

— Tu as pris un gros risque, sifflai-je. Le vieux dragon a failli te reconnaître.

— C'est absurde. Personne ne reconnaît jamais les domestiques. Ils sont invisibles.

— Tu as été épatante, l'autre jour, quand tu t'es fait passer pour ma bonne.

— Et je m'en suis rudement bien tirée, je t'assure. Je m'excuse toutefois pour hier. J'avais vraiment l'intention de venir, mais je ne me suis finalement pas couchée avant cinq heures du matin – après avoir quitté un homme merveilleux, soit dit en passant –, et j'ai tout simplement dormi jusqu'à cinq heures de l'après-midi, juste à temps pour partir à une autre fête. Mon projet de rejouer les bonnes est donc tombé à l'eau.

— Aucune importance. La princesse a une femme de chambre à laquelle il a fallu forcer la main pour qu'elle s'occupe aussi de la baronne. Et Binky m'a donné un peu d'argent pour que j'engage quelqu'un d'autre. L'agence est censée m'envoyer des filles convenables d'ici peu.

— Trouve-t'en une qui ne soit pas bavarde, conseilla Belinda. Il n'y a rien de pire que de se réveiller le matin en entendant une bonne qui jacasse à n'en plus finir quand elle t'apporte ton thé. Et puis, tu ne sais jamais à qui elle pourrait aller raconter ta vie et parler des hommes qui passent la nuit chez toi. On a une réputation à préserver, tout de même.

— Aucun risque que cela m'arrive. Ma bonne mourra sûrement d'ennui.

— Les choses vont changer, tu verras. Tu n'es en ville que depuis deux petits mois. Une fois que tu feras partie de mon cercle d'amis, les fêtes s'enchaîneront sans répit. Et la folle soirée de Gussie est exactement ce qu'il te faut. Le Tout-Londres sera présent, je peux te l'assurer.

— Es-tu certaine que je peux y emmener la princesse ?

— Oh, oui, affirma Belinda avec un large sourire. C'est la meilleure manière de lui faire découvrir la vie à l'extérieur du couvent, tu ne crois pas ? Bon, d'ici là, salut ! lança-t-elle en m'embrassant sur la joue.

Sur ce, elle dévala les marches du perron et s'éloigna sous la pluie.

La baronne Rottenmeister insista pour nous accompagner chez Harrods. J'étais plutôt réticente à l'idée de retourner dans ce grand magasin, où j'avais subi l'une des pires humiliations de ma vie. J'y avais travaillé cinq heures seulement comme vendeuse au rayon des cosmétiques avant d'être renvoyée. Mais comme je comptais cette fois m'y rendre sous ma véritable identité, en compagnie d'une princesse et d'une baronne, je ne m'attendais pas à rencontrer d'ennuis.

Dès qu'elle entra dans le magasin, Hanni se comporta comme une enfant dans une boutique de jouets. Elle sautillait d'un rayon à l'autre en poussant de petits glapissements de joie.

— Oh, regardez ! Des bagues. Des colliers. Et des sacs à main charmants. Oh, regardez ! Du rouge à lèvres.

Je dus reconnaître que son vocabulaire était fort vaste dans ce domaine et me demandai comment elle avait pu apprendre un mot comme « cosmétiques » au couvent. Peut-être y avait-il, dans les films de gangsters américains qu'elle aimait tant, des interludes entre deux rixes durant lesquels les pépées desdits gangsters parlaient de produits de beauté. Nous passâmes ensuite au rayon prêt-à-porter.

— Oh, quelle jolie robe. Je dois l'essayer, déclara Hanni, étreignant presque le vêtement sur son cœur, tandis qu'une vendeuse fonçait dans sa direction, avec dans les yeux une lueur d'inquiétude. Je n'ai pas de tenue sexy pour la fête. Juste des robes allemandes banales. Elle coûte seulement vingt-cinq livres sterling, fit-elle observer en jetant un regard à l'étiquette.

— C'est le prix de la ceinture, mademoiselle, précisa la vendeuse en apparaissant derrière elle comme par magie. La robe, elle, vaut trois cents guinées.

— Trois cents, c'est cher ? me demanda innocemment Hanni.

— Oui, très.

— Je l'essaie quand même.

Elle adressa un sourire radieux à la vendeuse. Comment allais-je pouvoir lui expliquer, sans embarrasser tout le monde, que je n'avais pas d'argent ? La baronne avait peut-être apporté son chéquier.

— La jeune lady vient-elle de l'étranger ? me demanda la vendeuse.

— Oui, c'est la princesse Hannelore de Bavière, lui répondis-je.

Je remarquai que son attitude changea aussitôt du tout au tout.

— Votre Altesse, reprit-elle, s'adressant à Hanni, c'est un honneur. Permettez-moi d'aller vous chercher d'autres robes.

La demi-heure suivante se déroula gaiement, Hanni toujours plus ravissante dans chaque nouvelle robe qu'elle passait, tandis que je me sentais de plus en plus mal à l'aise.

— Je crois que vous avez essayé toutes les robes de soirée que nous avons en magasin, Votre Altesse, finit par dire la vendeuse.

— Je les prends toutes ! annonça Hanni avec de grands gestes des bras.

— Non, c'est impossible ! répliquai-je d'une voix plus forte que je n'en avais eu l'intention, donnant libre cours à ma nervosité.

— Bien évidemment, acquiesça la vendeuse, regardant Hanni d'un air ravi. Personne ne songerait un instant à vous laisser emporter toutes ces robes chez vous, ce ne serait pas commode. Nous vous les ferons livrer cet après-midi.

— Votre père a-t-il confié à la baronne de quoi couvrir ce genre de dépenses ? demandai-je.

— Non, rien, éructa presque le chaperon.

— Dans ce cas, vous ne pouvez les acheter, je regrette, Hanni.

— Nous téléphonerons à mon père, répondit-elle avec un air boudeur. Il voudra que j'aie une robe à la mode pour rencontrer le roi et la reine, pas une affreuse robe allemande.

— Les vêtements de notre pays ne sont pas affreux, affirma la baronne, le visage à présent cramoisi. Vous devriez être fière d'en porter. Venez, Hannelore. Nous partons, maintenant.

J'adressai un sourire plein de remords à la vendeuse, puis suivis Hanni et la baronne. Nous avions presque atteint la sortie du magasin quand je sentis quelqu'un me tapoter le bras. C'était un homme en redingote qui affichait un air désapprobateur.

— Veuillez m'excuser, mademoiselle, mais comptez-vous payer l'achat de la princesse tout de suite ou préférez-vous que nous vous envoyions la facture ?

— Quel achat ? m'étonnai-je, sachant que les robes étaient restées dans la cabine d'essayage.

— Ceci, mademoiselle, précisa-t-il en désignant le bras d'Hanni, auquel était passé un adorable sac à main de chevreau blanc. C'est cinquante guinées.

— Votre Altesse ? fis-je, la rattrapant avant qu'elle n'ait franchi les portes. Je crois que vous avez oublié de reposer le sac que vous étiez en train d'admirer.

Hanni baissa les yeux, surprise.

— Oh, oui ! C'est vrai.

Elle le rendit au chef de rayon avec un sourire charmant. Une fois dans le taxi qui nous ramenait à la maison, j'observai la princesse, qui faisait la moue. Avait-elle réellement oublié de remettre le sac en place ou avait-elle eu l'intention de le faucher discrètement ?

— Il faut que j'épouse un homme riche bientôt, déclara-elle. Vous aussi, Georgie. Il y aura des hommes riches à la fête de mercredi ?

— Oui, sûrement.

— Bien. Nous en choisirons un chacune, annonça-t-elle avant de marquer une pause, l'air songeur. Pensez-vous que l'homme ravissant qui nous a secourues hier sera là ?

— Je ne crois pas, répondis-je, en espérant avoir raison – j'avais en effet remarqué la façon dont les yeux de Darcy s'étaient mis à briller à la vue d'Hanni. Et on ne dit pas d'un homme qu'il est « ravissant ». Mais qu'il est beau.

— Moi, je l'ai trouvé ravissant, insista Hanni, mélan-
colique.

Je dus admettre qu'elle n'avait pas tort. C'était probablement l'homme le plus ravissant que je rencontrerais
jamais.

10.

Ce soir-là, Mme Huggins nous servit un traditionnel crapaud dans le trou[1] et du riz au lait. C'était de la nourriture de cantine tout ce qu'il y avait de plus ordinaire, et la baronne ouvrit des yeux horrifiés lorsque le premier de ces mets fut placé devant elle.

— Du crapaud dans l'trou ? s'étonna-t-elle en imitant l'accent cockney de mon grand-père. Un crapaud ? C'est comme une grenouille, non ? Vous cuisinez un crapaud dans de la pâte ?

— C'est simplement ainsi que nous appelons ce plat, expliquai-je, pourtant tentée de lui faire croire qu'elle s'apprêtait vraiment à manger du crapaud rôti. En Angleterre, nous donnons très souvent des noms bizarres à nos plats.

— J'aime le crapaud dans l'trou, déclara Hanni. Ça a bon goût.

Et j'étais bien de son avis. Comme nombre de plats tout simples, celui-ci est délicieux quand il est bien cuisiné, et j'ai toujours eu un faible pour les saucisses.

— Si ce n'est pas de la grenouille, qu'est-ce que c'est ? demanda la baronne à mon grand-père.

---

1. Le *toad in the hole* (littéralement « crapaud dans le trou ») est un plat anglais et écossais qui se compose de saucisses cuites au four dans une pâte, très apprécié des classes populaires. *(N.d.T.)*

— C'est d'l'andouille, mon canard, répondit ce dernier en s'adressant à Hanni, tous deux ayant d'emblée sympathisé.

— Alors, c'est de l'andouille de canard ? s'enquit la baronne. Ça n'a pas le goût de canard.

— Pas du canard, d'l'andouille, insista mon grand-père sans perdre patience.

— Il veut dire que ce sont des saucisses. Des saucisses anglaises.

— C'est de la nourriture de paysans ! répliqua la baronne.

— J'aime bien ça, moi, répéta Hanni.

La baronne, vexée, alla se coucher tôt.

— Pas de bain, pas de chauffage et du crapaud pour le dîner, marmonna-t-elle tout en montant l'escalier.

Je continuais de me demander comment j'allais pouvoir m'absenter le mercredi pour me rendre discrètement chez Mme Bantry-Bynge. Puis, durant la nuit, une idée brillante me vint à l'esprit. Étant donné que je n'avais pas encore eu de nouvelles de l'agence chargée de me trouver une bonne, j'expliquerais à mes invitées que je devais sortir afin d'aller rencontrer des candidates. Ce plan de génie fut contrecarré par un appel téléphonique le mardi matin, pendant le petit déjeuner : l'agence souhaitait me présenter une personne tout à fait convenable pour ce poste, si j'avais le temps de passer la voir.

— Je regrette, mais je dois vous laisser vous débrouiller seules ce matin, annonçai-je en retournant dans la salle à manger – du hareng fumé était cette fois au menu, et la baronne se plaignait des arêtes. Il faut que j'aille faire passer un entretien à une nouvelle bonne.

— Qu'est-il arrivé à l'autre ? demanda la baronne. Où est-elle partie ? Je la trouvais satisfaisante.

— Peut-être, mais elle n'était pas fiable. Elle est sortie samedi soir et n'est jamais revenue. J'ai donc suivi votre conseil et je l'ai congédiée.

Elle opina du chef.

101

— *Gut.* Il faut toujours être ferme avec les domestiques.

— Par conséquent, je vous prie de m'excuser. Peut-être avez-vous envie d'aller visiter la National Gallery ? Je crois qu'on peut y admirer de beaux tableaux.

— Il pleut trop, déclara la baronne. Et la princesse a besoin de se reposer avant notre dîner de ce soir au palais. Il faut qu'elle soit en beauté.

— Mais je me sens bien, se plaignit Hanni. Je veux voir Londres. Rencontrer des gens. M'amuser.

— La princesse se reposera, décréta son chaperon. Elle écrira des lettres à sa famille.

— OK, soupira Hanni.

Je partis pour l'agence avec l'impression d'être sur le point de passer un examen difficile. Engager des domestiques n'était pas une tâche que j'accomplissais tous les jours – à dire vrai, je ne l'avais encore jamais fait.

— Je pense que nous avons enfin trouvé une bonne pouvant vous convenir, lady de Rannoch, m'annonça la dame derrière son bureau.

Elle était plutôt intimidante dans son tailleur gris et son jabot blanc immaculé. Évoquant tout autant une infirmière en chef qu'une directrice d'école, elle possédait un raffinement avec lequel je ne pouvais espérer rivaliser. Elle semblait particulièrement contente d'elle-même.

— Voici Mildred Poliver, m'annonça-t-elle.

Une femme d'une quarantaine d'années se leva et me fit la révérence.

— Ravie de faire votre connaissance, lady de Rannoch. Ce serait un honneur que d'entrer à votre service.

— Je suis sûre que vous souhaitez poser quelques questions à Mlle Poliver, reprit la dame de l'agence.

— Oh, oui, bien entendu, répliquai-je en essayant de paraître efficace et désinvolte, comme si je faisais régulièrement passer des entretiens à des domestiques. Euh… avez-vous de l'expérience, mademoiselle Poliver ?

— Cela fait vingt-neuf ans que je suis fââmme de chambre, répondit-elle avec ce genre d'accent distingué que les gens issus des classes populaires prennent pour aristocratique. J'étais récemment au service du général de brigade sir Humphry Alderton. Vous connaissez peut-être les Humphry Alderton ?

— Pas personnellement.

— Une fââmille très bien. Très rââffinée.

— Dans ce cas, pourquoi avez-vous quitté cette place ?

— Ils repartaient en Inde, et je n'avais aucune envie d'aller vivre dans ce pays. Je ne supporte pas la chaleur, voyez-vous.

— Oui, je vois.

— Mme Humphry Alderton m'a chaudement recommandée. Tenez, voici sa lettre, si vous souhaitez la lire.

Je la parcourus rapidement. *Mildred est une perle. Je ne sais pas ce que je vais faire sans elle...*

— Cela me semble tout à fait satisfaisant, dis-je.

— Mlle Poliver s'attend naturellement à des gages qui tiennent compte de son expérience, déclara le dragon.

— Quel était votre salaire précédent ? m'enquis-je.

— Soixante-quinze livres par an, logée et nourrie. Je demande également à avoir mon jeudi après-midi et mon dimanche soir.

— Cela devrait me convenir.

J'étais certaine que nos bonnes écossaises ne touchaient pas une somme pareille – on leur octroyait plutôt dans les vingt livres par an. Je calculai aussi que Binky m'avait donné une centaine de livres pour engager une domestique et couvrir les frais de bouche de nos visiteuses allemandes ; or, la baronne mangeait tant qu'elle commencerait bientôt à me coûter cher. Je ne serais cependant pas obligée de garder Mildred Poliver à mon service après le départ de mes invitées. Je trouverais bien une excuse pour me débarrasser d'elle. Ma nature honnête finit toutefois par l'emporter.

— Je ferais mieux de préciser que ce poste ne sera peut-être que temporaire.

— Temporaire ?

— J'ignore combien de temps je vais séjourner à Londres, et j'ai déjà une bonne au château de Rannoch.

— En fait, cela me va comme un gant, assura Mildred. J'ai tant aimé vivre à la campagne que je ne sais pas encore si je vais apprécier la frénésie de la vie londonienne.

Nous nous serrâmes la main, et Mildred proposa de commencer dès cet après-midi-là.

— Ce serait parfait, acquiesçai-je. Nous sommes invitées à dîner au palais ce soir.

— Au palais ? Voyez-vous ça !

Les deux femmes échangèrent des hochements de tête impressionnés.

— Évidemment, cela va sans dire, lady de Rannoch, puisque vous êtes parente avec la famille royale, ajouta Mildred.

Je voyais déjà plusieurs idées germer dans son esprit. Elle allait prendre du plaisir à se vanter de mes liens parentaux. Sans doute espérait-elle même que des membres de la royauté viendraient prendre le thé chez moi de temps à autre. J'éprouvai d'emblée pour elle de l'antipathie, mais sous quel prétexte aurais-je pu refuser de l'engager ? Et puis, ce n'était que temporaire, songeai-je. Un Rannoch est capable de résister à l'adversité.

Tandis que Mildred partait récupérer ses affaires, je rentrai chez moi. Mme Huggins m'aida à lui préparer une chambre sous les combles, à côté de celle d'Irmgardt. L'endroit était glacial et humide, et je compris enfin pourquoi la bonne allemande semblait toujours aussi renfrognée. Mildred se satisferait-elle de ce logis ? Peut-être était-elle habituée à vivre dans des conditions difficiles. Ou sans doute refuserait-elle de rester plus de quelques jours – il va sans dire que cela m'arrangerait. Elle arriva peu de temps après avec une valise pitoyablement petite ; en découvrant l'impressionnant vestibule de Rannoch House, elle se répandit en compliments, puis devint beaucoup plus silencieuse lorsque je la conduisis au troisième étage, où sa chambre était située.

— C'est assez spartiate, se contenta-t-elle de faire observer.

— Nous pouvons rendre les lieux plus confortables, bien sûr, m'empressai-je de répondre.

J'avais du mal à comprendre pourquoi je m'évertuais à lui faire plaisir, mais il faut dire qu'elle était plutôt intimidante.

— Je tiens à préciser que mon nom est Mildred, reprit-elle. Personne ne me surnomme Millie. Jamais.

— Bien sûr, répliquai-je.

Pourquoi me montrais-je encore une fois aussi contrite ? À croire que j'avais l'intention de devenir sa bonne copine et de l'autoriser à m'appeler Georgie.

Je lui fis visiter la maison. Elle trouva ma chambre à son goût, mais observa avec désapprobation les vêtements posés sur le dossier des chaises.

— Il est évident que madame n'a plus de femme de chambre compétente depuis un moment. Regardez dans quel état sont vos robes. Votre bonne précédente ne savait-elle donc pas se servir d'un fer à repasser ?

— Ce n'était pas son fort, dis-je à la hâte. La chambre voisine est actuellement occupée par mon invitée, la princesse Hannelore de Bavière.

— Une princesse ? Voyez-vous ça !

Je montai de nouveau dans son estime.

— Elle a sa propre femme de chambre, Irmgardt. Voyons si elle est là, que je vous la présente, même si elle ne parle apparemment que l'allemand.

J'ouvris la porte d'Hannelore. Aucun signe d'Irmgardt. Hanni s'était à l'évidence occupée de sa correspondance. Sur une feuille de papier à lettres posée sur sa table de chevet, je lus : *C. P. ???* L'enveloppe qui avait contenu ce message se trouvait à côté, et le cachet de la poste indiquait qu'elle avait été envoyée depuis le centre de Londres. Hanni connaissait donc quelqu'un dans la capitale.

11.

Palais de Buckingham
Mardi 14 juin 1932

> *Cher journal,*
> *Soirée au palais. Oh, Seigneur, pourvu qu'Hanni ne*
> *nous fasse pas ses imitations de gangsters ! J'espère que*
> *tout se passera sans accrocs. La reine trouvera peut-être*
> *Hanni si charmante qu'elle lui proposera de s'installer*
> *aussitôt au palais...*

Être habillée par une femme de chambre en vue de
notre dîner à Buckingham me fit une impression bizarre.
J'étais désormais tellement habituée à me débrouiller
seule que je trouvais gênant de rester plantée là, comme
un mannequin de couturière, tandis que Mildred s'af-
fairait autour de moi, me poudrant les épaules, agrafant
ma robe, glissant mes pieds dans mes chaussures de
soirée et arrangeant ma coiffure. Cette dernière tâche la
désespéra.

— Puis-je vous suggérer une bonne coupe de cheveux
et une permanente, lady Georgiana ? C'est très à la
mode, ces temps-ci.

— J'y songerai, répondis-je sans conviction.

— Quels bijoux madame a-t-elle choisis pour ce
dîner ?

La question ne m'avait même pas effleuré l'esprit.

— Je ne sais pas. J'ai un joli collier de perles.

— Vraiment ? s'étonna-t-elle sur un ton qui laissait entendre que j'avais lâché une grossièreté. Cela ne se porte pas le soir, à moins qu'il ne s'agisse évidemment de perles exceptionnelles par la taille et l'origine. Est-ce le cas de votre collier ? Celui-ci est-il également orné de pierres précieuses ?

Je dus admettre que non.

— Vu la couleur de votre robe, puis-je vous conseiller des rubis ?

— Je n'en ai pas. Mais j'ai des grenats.

— Des grenats ? répéta-t-elle, l'air réellement affligé.

Je finis par lui tendre mon coffret à bijoux et la laissai choisir.

— Mes plus beaux bijoux sont restés en Écosse, dans notre chambre forte, expliquai-je, essayant de me racheter aux yeux de cette femme. Ma famille craint les cambriolages dans notre maison londonienne.

Tandis que je gagnais le rez-de-chaussée pour rejoindre mes invitées, je m'en voulus énormément de l'avoir laissée me contrarier ainsi. Mildred était ma domestique et moi sa maîtresse, après tout. Si elle trouvait mes bijoux pitoyables ou mes robes froissées, pourquoi m'en soucierais-je ?

Hanni avait splendide allure dans une version sophistiquée de large jupe bavaroise ; toute vêtue de noir, la baronne me parut redoutable, avec plusieurs rangs de jais autour du cou et un ornement menaçant de plumes noires jaillissant de son chignon. Dans le taxi qui nous conduisit au palais, je donnai à Hanni quelques recommandations de dernière minute.

— Ne parlez pas de gangsters, s'il vous plaît, et n'appelez pas Sa Majesté la reine « pépée », « vieille peau » ou « ma jolie », d'accord ?

— D'ac' ! répondit-elle gaiement. Je parlerai comme une habitante de Londres. Votre majordome m'a aidée.

Cela ne me parut pas très encourageant, mais, avant que je puisse la mettre davantage en garde, la voiture franchit les grilles du palais et s'arrêta dans la cour. Des laquais en livrée s'élancèrent pour nous ouvrir la portière du taxi. Puis on nous conduisit dans un vestibule bien éclairé.

— Leurs Majestés vous attendent à l'étage, nous annonça-t-on.

— On va monter dare-dare, déclara Hanni. Tiens, l'escadrin est de ce côté ! s'exclama-t-elle d'une voix forte et joyeuse en s'engageant dans le large escalier de marbre, orné de dorures et de statues.

— Vous devriez peut-être éviter de vous exprimer comme une Londonienne, chuchotai-je.

— Je n'ai pas parlé comme il faut ?

— Non, cela ne convient pas. Du moins, dans ce palais-ci. Au Hammersmith Palais[1], cela ne poserait pas de problème.

— Quel palais ?

— Peu importe. Contentez-vous de m'écouter et d'employer le même vocabulaire que moi.

Sur le seuil de la galerie, nous fûmes annoncées, puis nous entrâmes dans une immense pièce déjà remplie de gens dont la plupart m'étaient inconnus. Le roi et la reine se tenaient à l'autre extrémité de la salle, arborant un air particulièrement majestueux, même si la soirée était censée être sans cérémonie – les dames n'y portaient en effet pas leurs diadèmes et les messieurs aucune écharpe. La reine nous accueillit chaleureusement et nous tendit sa main gantée de blanc.

— Hannelore, ma chère, nous avions tellement envie de vous rencontrer. Alors, vous plaisez-vous à Londres ?

Je retins mon souffle, craignant que l'intéressée ne répondît en argot de gangster ou avec l'accent cockney. Pourtant, même elle semblait un peu intimidée.

---

1. Premier dancing à ouvrir à Londres en 1919, où de nombreux groupes de jazz se produisirent. (*N.d.T.*)

— J'aime beaucoup la ville. Et j'avais envie de rencontrer la belle reine anglaise et de voir ce beau palais anglais.

— Nous vous ferons visiter les lieux en une autre occasion, proposa Sa Majesté.

— J'aimerais bien ça, acquiesça Hanni, rayonnante.

Jusqu'ici, tout allait bien.

Comme à point nommé, le prince de Galles s'approcha d'un pas nonchalant et planta un baiser sur la joue de sa mère. Il avait vraiment fière allure dans son smoking, assorti d'une cravate noire. (Les cravates blanches et les queues-de-pie sont en effet réservées aux occasions plus protocolaires.)

— Je suis contente que vous ayez finalement pu venir, David, lui dit la reine.

— Je ne fais que passer et ne pourrai rester longtemps. Je dîne avec des amis.

— David, c'est extrêmement ennuyeux. Je vous ai expressément demandé d'être là afin de vous présenter notre invitée bavaroise, la princesse Hannelore.

Le prince hocha la tête et adressa quelques mots en allemand à Hanni, laquelle répondit en rougissant de manière charmante.

— J'espérais que mon fils cadet, le duc d'York, et son épouse pourraient se joindre à nous, reprit la reine. Mais l'une de leurs filles est apparemment souffrante, et ils ont préféré rester auprès d'elle.

— Il se cloître chez lui parce que sa fille a un rhume, railla David avec un petit rire. Décidément, il se complaît dans la vie de famille, ces temps-ci. Il ne sort presque plus. Quel papa dévoué !

— Au moins, il m'a donné des petits-enfants, répliqua sa mère à mi-voix, alors que le prince s'apprêtait à tourner les talons. Dois-je vous rappeler que nous n'avons pas encore d'héritier ?

— Ne recommencez pas avec ça, pour l'amour du ciel, maugréa David avant d'ajouter, plus fort cette fois :

Bon, je crois qu'il est temps que je m'en aille. Princesse, Georgie, je vous fais mes adieux. À bientôt.

Il nous adressa un bref signe de tête et disparut dans la foule, tandis que la reine me lançait un regard désespéré. Je restai près d'elle, pendant qu'un vieux général qui semblait s'être épris d'Hanni se chargea d'aller la présenter aux autres invités.

— Comment allons-nous faire pour les réunir ? me demanda la reine. Emmenez donc Hannelore aux réceptions de la haute société auxquelles David participe.

— Je ne suis pas invitée à ce genre de fêtes, madame, répondis-je – jugeant plus sage de ne pas mentionner la folle soirée du lendemain. De plus, il est probable que la lady américaine accompagnera le prince de Galles dans toutes ses sorties.

— C'est une *femme*, certainement pas une lady, corrigea la reine. Mais je suppose que vous avez raison. Elle le tient entre ses griffes et ne compte pas le lâcher. Nous devons trouver une solution, Georgiana. Vous êtes intelligente. Proposez-moi un plan d'action.

— La jeune Bavaroise est tout à fait charmante, murmura le roi en se penchant vers son épouse. David vous a-t-il semblé intéressé ?

— Je ne crois pas, répliqua-t-elle d'un ton sec.

— Ce garçon est tuant, ajouta le roi avant de reculer.

Alors que le couple royal accueillait d'autres invités, la baronne Rottenmeister apparut, radieuse, Hanni sur ses talons.

— J'ai retrouvé une bonne amie, m'apprit-elle. Venez. Vous devez la rencontrer.

Elle nous conduisit à travers la foule.

— Voici mon amie la comtesse douairière Sophia et son neveu, le prince Siegfried, déclara fièrement la baronne.

Je marmonnai quelques mots tout en priant pour que résonne le gong annonçant le dîner – ou au moins pour que survienne un puissant tremblement de terre.

J'imaginais déjà la comtesse hurlant : « C'est elle qui est venue faire le ménage chez moi ! »

Mais Belinda avait apparemment raison de penser que les domestiques sont invisibles, car la comtesse me salua très aimablement. Siegfried bavarda en allemand avec Hannelore, qui insista pour lui répondre dans son mauvais anglais. Un espoir naquit en moi. Ces deux-là se marieraient peut-être, et je serais alors tirée d'affaire. Connaissant le penchant du prince pour les garçons, ce ne serait sans doute pas une union des plus gratifiantes pour Hanni ; mais comme elle ne semblait pas s'embarrasser de scrupules, cela ne la dérangerait probablement pas de prendre un ou deux amants.

Le gong sonna enfin et on nous conduisit à la salle à manger. Je me retrouvai assise à côté de Siegfried et dus l'écouter raconter de quelle manière il avait abattu le plus gros sanglier du monde, lors d'une partie de chasse en Bohême.

— Aussi gros qu'un bus, avec des défenses longues comme ça ! s'exclama-t-il, manquant renverser un verre.

Tandis que je hochais la tête et murmurais de temps en temps quelques mots, la voix limpide et haut perchée d'Hanni me parvenait aux oreilles.

— *Ja*, j'aime la nourriture anglaise. Le pudding à la mélasse, les andouilles et le crapaud dans l'trou. C'est extra !

Elle était placée trop loin de moi pour que je puisse lui décocher un coup de pied sous la table.

— Extrêmement fascinant, dit une vieille vicomtesse en scrutant Hanni derrière son face-à-main.

— Vous viendrez peut-être visiter la Roumanie cet hiver, et nous irons chasser le sanglier, me glissa Siegfried.

— La princesse Hannelore aime chasser. N'est-ce pas, Hanni ? fis-je observer afin de l'inclure dans cette conversation.

— Ouais, bang, bang ! C'est rigolo, la chasse.

Ils se mirent alors à discuter de fusils. Siegfried parut plutôt déconcerté quand Hanni mentionna des mitraillettes et des étuis à violon, et je dus expliquer qu'elle faisait référence aux fusillades qu'elle avait vues dans des films de gangsters. Ils semblaient s'entendre à merveille. Malheureusement, la reine ne paraissait pas s'en réjouir. Lorsque les dames se retirèrent afin de laisser les messieurs se servir du porto et allumer des cigares, elle me prit à part.

— Siegfried prête un peu trop attention à la princesse, semble-t-il, me dit-elle. Il faut empêcher que les choses aillent plus loin. Montrez un peu plus d'enthousiasme à l'égard du prince, Georgiana. Les hommes aiment qu'on les flatte. Quant à Hannelore et David, je compte sur vous pour trouver un moyen de les réunir.

Elle venait de s'éloigner pour bavarder avec une autre dame quand la baronne se précipita vers moi, toujours radieuse.

— Merfeilleusse noufelle ! m'annonça-t-elle avec son fort accent. Mon amie la comtesse douairière Sophia m'a invitée à séjourner chez elle. Elle a une bonne cuisinière allemande, le chauffage central et quantité d'eau chaude. Je vais m'installer dans sa maison avec Hannelore.

Oh, mon Dieu ! Si Hanni se retrouvait sous le même toit que Siegfried, la reine en serait fort mécontente, j'en étais certaine. Décidément, il me semblait que tout allait de mal en pis.

12.

Heureusement, Hanni refusa catégoriquement d'aller s'installer chez la comtesse douairière.

— J'aime bien vivre avec Georgie. La reine veut que je reste avec Georgie.

— Mais vous avez besoin d'un chaperon, Votre Altesse, répondit la baronne. Que dirait votre père ?

— Georgie sera mon chaperon. Et Irmgardt continuera de s'occuper de moi.

La baronne s'apprêta à répliquer, me dévisagea fixement, puis referma la bouche. Il était évident qu'elle était tiraillée entre son devoir vis-à-vis de la princesse et les promesses de bons repas et de confort qu'offrait la maison de Park Lane. Elle finit par opiner du chef.

— Très bien. Mais je vous interdis de quitter Londres sans moi et je tiens à vous accompagner à toutes les réceptions officielles. C'est ce que votre père attend de moi.

Ce fut ainsi réglé. La baronne Rottenmeister déménagerait dès le lendemain matin. J'allai me coucher avec un optimisme que je n'avais pas éprouvé depuis bien longtemps. Je fus réveillée par un bruit sourd suivi d'un cri perçant ; j'entendis alors quelqu'un avancer sur la pointe des pieds.

— Qui est là ? demandai-je, terrifiée, en me redressant dans mon lit.

— Je m'excuse, lady Georgiana, dit une voix près de la fenêtre.

Un rideau fut ouvert et Mildred apparut.

— Je vous apportais votre thé. Mais comme je ne connais pas encore bien la disposition de vos meubles, je me suis cognée à votre coiffeuse. Cela ne se reproduira plus, je vous le promets.

Elle s'approcha et plaça sur ma table de chevet un plateau sur lequel étaient posés une tasse de thé et un biscuit.

— Quand madame souhaite-t-elle que je fasse couler son bain ?

Je commençais à me dire qu'avoir une femme de chambre n'avait peut-être pas que des inconvénients. Au château de Rannoch, nous ne nous permettions jamais le luxe de boire un thé au lit, par exemple. J'envisageais déjà de rester étendue un moment, à lire le *Times* en sirotant mon thé, quand je me rappelai la matinée chargée qui m'attendait : je devais organiser le départ de la baronne pour Park Lane, puis aller faire le ménage chez Mme Bantry-Bynge. Comment diable allais-je me débrouiller ?

— À quoi madame va-t-elle être occupée aujourd'hui ? s'enquit Mildred. Quelle tenue puis-je vous préparer ?

Je ne pouvais tout de même pas lui raconter que je comptais enfiler un uniforme de bonne pour aller passer le balai dans une autre maison.

— Oh, rien de spécial. Je porterai une jupe et un chandail. Je pourrai les choisir moi-même une fois que j'aurai pris mon bain.

— Certainement pas, madame. Je suis là pour vous servir, et j'entends bien faire mon travail.

Je soupirai, tandis qu'elle sortait de mon armoire une jupe de lin et un chemisier de soie, tous deux lavés et repassés, comme par miracle. D'une manière ou d'une autre, il me faudrait trouver un endroit et un moment pour ôter les vêtements choisis par Mildred afin de passer mon uniforme.

— Vous pouvez faire couler mon bain maintenant, Mildred. Je dois rendre visite à quelqu'un ce matin. La baronne s'en va, ajoutai-je, me souvenant alors de l'heureuse nouvelle du jour. Peut-être pourriez-vous aider Irmgardt à faire ses bagages.

Après mon bain, je m'habillai et fourrai mon uniforme de bonne dans un sac en papier ; puis je me rendis dans la salle à manger, où mes invitées prenaient déjà leur petit déjeuner. En l'honneur du départ de la baronne, Mme Huggins avait cuisiné du bacon et des rognons, que le dragon dévorait à présent comme si elle avait été privée de nourriture pendant des mois.

— Enfin de la bonne *Fleisch* ! dit-elle en se léchant les babines.

J'espérais que ladite *Fleisch* n'était pas bonne au point de l'inciter à changer d'avis et à rester à Rannoch House.

— Je crains qu'il ne me faille m'absenter un moment ce matin, expliquai-je. Je suppose qu'Hannelore souhaitera vous accompagner chez la comtesse douairière afin de s'assurer que vous y serez bien installée.

— Où allez-vous ? me demanda Hanni.

— Oh, je vais simplement rendre visite à une amie.

— Je viens avec vous, dit-elle avec fermeté. Je vais m'ennuyer avec les vieilles peaux.

Oh là là.

— L'amie que je dois voir est elle-même très âgée, j'en ai peur, répondis-je. En fait, elle est clouée au lit car elle ne va pas très bien. Je lui rends visite une fois par mois, par devoir.

— Ma présence pourrait la rendre heureuse, proposa Hanni. Les vieilles femmes malades aiment bien les jeunes visages souriants.

— Pas elle. Elle n'apprécie que les gens qu'elle connaît déjà. Sinon, son esprit s'embrouille. Et puis, elle a aussi des éruptions de rougeurs, quoique je ne pense pas que ce soit contagieux.

J'entendis la baronne réprimer une exclamation.

— La princesse Hannelore viendra avec moi, décida-t-elle.

— Bonne idée, dis-je en poussant un soupir soulagé. Je passerai la chercher à Park Lane afin de la ramener ici, qu'elle puisse se reposer avant la fête de ce soir.

— Je crois qu'il est de mon devoir d'y aller avec Son Altesse, déclara alors la baronne.

Décidément, les complications ne cessaient de s'enchaîner.

— Vous passeriez une soirée fort désagréable, je le crains, au milieu de jeunes gens qui n'écoutent que du jazz, expliquai-je.

— C'est extrêmement inconvenant, marmonna la baronne. Je ne pense pas que le père d'Hannelore serait d'accord.

— Il veut que je rencontre des jeunes gens, intervint Hanni.

— Et ceux-ci sont de bonne famille, ajoutai-je. Je veillerai sur la princesse, je vous le promets.

La baronne ronchonna, mais je crois qu'elle était soulagée d'échapper à une soirée de jazz – et de possible débauche. Je lui proposai les services de ma bonne pour l'aider à faire ses bagages, ceux de mon majordome pour héler un taxi et porter ses valises dans le coffre, puis je descendis discrètement à l'office pour aller me changer et sortir de la maison par la porte de service.

— Ton petit plan a donc fonctionné, pas vrai ? dit mon grand-père en m'apercevant. La vieille boche s'en va ?

— Oui, Dieu merci. Je lui ai dit que tu lui trouverais un taxi et que tu te chargerais de transporter ses bagages jusqu'à la voiture.

— Est-ce qu'elle emmène cette Hildegarde avec elle ? s'enquit Mme Huggins en passant la tête par la porte de la cuisine.

— Non, Irmgardt est la femme de chambre de la princesse. Elle reste ici, apparemment.

Mme Huggins soupira.

— Elle me fout la trouille, celle-là. Elle passe d'une
pièce à l'autre comme une ombre noire et vous fixe avec
une tête à faire cailler le lait.

— C'est son visage, elle n'y peut rien, madame
Huggins. Et elle ne parle pas anglais, ce qui doit lui compliquer les choses.

— J'ai bien essayé de lui apprendre quelques mots,
mais elle avait pas l'air intéressée. Elle est bête comme
ses pieds, à mon avis. Et carrément désagréable.

— Je suppose que les Allemands ne nous apprécient
pas plus que nous les apprécions, mais elle refuse même
de prendre ses repas à l'office avec nous, dit mon grand-
père. Elle pose son assiette sur un plateau et monte manger
dans sa chambre. Entre elle et ta miss chochotte...

— Tu veux parler de Mildred ?

— Quelle snobinarde, celle-là, ajouta Mme Huggins.
Si elle continue à regarder les gens de si haut, elle finira
par tomber à la renverse.

Je ne pus retenir un rire.

— C'est vrai, elle est plutôt agaçante. Mais elle ne
restera pas longtemps, je vous le promets. Ce n'est pas
facile pour moi non plus, je peux vous l'assurer. Au
moins, nous nous sommes débarrassés de la baronne.
Bien, il faut que je sorte, à présent.

Je me glissai dans les cabinets de l'office, me changeai
et quittai la maison discrètement. Je voulais terminer
mon travail chez Mme Bantry-Bynge aussi tôt que possible. La dame ne devait pas arriver avant l'après-midi,
mais j'avais un jour croisé son amant et celui-ci s'était
montré un peu trop amical à mon égard ; je n'avais
aucune envie de devoir le repousser à nouveau. Vu que
les hommes de son acabit ne devaient pas être des lève-
tôt, j'espérais accomplir ma tâche sans être importunée.
Je pris le bus pour me rendre dans le quartier de

Regent's Park et terminai mon ménage avant midi sans avoir fait de rencontres gênantes. Puis je retournai à Rannoch House pour me changer avant d'aller chercher Hanni à Park Lane. Ce fut mon grand-père qui m'accueillit.

— La princesse n'est pas encore rentrée, je suppose ? demandai-je.

— Non, répondit-il, une expression étrange sur le visage. Mais il y a eu un coup de fil pour elle pendant ton absence. Le bijou qu'elle a vu ce matin chez Garrard's, le joaillier, est apparemment prêt à être livré. On m'a précisé qu'un paiement à la livraison était réglementaire pour un article de ce prix. C'est des émeraudes, d'après ce que j'ai compris. Il faut l'avoir à l'œil, cette jeune lady, ajouta-t-il en me voyant grimacer.

— À qui le dis-tu…, soupirai-je. Hier, elle a essayé de faucher un sac à main chez Harrods. Bon, je vais devoir expliquer au joaillier qu'il y a eu erreur. J'espère simplement qu'elle n'a pas fait graver le bijou.

— Voilà ce qui arrive quand on enferme les filles au couvent. Dès qu'elles en sortent, elles s'écartent du droit chemin. Si j'étais toi, je raconterais à la reine ce que t'es obligée d'endurer, et je renverrais illico Son Altesse en Allemagne. Il n'est jamais rien sorti de bon de ce pays !

— Beethoven, Mendelssohn, Haendel, fis-je remarquer. Et la choucroute. Je croyais que tu t'étais pris d'affection pour la princesse.

— Oui, on dirait que c'est une gentille petite, reconnut-il. Mais elle a quand même besoin d'être surveillée. Elle voit pas les choses comme nous.

Je subis un entretien embarrassant chez Garrard's, durant lequel il me fallut insinuer qu'il y avait des cas de folie dans la famille d'Hannelore, puis j'allai la chercher chez la comtesse douairière. Elle ne s'y trouvait pas.

— Siegfried l'a raccompagnée à Rannoch House aussitôt après le déjeuner ! s'exclama la baronne. Je ne comprends pas.

— Elle est probablement allée se promener, suggérai-je. C'est une belle journée.

— Cette fille a besoin d'une bonne fessée, affirma la baronne. Je n'aurais pas dû la perdre de vue. Je ferais sans doute mieux de retourner chez vous, après tout. Je néglige mon devoir.

— Je pars de ce pas à sa recherche, et je la surveillerai ensuite de beaucoup plus près. Il n'y a pas d'inquiétude à avoir, j'en suis sûre.

Ce n'était évidemment pas le cas. Je ne parlai pas de l'incident chez Garrard's à la baronne. Mon grand-père avait raison : plus vite Hanni repartirait en Allemagne, mieux ce serait.

Où avait-elle pu passer ? Je n'en avais pas la moindre idée, et je l'imaginais en train de dévaliser Harrods ou d'acheter tout Bond Street. Je marchai sans but pendant un moment avant de retourner chez moi, où j'appris que la princesse était rentrée et qu'elle se reposait. Je montai la voir. Endormie sur son lit, elle me parut parfaitement angélique. Attendrie, je lui en voulus un peu moins. C'était après tout une très jeune fille qui se retrouvait pour la première fois dans une grande ville. Elle ne connaissait tout simplement pas encore les règles du savoir-vivre.

13.

Belinda passa nous chercher à vingt heures. Elle portait un pantalon de soie noir assorti d'un haut dos nu blanc – un ensemble que j'avais présenté à Mme Simpson quand j'avais joué les mannequins. Il lui allait à merveille, naturellement ; sur moi, ça avait été une catastrophe. Je me sentais vraiment mal fagotée dans mon ample tenue de taffetas, confectionnée par la femme de notre garde-chasse. Hanni portait la même robe rose que lors de sa première soirée à Rannoch House. Elle ressemblait à une princesse de conte de fées telle qu'on peut se l'imaginer. Je m'attendais presque à voir des nains apparaître dans son sillage.

Lorsque notre taxi nous déposa devant St James's Mansions, la fête battait déjà son plein. Les martèlements sourds d'un rythme jazz et la plainte des saxophones flottèrent jusqu'à nous dans l'air raffiné d'Arlington Street, incitant deux vieux messieurs en route pour leur club à agiter leur canne en maugréant contre la jeunesse actuelle – qui selon eux avait grand besoin d'un séjour dans les colonies ou d'une bonne guerre en Afrique. L'appartement de Gussie et Lunghi était situé dans l'un des grands immeubles modernes qui donnent sur Green

Park. Nous prîmes l'ascenseur jusqu'au sixième étage et, dès que les portes s'ouvrirent, la musique nous frappa de plein fouet. Ce n'était pas un disque qui passait sur un phonographe, mais un véritable orchestre qui jouait !

La porte étant entrouverte, Belinda n'attendit pas qu'on nous invitât à pénétrer dans l'appartement. Elle entra et nous fit signe de la suivre. Nous nous retrouvâmes dans un vestibule carré de marbre, submergées par le flot de la musique. Une porte voûtée menait au séjour. Les lumières étaient tamisées, et un mince voile de fumée planait dans l'air, mais je pus distinguer des murs blancs, des meubles bas chromés et des œuvres d'art ultramodernes – des tableaux pour le moins étranges : on aurait dit que l'artiste avait projeté de la peinture sur une toile avant de sauter dessus à pieds joints. Le tapis avait été roulé et de nombreux couples tournoyaient sur le parquet. Un orchestre de jazz composé de musiciens noirs occupait la plus grande partie de la petite salle à manger adjacente. Il y avait un bar dans le vestibule, et un flot incessant de jeunes gens en vêtements de soirée des plus chics allait et venait, un verre de cocktail à la main.

Les seules fêtes auxquelles j'avais participé au cours de ma brève et morne existence étaient les bals de débutantes de ma première saison mondaine, et tous avaient eu lieu dans des salles bien éclairées où les demoiselles étaient tout aussi bien chaperonnées – et où les seules boissons alcoolisées étaient du punch additionné d'un soupçon de champagne. Ces occasions mises à part, il y avait les veillées de Noël au château de Rannoch, avec au programme quadrilles écossais et cornemuses, ainsi que des invitations épisodiques au manoir royal de Balmoral, qui se déroulaient de la même manière. Cette soirée était complètement différente. C'était le genre de fête immorale qu'on donnait dans le beau monde et dont j'avais toujours rêvé. Et maintenant que je m'y trouvais, je me sentais paralysée par l'embarras.

121

Belinda se jeta à l'eau en se dirigeant droit vers le bar.

— Qu'avez-vous à nous proposer ce soir, mes chéris ? demanda-t-elle à un serveur. Est-il possible d'avoir un Sidecar ? Oh, et j'en veux bien un double, pendant que vous y êtes, merci, vous êtes un amour.

Elle se tourna vers Hanni et moi, qui étions restées plantées à l'entrée du vestibule.

— Allez, approchez. Que voulez-vous boire ?

— Je veux essayer un verre d'alcool de contrebande, dit la princesse. C'est ce que boit Edward G. Robinson.

— Nous sommes en Angleterre, Hanni, et l'on peut y consommer de l'alcool en toute légalité, expliquai-je. La Prohibition n'existe qu'aux États-Unis.

À cet instant, le morceau s'acheva, et Gussie Gormsley sortit du salon en se tamponnant le visage avec un mouchoir de soie rouge.

— Bon Dieu, on se croirait dans un bain turc, là-dedans. À boire, mon brave, et que ça saute ! lança-t-il au serveur.

En nous voyant, il parut sincèrement ravi.

— Salut, Georgie, salut, Belinda. Vous êtes là. Formidable. J'espérais que vous viendriez. Et qui est cette charmante créature ? s'enquit-il en posant les yeux sur Hanni.

— Voici la princesse Hannelore de Bavière, répondis-je. Elle séjourne chez moi. Nous l'avons invitée à se joindre à nous, j'espère que cela ne vous dérange pas.

— Bien sûr que non. Enchanté. Soyez la bienvenue, princesse.

— Appelez-moi Hanni, dit-elle en lui tendant la main d'un geste gracieux.

— Hanni, voici l'un de nos hôtes, Augustus Gormsley, précisai-je.

— Tout le monde m'appelle Gussie. Décidément, c'est une fête royale que nous donnons. La moitié des têtes couronnées d'Europe seront là avant la fin de la soirée. Mais j'en oublie mes manières ! Avant que j'aille vous présenter, vous avez besoin d'un verre, mesdemoiselles.

Il s'approcha du bar et nous remit à chacune un breuvage rose à la surface duquel flottait une cerise.

— Tenez, avec ça, vous aurez du poil aux pattes.

— Mais je ne veux pas de poils sur les pattes, protesta Hanni, provoquant un éclat de rire général.

— Je suis certain que vos jambes sont de toute façon très belles, déclara Gussie en les examinant avec sérieux. Allez, venez saluer les autres invités.

— La musique est extrêmement forte, fit observer Belinda. Je m'étonne que la police n'ait pas encore débarqué.

— Un agent est déjà passé, ma vieille, répliqua Gussie avec un grand sourire. Et nous avons gardé son casque comme preuve de sa venue. Mais nous avons donné un billet de dix livres au pauvre type, histoire de lui faire plaisir.

Il glissa un bras sous le mien et l'autre sous celui d'Hanni, puis nous guida jusqu'au salon.

— Regardez ce que j'ai trouvé dans le vestibule ! lança-t-il à Lunghi Fotheringay.

Les présentations furent faites. Lunghi se dirigea droit sur Hanni et la conduisit sur le balcon afin de lui faire admirer la vue.

— Il ne perd pas de temps, hein ? fit remarquer Gussie, l'air un peu déçu. Bon, voyons voir, qui connaissez-vous ?

— Personne, j'en suis sûre, répondis-je. On ne peut pas dire que je fréquente le beau monde.

— C'est absurde. Je suis certain que vous avez déjà rencontré ce bon vieux Tubby. Tubby Tewkesbury. Tout le monde le connaît.

En entendant son nom, un gros type rougeaud s'approcha. Lorsqu'il me vit, son visage s'illumina.

— Salut, Georgie ! Je ne m'attendais pas à vous croiser dans ce genre de bringue. Pour tout dire, je ne

123

vous avais plus revue depuis vos débuts. Vous êtes venue faire un tour à Londres ?

— J'y vis, désormais. J'essaie de faire mon chemin toute seule.

— Formidable. C'est une bonne nouvelle. Cela dit, vous ne devriez pas fréquenter cette bande : ils vous mèneront droit sur le chemin de la perdition, vous savez.

— Ah mais pensez à quel point elle va s'amuser en cours de route, intervint Gussie. Allons, finissez donc votre verre.

L'orchestre entonna un autre morceau, et Tubby m'entraîna sur la piste. Il tournoyait beaucoup plus dangereusement que les autres danseurs autour de nous, et j'eus de la chance de m'en tirer sans œil au beurre noir ni orteils cassés.

— J'ai besoin d'un autre verre, dit-il, le visage ruisselant de sueur. La même chose pour vous, ma vieille ? demanda-t-il, s'emparant de mon verre avant que j'aie le temps d'objecter.

Une fois seule, j'embrassai la pièce du regard en tâchant de distinguer des visages familiers dans la pénombre. Je me trouvai soudain face à quelqu'un que je ne connaissais que trop bien.

— Maman ! m'exclamai-je. Que fais-tu là ?

— Je prends du bon temps, ma chérie, comme toi, répondit-elle, allanguie dans l'un des fauteuils de cuir bas, tenant nonchalamment un fume-cigarette dans une main et un cocktail dans l'autre. Ce cher Noel a insisté pour que je vienne.

— Noel ?

— Noel Coward, ma chérie. Tu as dû entendre parler de lui. Il écrit des pièces magnifiques, dans lesquelles il joue également. Et il m'adore à un point !

— C'est donc à cause de lui que tu prévois de plaquer Max ?

— Oh, non, non et non ! s'esclaffa-t-elle. Il ne m'adore pas de cette manière, je t'assure. Mais il essaie

124

de me persuader de remonter sur les planches. Il veut écrire une pièce spécialement pour ma petite personne. C'est touchant, n'est-ce pas ?

— Ne me dis pas que tu envisages réellement de refaire du théâtre !

— Noel ne cesse de me supplier, répondit-elle avec un air faussement modeste. Et ce serait sans doute amusant, j'en conviens.

— Tu devrais accepter son offre, après tout. Tu ne peux pas continuellement compter sur un homme ou un autre pour subvenir à tes besoins pour le restant de tes jours, tu sais.

Elle partit d'un éclat de rire – ce rire merveilleusement mélodieux qui faisait converger tous les regards vers elle dans une pièce.

— Tu es tellement gentille. Si ma situation devenait désespérée, je pourrais toujours aller finir mes jours dans le ranch du millionnaire texan mortellement ennuyeux qui est encore, à ma connaissance, mon mari. Et sinon, plusieurs autres prendraient volontiers sa place, vois-tu. Mais il se trouve que ma situation n'est pas désespérée. J'ai des économies pour les mauvais jours, et je possède, non loin de Cannes, une charmante petite villa que Marc-Antoine m'a offerte.

— Marc-Antoine ?

— Le coureur automobile français mort tragiquement à Monte-Carlo. Je crois sincèrement que j'aurais été heureuse avec lui jusqu'à la fin de ma vie.

Une expression exagérément tragique s'afficha sur son visage, puis son sourire réapparut.

— Peut-être pas, en définitive. Tous ces gaz d'échappement m'auraient gâté le teint.

— Tu réfléchis donc sérieusement à remonter sur les planches ? demandai-je à nouveau.

— Je suis vraiment tentée. Mais j'entends déjà la rumeur : « Elle a commencé comme duchesse et, depuis, les choses n'ont fait que se dégrader. »

— Comme si tu te souciais du qu'en dira-t-on ! Tu es habituée aux racontars, depuis le temps, non ?

— Tu as raison, s'esclaffa-t-elle encore une fois. Je me fiche bien de leurs ragots ! Justement, à ce propos, tu as raté l'arrivée en grande pompe de la soirée.

— La tienne ? ironisai-je.

— Non, celle du prince de Galles, ma chérie, avec l'odieuse Américaine accrochée à son bras.

— Il est venu accompagné de Mme Simpson ?

— En effet.

— La reine sera furieuse. Où sont-ils, à présent ?

— Il a suffi que cette araignée me jette un regard pour décréter que cette fête n'était pas à son goût. « Vous ne m'aviez pas dit que la racaille serait invitée, David », a-t-elle déclaré avant de s'en aller d'un air indigné.

— Quel culot de sa part.

— C'est ce que je me suis dit, étant donné que j'ai été une duchesse tout ce qu'il y a de plus légitime, alors que le seul titre qu'elle possède est celui de femme au foyer américaine. Mais ils sont partis, et je suis restée, ce que je considère comme une victoire.

Elle se redressa sur son siège, s'animant soudain.

— Ah, voici Noel, ma chérie. Noel, mon ange, êtes-vous allé me chercher à boire ? lui demanda-t-elle.

Je reconnus sans mal, pour avoir vu sa photographie dans d'innombrables magazines, le personnage affable et élégant qui s'approchait de nous d'un pas gracieux, un verre dans chaque main et un fume-cigarette d'ivoire en équilibre entre les doigts.

— Vos désirs sont des ordres, comme vous le savez déjà, répondit-il. À la nôtre, chérie, les deux personnes les plus belles et les plus talentueuses dans cette pièce.

— Puis-je vous présenter ma fille, Georgiana ? dit ma mère en me désignant.

— Ne soyez pas ridicule. Vous êtes trop jeune pour avoir une fille qui ne soit pas encore dans les langes.

— Quel flatteur vous faites ! Vous savez combien je vous adore.

— Pas autant que *je* vous adore.

Je lançai des coups d'œil autour de moi, cherchant le moyen d'échapper à cette surenchère de déclarations, et battis discrètement en retraite en direction du vestibule, où je retrouvai Hanni entourée de plusieurs jeunes hommes.

— J'aime les fêtes anglaises, me dit-elle.

Noel Coward nous rejoignit, s'étant manifestement arraché à ma mère, et nous jaugea toutes deux du regard.

— Quelles apparitions délicieusement virginales ! fit-il remarquer. Mûres à point et ne demandant qu'à être déflorées sur-le-champ. Je crois bien que je relèverais le défi en personne si cela ne risquait pas de rendre folle de jalousie une personne dont je tairai le nom.

L'espace d'un instant, je crus qu'il voulait parler de maman, mais je le vis alors jeter un coup d'œil vers un homme qui, appuyé contre un mur à l'autre extrémité de la pièce, le regardait en fronçant les sourcils. À ma grande stupéfaction, je reconnus le fils cadet du roi – le prince George, actuellement officier de la Garde royale. Me remarquant à son tour, il vint à ma rencontre.

— Georgiana, quelle agréable surprise, dit-il en s'emparant fermement de mon coude pour me conduire à l'écart. Pour l'amour du ciel, ne dites pas à mes parents que vous m'avez vu ici, voulez-vous ? Il y aurait une affreuse dispute. Vous connaissez mon père.

— Mes lèvres sont scellées, monsieur.

— Formidable. Permettez-moi d'aller vous chercher à boire.

Je l'accompagnai jusqu'au bar. Noel Coward s'était à présent mis au piano. Il chantait de sa voix singulièrement saccadée, blasée :

— C'est une chansonnette un peu bête, qui n'est pas vraiment mignonnette, mais on ne peut tout de même pas être constamment plein d'esprit...

— Je veux moi aussi un autre verre, déclara Hanni, qui venait d'apparaître près de nous. J'aime bien les cocktails, ajouta-t-elle, prononçant ce mot « cacktails », avec l'accent américain.

— Ils sont succulents, acquiesçai-je.

J'avais en effet l'impression qu'ils descendaient tout seuls.

— Et il y a tant de mecs sexy, reprit la princesse. Le brun, là-bas. Il m'a dit que son nom était Edward, mais tout le monde l'appelle Lunghi.

— C'est un surnom, car il revient d'Inde, expliquai-je.

— D'Inde ?

— Oui, un *lunghi* est apparemment un vêtement qui se porte dans ce pays.

— Ah. Il est sexy, vous ne trouvez pas ?

— Oui, sans doute.

Je le cherchai des yeux, puis me figeai sur place. Edward était maintenant juché sur l'accoudoir du fauteuil de ma mère, qui avait levé les yeux vers lui. Il prit alors la cerise qui flottait dans son verre et la déposa dans la bouche de maman. J'étais en train de me demander comment j'allais détourner l'attention d'Hanni de cette scène gênante, quand elle lâcha un petit cri excité.

— Voici l'homme du parc !

14.

Mon cœur fit un bond dans ma poitrine lorsque je crus qu'Hanni voulait parler de Darcy. Au lieu de quoi c'était le jeune homme du rassemblement communiste qui se tenait sur le seuil. Ce soir-là, il ne portait pas d'habits élimés, mais un smoking, comme les autres messieurs. Il avait l'air tout à fait raffiné. La princesse se précipita aussitôt vers lui.

— Salut, mon chou ! Je suis super contente de vous voir.

— Roberts vient d'arriver, entendis-je Gussie dire à Lunghi. L'avez-vous invité ?

— J'y ai été obligé, mon vieux. Il est inoffensif, non ? Et il est plutôt bien élevé. Il ne fera pas pipi sur la moquette.

— Oui, mais tout de même... Roberts et le prince participant à la même fête. Bon, cela prouve combien nous sommes ouverts d'esprit, n'est-ce pas ?

— Qui est ce Roberts, au juste ? demandai-je à Gussie. Hanni et moi l'avons vu lors d'un meeting communiste à Hyde Park.

— Cela ne me surprend pas du tout. Notre ami Sidney est terriblement engagé. Les bonnes causes, les droits des masses populaires et tout le reste. C'est compréhensible, je suppose, vu qu'il est lui-même d'origine modeste.

— Il a fréquenté un lycée public, ajouta Lunghi en s'approchant de nous. Mais c'est un type bien, dans son genre.

— Il a pu faire ses études à Cambridge avec nous grâce à une bourse, précisa Gussie avec un grand sourire. Il est particulièrement intelligent. Sans son aide, je n'aurais pas été reçu en grec.

— Hanni semble l'apprécier, commentai-je en les voyant danser ensemble.

— Si elle partait s'installer dans une maison mitoyenne d'une ville ouvrière comme Slough, je ne crois pas que le roi de Bavière approuverait, chuchota Gussie à mon oreille.

— Vous êtes un affreux snob, dis-je en pouffant.

La chanson de Noel Coward s'acheva sur des éclats de rire et une salve d'applaudissements.

— C'est inné, ma chère, répliqua Gussie. J'ai le snobisme dans le sang. C'est comme la chasse, vous le savez aussi bien que moi.

L'orchestre commença à jouer un nouveau morceau et des couples envahirent la piste. Un verre vide à la main, Tubby Tewkesbury passa près de nous en vacillant.

— Je meurs de soif. J'ai besoin d'un autre cocktail, grommela-t-il.

— Lui, en revanche, serait un bon parti pour une fille sans le sou, déclara Gussie. Les Tewkesbury roulent sur l'or. Et il héritera naturellement du domaine de Farringdons. Vous devriez lui mettre le grappin dessus.

J'observai la nuque transpirante de Tubby.

— Je ne me crois pas capable d'épouser un homme simplement pour sa fortune.

— C'est ce que font des tas de jeunes filles. Et des tas de garçons aussi. Il est commode d'avoir de l'argent, pas vrai, mon vieux Tubby ?

L'intéressé tourna vers nous des yeux vitreux et s'efforça de nous fixer.

— Quoi ?

— Je dis qu'il est parfois utile d'avoir de l'argent.

— Oh, c'est certain, répondit Tubby, radieux. Si j'étais fauché, on ne m'inviterait jamais à des soirées comme celle-ci. Pas une fille n'accepterait de danser avec moi. J'ai déjà assez de mal comme ça… Ça vous dit de m'accompagner sur la piste, Georgie ? C'est un fox-trot, je crois. Je devrais m'en sortir.

— D'accord.

Il me gratifia d'un sourire reconnaissant qui fit peine à voir. C'était un garçon plutôt gentil. Alors, pourquoi ne pouvais-je me montrer pragmatique en devenant la marquise de Tewkesbury et en m'établissant dans une belle demeure ancienne ?

Au milieu de notre danse, je me retournai, consciente que quelqu'un m'observait depuis le seuil de la pièce. Nonchalamment appuyé contre le montant de la porte, Darcy fumait une cigarette noire en m'étudiant d'un air amusé. Je ne m'arrêtai cependant pas de danser, horriblement embarrassée par la grosse main suante de Tubby dans mon dos – qui laisserait sans nul doute une marque sur ma robe de taffetas – et par ses effroyables déhanchements, tandis qu'il croyait, à tort, se mouvoir en rythme avec la musique. Je m'efforçai de continuer à bavarder joyeusement avec lui et le remerciai une fois le morceau terminé.

— C'est ce que j'appelle agir par charité, murmura Darcy en arrivant derrière moi.

— Il est plutôt sympathique, rétorquai-je. Et riche, avec ça. Sans oublier qu'il possède une belle maison de famille. Le parti idéal pour quelqu'un comme moi.

— Vous n'envisagez pas sérieusement de l'épouser, j'espère ? s'enquit Darcy sans se départir de sa mine amusée.

— Je ne sais pas. Je pourrais trouver pire. Il a des qualités qui rachètent ses défauts.

— En dehors de son argent et de sa maison ?

— Il est aussi loyal qu'un bouledogue anglais. On peut toujours compter sur quelqu'un comme Tubby. Il ne disparaît pas du jour au lendemain, contrairement à certains, ajoutai-je en lui décochant un regard qui en disait long.

— Ah, ma foi, je suis désolé, mais il s'est produit un événement inattendu et j'ai dû m'absenter de Londres pendant quelque temps, répondit Darcy, soudain mal à l'aise.

— Un événement aux longs cheveux noirs et aux jolies jambes. Je vous ai vu au Savoy avec elle.

— Eh bien, en réalité…, commença-t-il.

Il ne put achever sa phrase, car Hanni apparut brusquement près de nous et se jeta presque sur lui.

— C'est le gars gentil qui m'a sauvé la vie dans le parc ! s'exclama-t-elle. Je n'ai pas arrêté de dire à Georgie que je voulais vous revoir, et mon vœu s'est réalisé. Je suis tellement heureuse !

Elle le contemplait avec une franche admiration à laquelle aucun homme, songeai-je, n'aurait pu résister. Darcy n'en était pas capable, en tout cas.

— Je suis venu ce soir dans l'espoir de vous croiser de nouveau, Votre Altesse, répondit-il. Que buvez-vous ?

— Des cocktails. J'adore les cocktails. Ceux avec les cerises. Vous pouvez aller m'en chercher un autre ? Mon verre est vide.

Ils s'éloignèrent ensemble. Lunghi Fotheringay avait à présent le shaker en main. J'observai Hanni. Mais j'avais beau m'intéresser à la manière dont elle allait s'y prendre pour flirter en même temps avec les deux hommes dont elle s'était entichée, je n'avais pas l'intention de rester dans le vestibule, à faire tapisserie. Je retournai vers la piste de danse. Aucun signe de Belinda, de ma mère, de Noel Coward ou du prince George. L'orchestre jouait un morceau entraînant et syncopé, et des couples se trémoussaient avec ardeur. Je remarquai Tubby qui sautillait de-ci de-là en tremblotant comme de la gelée dans un bol, puis je vis Darcy et Hanni entrer dans le salon et se mettre à danser ensemble. Au bout de quelques instants, le tempo de la musique ralentit, et la princesse s'enroula langoureusement autour de son cavalier, sans que celui-ci paraisse protester.

J'eus soudain l'impression d'être horriblement seule dans ce lieu, de ne pas être à ma place. Que faisais-je là ? Je n'avais rien à voir avec tous ces gens chics, et je n'avais assurément nulle envie de rester là, à regarder Hanni séduire Darcy – et vice versa. L'effet des cocktails que j'avais bus – quatre au moins – commençait à se faire sentir. Alors que je me dirigeais vers la porte, la pièce se mit à tourner autour de moi de façon alarmante. *C'est affreux*, me dis-je. *Je ne peux pas être ivre.* Tout en tâchant de ne pas vaciller, je me frayai difficilement un passage dans la foule afin de gagner le balcon. Là, je me penchai au-dessus de la balustrade et avalai de grandes goulées d'air frais. En contrebas, Green Park se déployait dans l'obscurité, et le bruit de la circulation dans Piccadilly semblait assourdi, lointain. Il me fallut un moment pour m'apercevoir que je n'étais pas seule. Sidney Roberts, le militant communiste, se tenait près de moi, contemplant le paysage nocturne.

— C'est affreusement guindé, là-dedans, pas vrai ? Et la musique est trop forte. Ce n'est pas mon truc, mais ce vieux Lunghi a insisté pour que je vienne, et il a été tellement sympa avec moi à Cambridge que je me suis dit : *Pourquoi pas ?*

Il était évident qu'il avait un peu trop bu lui aussi et qu'il était à présent dans un état d'ivresse larmoyante.

— Être communiste, c'est une noble cause, vous savez, poursuivit-il, plus pour lui-même. Franchement, vous trouvez normal que des gens comme Gussie et Lunghi puissent gaspiller quelques milliers de livres pour organiser une fête pendant que des gens sont au chômage et meurent de faim ? Il faut bien qu'on fasse quelque chose pour un monde plus juste. Mais les communistes sont mortellement ennuyeux. Ils ne font pas la bringue, ne rigolent pas et ne picolent presque jamais. Or, parfois, on a juste envie de vins délicats et de belles femmes.

— Au fond, vous êtes réellement l'un des nôtres, répondis-je en riant. Un vrai communiste se contenterait d'une pinte de bière brune le samedi soir.

— Oh, bon sang, vous croyez ? fit-il, l'air inquiet. Je n'en suis pas si sûr. Même en Russie, certaines personnes mangent du caviar. Nous avons simplement besoin d'une forme de gouvernement qui ne soit pas l'apanage des classes dirigeantes. Il faudrait que nous soyons représentés par et pour le peuple.

— N'est-ce pas ce qui existe déjà aux États-Unis ? On ne peut pas dire que cela marche très bien.

Il afficha de nouveau une mine préoccupée.

— De plus, les Britanniques n'accepteraient jamais un système trop extrême, continuai-je. Et la plupart des gens ne veulent pas que les choses changent. Les petits fermiers établis sur notre domaine adorent faire partie de la famille Rannoch. Ils sont contents d'être à notre service.

— Quelqu'un leur a-t-il un jour demandé leur avis ? répliqua Sidney Roberts avant de vider son verre.

— Ils seraient libres de partir s'ils le voulaient, rétorquai-je avec flamme. Ils pourraient aller travailler dans une usine de Glasgow.

— S'il y avait des emplois pour eux.

— Que se passe-t-il là-dehors ? dit Gussie, qui venait d'apparaître avec un verre dans chaque main. Je n'interromps pas un rendez-vous galant, j'espère ?

— Non, un débat sur le communisme, répondis-je.

— C'est trop sérieux. Ce soir, il est interdit d'avoir des conversations pleines de gravité. L'endroit est strictement réservé à la joie et au chahut ! Vous avez besoin d'un autre verre, mon vieux, voilà tout.

— Oh non, merci. Je ne suis pas habitué à la boisson, précisa Sidney Roberts. Et j'ai déjà assez bu.

— Sottises ! « Assez » n'est pas un mot que je tolère. Allez, prenez ce verre. Et buvez-le cul sec.

— Je préfère refuser, mais merci quand même, dit Sidney tandis que Gussie essayait de lui donner un verre de force.

— S'il n'en veut pas, je peux lui rendre service en le buvant à sa place, déclara Tubby en nous rejoignant sur le balcon.

Son visage était à présent cramoisi, et il transpirait abondamment. Il n'était pas beau à voir, il fallait bien le reconnaître. Il arracha le verre le plus proche des mains de Gussie et le vida d'un trait.

— Ah, c'était ce dont j'avais besoin, reprit-il. Histoire de soigner le mal par le mal.

— Je crois que vous avez déjà trop bu, mon vieux, lui dit Gussie. Vous êtes sérieusement bourré.

— Pas de risque. J'ai un estomac en béton. Il n'y a pas une boisson qui me résiste, affirma Tubby avec un gloussement, articulant péniblement ses mots.

Puis il oscilla, perdit l'équilibre et recula d'un pas chancelant.

— Attention ! s'écria Sidney.

Un craquement résonna et une partie de la balustrade s'effondra.

Comme au ralenti, bras et jambes écartés telle une étoile de mer, les yeux écarquillés et la bouche grande ouverte de surprise, Tubby bascula du balcon et disparut dans l'obscurité.

15.

L'espace d'une seconde, aucun ne nous ne bougea, paralysé par l'horreur de ce qui venait de se produire.

— Nous devons appeler une ambulance, dis-je, tâchant de me faire obéir de mes jambes pour retourner dans le salon.

— Pas besoin d'une fichue ambulance, répliqua Sidney. Nous sommes au sixième étage. Ce pauvre type est foutu.

J'avais l'impression que Gussie était sur le point de vomir.

— Comment une telle chose a pu arriver ? Comment cela a-t-il pu arriver ? répétait-il.

— Il pesait vraiment lourd et il est tombé contre la balustrade de tout son poids, expliquai-je.

— Oh, mon Dieu ! se lamenta Gussie. Pauvre vieux Tubby. Ne racontez à personne ce qui s'est passé.

— Il va bien falloir en informer les autres, dis-je. Vous devez prévenir la police.

— C'était un accident, vous étiez là, répondit Gussie. Un terrible accident.

— Évidemment. Vous n'avez rien à vous reprocher.

— C'est ma fête, dit-il d'un air sombre. J'aurais dû interdire aux gens soûls de sortir sur le balcon.

Je le pris par le bras et le reconduisis à l'intérieur.

— Que se passe-t-il ? me demanda Darcy, m'attrapant le poignet alors que je passais devant lui d'un pas chancelant. Est-ce que ça va ? Avez-vous trop bu ?

— Le type avec lequel j'ai dansé vient de basculer dans le vide, chuchotai-je. Gussie est allé appeler la police.

— Par tous les saints ! Dans ce cas, mieux vaut que Son Altesse et vous filiez pendant qu'il en est encore temps.

— Mais je devrais rester au cas où la police souhaiterait m'interroger. J'ai été témoin de la scène.

— Étiez-vous seule avec lui sur le balcon ?

— Non, il y avait aussi Gussie et un type du nom de Sidney Roberts. C'était horrible. Tubby était complètement ivre. Il a trébuché en arrière contre la balustrade, qui s'est effondrée, et il est tombé.

— Vous êtes blanche comme un linge. Vous avez besoin d'un bon brandy pour vous remonter.

— Oh, non, merci. Je suis déjà un peu soûle.

— Raison de plus pour que vous vous éclipsiez. Vous ne voulez pas que cette affaire s'ébruite jusqu'au palais, je suppose ?

— Non, mais notre fuite ne paraîtrait-elle pas étrange ?

— Certainement pas. Vous ne l'avez pas poussé, j'imagine ?

— Bien sûr que non. Cependant, j'ai conscience de mon devoir...

— Dans ce cas, restez si vous pensez que c'est indispensable, mais quelqu'un doit raccompagner la princesse. Je peux m'en charger, si vous le voulez.

— Oh, non ! Je suis censée la chaperonner. Je ne peux pas vous faire confiance. Vous ne vous comporteriez pas convenablement. J'ai vu de quelle façon vous la regardiez.

— Je me suis contenté d'être aimable avec une visiteuse étrangère, répondit Darcy en réussissant à afficher un grand sourire. Allez, il faut la trouver avant l'arrivée de la police.

Nous nous séparâmes pour explorer l'appartement. Hanni n'était pas dans le salon. Je poussai la porte de la cuisine, une pièce aussi moderne que les autres avec des placards peints en blanc et un réfrigérateur imposant. Les personnes assises autour de la table levèrent les yeux. La princesse était l'une d'elles. Je m'approchai et lui pris le bras.

— Hanni, nous devons rentrer maintenant. Venez vite.

— Je ne veux pas partir. J'aime bien cet endroit. Ces types gentils vont me faire essayer quelque chose.

J'observai la table, à la surface de laquelle on avait répandu une mince traînée de farine apparemment.

— Faites-la sortir d'ici, siffla Darcy en lui saisissant le bras.

— Mais j'ai envie de rester. Je m'amuse, se plaignit-elle d'une voix forte.

Elle avait elle aussi trop bu, c'était évident.

— Vous vous amuserez moins quand on vous jettera en prison, croyez-moi, déclara Darcy en l'entraînant vers la porte.

— Que voulez-vous dire ? chuchotai-je. Pourquoi Hanni serait-elle arrêtée ?

— Quelle innocente vous faites, ma chère ! répliqua Darcy. Ces gens étaient occupés à priser de la cocaïne. Ce n'est guère le genre de soirée que la reine envisageait pour la princesse, n'est-ce pas ? Et vous ne pouvez pas vous permettre de voir vos noms faire les gros titres des journaux du matin.

— Pourquoi nos noms se retrouveraient dans le journal ? s'étonna Hanni.

Je m'apprêtais à répondre quand Darcy me mit en garde d'un coup d'œil.

— Au cas où la police ferait une descente, s'empressa-t-il de dire tout en guidant la princesse chancelante vers l'ascenseur.

— Je ne veux pas rentrer, pleurnichait-elle à présent. Je veux rester pour boire des cocktails.

— Et Belinda ? demandai-je – car je ne l'avais pas revue depuis notre arrivée.

— Elle saura se débrouiller toute seule, je vous le garantis, dit Darcy.

Il nous poussa dans l'ascenseur et, une fois dans la rue, nous trouva rapidement un taxi.

— Vous ne venez pas avec nous ? dit Hanni, manifestement déçue, pendant que Darcy donnait notre adresse au chauffeur.

— Non, mieux vaut que je m'en aille de mon côté. J'ai quelques affaires à régler. Mais je suis certain que nous nous reverrons bientôt, princesse.

Il lui prit la main et y déposa un baiser, tandis que ses yeux croisaient les miens.

— À bientôt, me dit-il. Faites attention à vous, d'accord ?

— C'était amusant, affirma Hanni alors que le taxi s'éloignait. Pourquoi est-ce qu'on a dû partir ? J'aurais bien aimé voir une descente de police. Comme avec Al Capone. Est-ce que la police a des mitraillettes ?

— Non, en Angleterre, les agents ne portent aucune arme.

— C'est vraiment idiot. Comment ils attrapent les méchants ?

— Ils donnent des coups de sifflet et les méchants se rendent, dis-je, tout en songeant que cette explication devait paraître plutôt bête.

— Mais M. O'Mara a dit qu'il nous reverrait bientôt. C'est une bonne nouvelle, hein ?

— Oui, je suppose, répondis-je machinalement.

Je regardai par la vitre les lumières de Piccadilly défiler à toute allure. Le contrecoup de la mort de Tubby commençait à se faire sentir, de même que mes émotions contradictoires vis-à-vis de Darcy, à quoi il fallait ajouter l'effet des cocktails. Je me sentais capable de fondre en larmes d'une seconde à l'autre. Dès que nous arrivâmes à la maison, je courus me réfugier dans ma chambre.

— La fête a-t-elle été agréable, lady Georgiana ? s'enquit Mildred en surgissant de l'ombre.

Je manquai sauter au plafond.

— Mildred ! Je ne pensais pas que vous veilleriez si tard. Il était inutile de m'attendre.

— Je ne vais jamais me coucher tant que je n'ai pas aidé ma maîtresse à se déshabiller, dit-elle d'un ton guindé.

Je restai plantée là et, comme une petite fille, la laissai s'affairer à sa tâche. Elle était en train de me brosser les cheveux quand nous entendîmes des éclats de voix dans la chambre voisine. Mildred se contenta de hausser un sourcil, mais ne fit aucune remarque.

— Ce sera tout, lady Georgiana ? demanda-t-elle en reposant la brosse sur ma coiffeuse.

— Merci, Mildred. C'est gentil à vous d'avoir veillé si tard.

Tandis qu'elle ouvrait la porte de ma chambre, je vis Irmgardt sortir de celle de la princesse et, l'air courroucé, passer devant Mildred d'un pas lourd. Hanni avait dû lui en dire un peu trop à propos de la fête. Soudain, la fatigue m'accabla. Je me mis au lit et, pelotonnée entre mes draps, m'efforçai de trouver le sommeil.

★

Au matin, je lus dans le *Times* un entrefilet relatant la mort tragique du fils de lord Tewkesbury, tombé d'un balcon après avoir trop bu lors d'une fête dans le quartier de Mayfair. Par chance, l'article ne mentionnait pas les noms des hôtes ni de leurs invités. J'étais encore en train de lire le journal au lit quand mon grand-père apparut sur le seuil de ma chambre.

— Il y a un bonhomme en bas qui veut te voir, m'annonça-t-il.

— Quel genre de bonhomme ?

— Un policier, d'après ce qu'il dit.

— Oh, Seigneur !

Je bondis du lit et essayai d'enfiler ma robe de chambre. J'avais l'impression qu'on me frappait sur le crâne à coups de marteau. Oh là là. C'était donc cela, une vraie gueule de bois ?

— Tu as fait quelque chose que t'aurais pas dû ? demanda grand-papa.

— J'imagine que c'est au sujet de la soirée d'hier. Un pauvre garçon a basculé du balcon. J'ai été témoin de l'accident.

— Ça a dû te faire un vilain choc. Il était ivre ?

— Complètement. Va dire à ce policier que j'arrive dans un instant.

En sortant de ma chambre, je tombai sur Mildred.

— J'aurais dû venir vous avertir moi-même, lady Georgiana. Il est parfaitement inconvenant que votre majordome pénètre ainsi dans votre chambre à coucher. Permettez-moi de vous aider à vous habiller avant de recevoir votre invité.

— Ce n'est pas un invité, Mildred, mais un agent de police. Et je suis convenablement vêtue, vous savez.

— Un agent de police ?

Elle semblait sur le point de s'évanouir.

— Ce n'est pas moi qui suis en cause, répliquai-je avant de descendre au premier étage.

Mon grand-père avait installé mon visiteur dans le petit salon et lui avait servi une tasse de thé. Le policier se leva à mon entrée. Consternée, je constatai que ce n'était autre que l'inspecteur Harry Sugg. Le souvenir de nos rencontres précédentes n'était pas des plus plaisants.

— Ah, lady de Rannoch. Nous voilà de nouveau réunis. Et encore une fois dans de tragiques circonstances.

141

— Bonjour, inspecteur.

Je lui tendis la main, qu'il serra mollement, puis je m'assis face à lui dans un fauteuil orné de dorures au dossier raide.

— Veuillez excuser ma tenue, ajoutai-je. Je ne m'attendais pas à recevoir une visite si matinale.

— Il est neuf heures passées, répliqua-t-il en prenant de nouveau place sur le sofa, jambes croisées. Le reste de la population est debout et au travail depuis un bon moment.

La pensée que Sidney Roberts et lui se seraient entendus à merveille me traversa l'esprit. Ils auraient pu discuter de leurs sympathies communistes.

— Il faut dire que le reste du monde ne passe pas ses soirées à faire la fête jusqu'à point d'heure, ajouta-t-il.

Bien. Il savait que je m'étais trouvée chez Gussie et Lunghi la veille. Il était donc inutile de le nier.

— J'imagine que vous êtes venu prendre ma déposition à propos du terrible accident dont j'ai été témoin.

— C'est exact. Vous avez apparemment filé au plus vite avant l'arrivée de la police. Pour quelle raison, mademoiselle ?

Il n'avait toujours pas appris à s'adresser à la fille d'un duc et continuait à me donner du « mademoiselle » ; j'avais toutefois fini par comprendre que c'était délibéré de sa part. Je décidai de ne pas m'en formaliser.

— Cela me semble parfaitement naturel. Ce que j'ai vu m'a profondément affligée. Des amis m'ont gentiment conseillé de rentrer en taxi.

— Et qu'avez-vous vu ?

— M. Tewkesbury est tombé du balcon. (Impossible de me rappeler son vrai prénom. Je l'avais toujours appelé Tubby. De plus, étant ce matin-là dans un état vaseux, je ne savais plus s'il portait le titre d'honorable ou de vicomte.) Je m'y trouvais également. J'ai assisté à la scène.

— Pourriez-vous me la décrire ?

Je m'exécutai, lui relatant en détail ce qui s'était produit. Une fois que j'eus terminé, il opina du chef.

— Bien, cela concorde avec ce que M. Roberts nous a raconté. L'autre type, Gormsley, devait déjà être beurré. Il n'a même pas été capable de dire qui était présent sur le balcon.

Ce cher Gussie, pensai-je avec affection. Il avait voulu me protéger en m'évitant d'être impliquée.

— Tout le monde avait beaucoup bu, reconnus-je. Ce pauvre Tubby était complètement éméché. C'est la raison pour laquelle il est tombé.

— Et la balustrade du balcon s'est réellement effondrée ?

— Oui. J'ai entendu un craquement. Il était corpulent, vous savez.

— Tout de même, je suppose que ce genre de balustrade est censé supporter le poids de n'importe quel gros type qui s'y appuierait. Sans oublier que l'immeuble est neuf.

— Que voulez-vous dire par là ? demandai-je en levant les yeux vers lui.

— Pour l'instant, rien. À vous en croire, M. Roberts et vous, nous pouvons donc affirmer qu'il s'agit d'un horrible accident et considérer l'affaire classée ?

— Assurément. Un horrible accident, rien de plus.

— Et vous pouvez jurer que personne n'a poussé M. Tewkesbury ?

— Bien sûr. Pourquoi l'aurait-on poussé ?

— C'était un jeune homme extrêmement riche, d'après ce que j'ai pu comprendre. Les gens sont prêts à tout pour de l'argent, c'est bien connu.

— Le seul à se trouver près de lui était Gussie Gormsley, et lui-même est aussi très riche.

— Quelqu'un aurait pu le jalouser à cause d'une femme, par exemple ?

— Personne n'aurait pu être jaloux de Tubby. Sans oublier que j'ai assisté à la scène : personne ne l'a touché. Il a bu un verre, perdu l'équilibre et basculé dans le vide.

Sugg se leva.

— Très bien, les choses semblent réglées, dans ce cas. Merci de m'avoir reçu, mademoiselle. Comme il s'agit d'une mort non naturelle, il y aura évidemment une enquête judiciaire devant un jury afin de déterminer la cause du décès. Il se peut que vous soyez convoquée pour donner votre déposition. Nous vous tiendrons informée de la date.

— Certainement, inspecteur. Je vous aiderai volontiers. Je n'oubliai pas de sonner pour faire venir mon grand-père.

— L'inspecteur s'en va, lui dis-je.

Sur le pas de la porte, Sugg s'immobilisa et se retourna vers moi.

— Il est tout de même étrange que vous soyez mêlée à deux décès en si peu de temps.

— Je n'y suis pas mêlée, inspecteur, lui rappelai-je. Je suis un simple témoin. Une spectatrice innocente qui s'est trouvée au mauvais endroit au mauvais moment.

— Si vous le dites, mademoiselle.

Il prit le chapeau que grand-papa lui tendait, s'en coiffa et y porta la main pour me saluer.

— Merci encore.

Puis il partit. J'avais le sentiment qu'il aurait été enchanté de me voir impliquée dans cette affaire.

— Ce type faisait une de ces têtes, déclara mon grand-père. Il voulait prendre ta déposition ?

— Oui, afin de s'assurer que Tubby n'avait pas été poussé.

— Tu as assisté à la scène, c'est ça ?

— Oui, un terrible accident. Tubby était très soûl et très corpulent.

Je me sentis de nouveau au bord des larmes. J'avais à peine connu ce garçon, mais c'était quelqu'un d'inoffensif qui ne méritait pas un sort aussi affreux.

— Ils sont tellement bêtes, les jeunes d'aujourd'hui, pas vrai ? Ils boivent trop, ils roulent trop vite. Ils s'imaginent qu'ils sont éternels. Bon, tu veux ton petit déjeuner, je suppose ?

— Oh, bonté divine ! Je n'ai pas faim du tout. Du café noir, s'il te plaît, et peut-être une simple tranche de pain grillé.

— Mme Huggins va être déçue. Elle avait hâte de cuisiner de bons petits plats maintenant que la baronne est partie. Et la petite demoiselle ? Elle est réveillée ?

— Je ne l'ai pas encore vue. Nous sommes rentrées très tard. Elle aura envie de faire la grasse matinée, j'imagine.

Grand-papa jeta un coup d'œil dans l'escalier, puis se rapprocha de moi.

— T'as intérêt à l'avoir à l'œil, celle-là. Elle te causera probablement des tas d'ennuis et elle n'en vaut pas la peine.

— Que veux-tu dire par là ?

— Oh, ne va pas te faire des idées ! C'est une petite plutôt gentille. Elle attire la sympathie, mais il y a quelque chose qui cloche chez elle.

— Comment ça ?

— C'est juste une vague intuition. J'ai observé beaucoup de gens à l'époque où j'étais flic et que je faisais mes rondes. J'ai procédé à des tas d'arrestations, et je crois qu'elle est pas honnête, cette fille. Elle a essayé de faucher un sac à main chez Harrods. Elle s'est commandé des bijoux chez Garrard's. Les gens ordinaires font pas des choses pareilles.

— Justement, c'est une princesse, grand-papa. Et elle sort du couvent. Elle n'a sans doute pas la moindre idée de la valeur de l'argent et s'imagine que les choses lui tombent du ciel comme par magie.

Il se renfrogna.

— Je me fiche de savoir qui elle est. Qu'elle soit princesse ou fille de poissonnier, elle devrait connaître la différence entre le bien et le mal. Et je vais te dire autre chose. Je crois que je l'ai surprise en train d'utiliser le téléphone, hier. J'ai décroché l'appareil de l'office et j'ai

145

entendu un cliquetis, j'en suis sûr, comme si on venait de raccrocher le combiné du rez-de-chaussée.

— Peut-être a-t-elle simplement appelé la baronne.

— Dans ce cas, pourquoi elle t'a pas demandé la permission ? Et pourquoi est-ce qu'elle a raccroché comme si elle croyait que quelqu'un écoutait sa conversation ? Elle sait bien qu'on parle pas le boche, de toute façon.

— Cela ne me dérange pas qu'elle se serve du téléphone.

— Mais ça dérangera ton frère si elle appelle en Allemagne, fit observer mon grand-père.

— Oh, mince, c'est vrai ! Fig sera furieuse.

Il se pencha plus près de moi encore.

— Si j'étais toi, je dirais à la reine que tu es finalement incapable de t'occuper de la princesse. Le palais n'a qu'à décider quoi faire d'elle. Sinon, j'ai l'impression qu'elle va te mener en bateau.

À cet instant, on sonna de nouveau à la porte.

— Merde alors ! T'es demandée, ce matin, dis donc !

Il ajusta sa queue-de-pie et traversa le vestibule.

— Et tu ferais mieux d'aller te cacher, conseilla-t-il avant d'ouvrir la porte. Que penseraient les gens s'ils te voyaient en robe de chambre dans le hall d'entrée ?

Je me précipitai vers la pièce la plus proche, puis je m'immobilisai, car j'avais reconnu la voix de mon visiteur.

— Je sais qu'il est rudement tôt, mais il faut que je m'entretienne avec votre maîtresse avant que la police ne se présente ici, annonça-t-il à mon grand-père. Pourriez-vous lui dire que Gussie est là ? Gussie Gormsley.

Je réapparus.

— Bonjour, Gussie. Je crains que vous n'arriviez trop tard. La police vous a devancé.

— Quelle barbe, vraiment. Je n'avais pas envie de vous réveiller et j'ignorais qu'ils viendraient vous voir aux aurores. Ces gens n'ont aucun sens des convenances. Ils se sont montrés sacrément grossiers, hier soir. Ils m'ont laissé entendre que quelqu'un avait peut-être poussé ce pauvre Tubby ou trafiqué la balustrade. « Écoutez-moi, leur ai-je dit, il n'avait pas un ennemi au monde. Tout le monde aimait ce vieux Tubby. » J'ai essayé de vous tenir à l'écart de cette affaire, vous savez.

— Oui, j'ai cru le comprendre. Ça n'a pas marché, mais merci tout de même.

— C'est la faute de ce fichu Roberts. Cet imbécile, avec sa morale de prolétaire, s'est senti obligé d'aller raconter que vous étiez sur le balcon avec nous. Naturellement, la police a alors voulu savoir pourquoi vous aviez mis les voiles.

— J'aurais préféré rester, en fait, mais Darcy s'est dit qu'il valait mieux ramener la princesse à la maison afin d'éviter un incident diplomatique.

— Oh, je vois. Excellente idée. Vous voulez parler de Darcy O'Mara ?

— Oui.

— Il était présent hier soir ?

— Bien sûr.

— Je ne l'ai pas remarqué. Je ne crois pas qu'il était invité.

— Il jouait probablement les pique-assiettes. Il en a l'habitude, précisai-je.

— C'est un ami à vous ?

— Si l'on peut dire.

— Un drôle de type, dit Gussie en fronçant les sourcils. Un Irlandais, n'est-ce pas ? Il a fréquenté une école catholique avant d'aller à Oxford, mais il serait absurde de lui en tenir rigueur. Il joue plutôt bien au rugby. Son père est un pair irlandais, c'est ça ?

— En effet.

— J'ai un peu de mal à faire confiance aux Irlandais, déclara-t-il. Bon, mieux vaut que je me sauve.

— Merci d'être venu. Et d'avoir essayé de me protéger. C'est tellement gentil de votre part.

147

— Il n'y a pas de quoi. Quel événement affreux, pas vrai ? Je peux vous avouer que je me suis senti très mal. Pauvre vieux Tubby. Je n'arrive pas encore à y croire.

Il commença à se diriger vers la porte, puis se retourna.

— Écoutez, j'ai cru comprendre que quelques-uns de mes invités ne s'étaient pas contentés de boire, si vous voyez ce que je veux dire. Vous les avez vus dans la cuisine, n'est-ce pas ? Si la police vous interroge de nouveau, je préférerais que vous n'en parliez pas. J'aurais horreur de voir mon nom associé à des histoires de drogue dans les journaux.

— Je comprends. Et franchement, je n'avais pas la moindre idée de ce qu'ils étaient en train de faire. J'ai d'abord cru qu'ils avaient renversé de la farine sur la table.

— Elle est bien bonne ! s'esclaffa Gussie. Je vous aime bien, Georgie. Vous êtes une fille formidable. J'espère vous revoir bientôt. Dans des circonstances plus heureuses, bien entendu.

— Moi aussi.

— La princesse compte-t-elle rester longtemps chez vous ? me demanda-t-il alors d'un air rêveur.

C'était donc ça. Ce n'est pas moi qu'il avait envie de revoir bientôt, mais Hanni.

16.

À peine Gussie fut-il parti qu'Hanni me rejoignit au rez-de-chaussée ; elle était ravissante, fraîche et dispose. Aucun signe de gueule de bois, alors qu'elle avait assurément ingéré autant de cocktails que moi la veille.

— Bonjour, Georgie. Je ne suis pas trop en retard pour le petit déjeuner, j'espère ? Je meurs de faim. On peut avoir un vrai repas anglais, maintenant que l'emmerdeuse est partie ?

— Hanni, ce mot est décidément très inconvenant. Si vous tenez à désigner la baronne ainsi, préférez le terme « enquiquineuse ».

— « Enquiquineuse », c'est mieux qu'« emmerdeuse » ?

— Tout à fait. Je vais dire à Mme Huggins que vous souhaitez manger.

Nous passâmes à table. Tandis que je grignotais une tranche de pain beurrée, la princesse s'attaqua à une énorme assiette de bacon, d'œufs, de saucisses et de rognons – ma cuisinière avait sorti le grand jeu.

— Quand est-ce qu'on peut aller à une autre fête ? demanda Hanni entre deux bouchées. C'était tellement amusant. J'aime la musique et les danses, et les cocktails

149

étaient extra, ajouta-t-elle avec un soupir de contentement. Et les gars sexy. Quand est-ce qu'on va revoir Darcy ? Je crois qu'il en pince pour moi. Il est resté longtemps près de moi hier soir. Il a voulu tout savoir sur ma famille, le couvent, mes rêves d'avenir. Il était vraiment intéressé.

— Je vous déconseille de prendre Darcy trop au sérieux.

— Mais il serait un bon parti pour moi. Il est catholique. D'une bonne famille irlandaise. Mon père serait content.

— Non, cela m'étonnerait, répondis-je en tâchant de ne pas laisser transparaître mon agitation. D'une part, sa famille n'a pas un sou et, d'autre part, Darcy n'est pas homme à se ranger et à se contenter d'une seule femme. Il se lassera de vous d'ici la semaine prochaine.

Pourtant, tout en parlant, je ne pus m'empêcher de m'interroger : Darcy considérait-il la princesse comme un gage pour l'avenir ? Se voyait-il déjà prince de Bavière, pourvu d'une rente confortable jusqu'à la fin de ses jours ? Il était opportuniste, c'était évident, et peut-être ne voulait-il pas laisser échapper une aubaine comme Hanni. La reine serait furieuse, songeai-je ; puis une petite voix intérieure me chuchota que j'en serais plutôt mécontente moi aussi.

— Alors, où allons-nous aujourd'hui ? demanda la princesse. Faire d'autres emplettes ? J'aime les magasins londoniens. Ou déjeuner au Savoy ? Votre amie Belinda m'a dit que c'est là que vous aviez rencontré Gussie et Lunghi. J'aimerais aller dans un endroit où on mange bien et où on rencontre des mecs.

Je commençai à me dire que grand-papa avait raison. Hanni devenait de plus en plus difficile à gérer. La petite somme que Binky m'avait donnée ne pourrait certainement pas suffire à payer des sorties comme un repas au Savoy, et je ne pouvais pas non plus prendre le risque de la lâcher de nouveau dans les boutiques.

— Nous avons convenu d'aller déjeuner avec la baronne Rottenmeister à Park Lane, lui rappelai-je. Et je me suis dit que, ce matin, nous devrions découvrir un peu la culture britannique. Je suis censée vous éduquer. Voilà pourquoi je vous emmène au British Museum.

— Un musée ? Mais ces endroits sont pleins de vieux machins. Nous avons aussi des vieux machins minables en Allemagne. J'aime les choses modernes.

— Vous serez peut-être reine un jour. Il vous faut acquérir des connaissances historiques. Nous allons au British Museum, un point c'est tout.

— OK, soupira Hanni.

Je montai prendre un bain et m'habiller. Ma femme de chambre insista pour que je porte une tenue convenable et un rang de perles.

— Je vais seulement au musée, Mildred, protestai-je.

— Peu importe, lady Georgiana. Chaque fois que vous mettez le pied dehors, vous représentez votre famille et votre classe sociale. Mes maîtresses précédentes ne sortaient jamais sans avoir une allure aristocratique. C'est ce qu'attendent les gens ordinaires.

Je soupirai et la laissai me brosser les cheveux afin d'essayer de les faire onduler, comme l'exigeait la mode.

— Je suis sûre que vous avez oublié, reprit Mildred, mais j'ai demandé à avoir mon jeudi après-midi.

— Oh, bien entendu, répondis-je, soulagée. Allez donc vous distraire un peu.

— C'est ce que je compte faire, lady Georgiana. Je vais souvent au théâtre en matinée.

Avec l'impression d'être une femme de quarante ans sans élégance – la faute à mon tailleur et à mon collier de perles –, je sortis de ma chambre et allai frapper à la porte de la princesse.

— Êtes-vous prête ? demandai-je en entrant dans la pièce.

Irmgardt me regarda, comme à son habitude, avec une impassibilité maussade. Elle était en train de ranger la robe de bal d'Hanni dans l'armoire.

— La princesse est-elle prête ? La princesse ? En bas ? ajoutai-je en tâchant de me faire comprendre par des gestes.

— *Ja*, acquiesça-t-elle.

Pauvre Hanni, songeai-je, convaincue qu'elle n'avait pas choisi d'avoir une femme de chambre pareille. Irmgardt était manifestement employée depuis longtemps par la famille royale de Bavière, qui l'avait chargée de garder l'œil sur la princesse. Et elle lui avait visiblement passé un bon savon la nuit dernière. Cela aurait-il un quelconque effet sur Hanni ?

Alors que je tournais les talons, je lançai un coup d'œil à la table de chevet. J'y vis des lettres, dont le curieux document portant l'inscription *C. P ???*. Cette fois, ce message avait été barré d'une croix rouge, comme dans un mouvement de colère.

Je l'observai, immobile. Cela ne ressemblait pas à Hanni de biffer quelque chose ainsi. Et je ne connaissais personne dont les initiales étaient C. P. Du reste, la correspondance personnelle de la princesse ne me regardait pas. Je refermai la porte derrière moi et la rejoignis au rez-de-chaussée.

★

Hanni apprécia notre tour dans un autobus à impériale le long d'Oxford Street. C'était une belle journée d'été, et une brise tiède caressait nos visages ; en contrebas, les passants semblaient joyeux, d'humeur festive.

— Selfridges ! s'exclama Hanni en observant les boutiques. Qu'est-ce que c'est ?

— Un grand magasin comme Harrods.

— Quand est-ce que nous pouvons y aller ?

— Un jour, peut-être.

Je décidai alors d'écrire à la reine afin de savoir si j'aurais encore longtemps la princesse sur les bras. Il était grand temps que quelqu'un prenne la relève.

152

Je fus heureuse d'arriver à Bloomsbury, un quartier plus paisible, et je conduisis Hanni à l'intérieur du British Museum. Manifestement peu intéressée par les momies égyptiennes ou les statues romaines, elle déambula machinalement d'une salle à l'autre sans dissimuler son ennui. Je fus tentée de céder et de l'emmener dans un lieu plus divertissant comme le zoo ou de lui proposer un tour en bateau sur la rivière Serpentine à Hyde Park.

— Regardez, Hanni, lui dis-je alors que nous arrivions devant les bijoux romains. Cela devrait vous plaire davantage. Ces émeraudes sont fabuleuses.

Je levai les yeux de la vitrine et m'aperçus qu'elle avait disparu.

Quelle petite friponne, songeai-je, *elle m'a faussé compagnie*. Je devais la rattraper avant qu'il ne soit trop tard. Je traversai plusieurs salles à la hâte, mais le musée était immense, plein de coins et de recoins. Il me fallut éviter des groupes d'écoliers dans les escaliers, et il y avait tant de lieux où elle avait pu se cacher que j'avais peu de chances de la retrouver.

Elle s'était donc enfuie, me dis-je. Elle avait dix-huit ans et il faisait grand jour. Pourquoi m'inquiétais-je autant ? Au pire, elle était allée faire les boutiques dans Oxford Street. Oui, et elle essaierait de nouveau de voler à l'étalage et elle se ferait arrêter. Dans ce cas, que dirait la reine ?

— Quelle peste, cette Hanni ! marmonnai-je en descendant l'escalier principal d'un pas furieux.

Je la vis alors venir à ma rencontre.

— Je vous cherchais, dit-elle. J'ai cru que vous étiez partie sans moi.

— Non, nous nous sommes seulement égarées chacune de notre côté, répondis-je, me sentant coupable d'avoir eu des pensées si peu charitables à son égard. Mais tout va bien, nous nous sommes retrouvées.

— Vous avez raison. Tout va bien. Tout va très bien, insista-t-elle, le visage rayonnant, comme en émoi. Il vient de se passer quelque chose de très bien. J'ai croisé le type qui était à la fête, hier soir. C'est extra, non ?

— Quel type ?

— Vous savez, le garçon sérieux que nous avons rencontré à Hyde Park. Sidney. Il est venu au musée pour chercher un vieux livre. Il m'a dit qu'il travaillait dans une librairie. C'est intéressant, non ?

Hanni ne m'avait pas donné l'impression d'être du genre à aimer la lecture – ni à apprécier quelqu'un comme Sidney Roberts. Je songeai d'emblée qu'un employé de librairie n'avait pas les moyens d'offrir à déjeuner à la princesse ou de la divertir. Mais j'en vins rapidement à la conclusion qu'il était beaucoup plus salubre de fréquenter ce type de magasin que de faire la fête et de boire des cocktails – sans parler de priser de la cocaïne. Et Sidney n'était pas Darcy.

— Oui, c'est intéressant, acquiesçai-je. Où se trouve-t-elle, cette librairie ?

— Dans un vieux quartier de la ville. C'est un magasin très très ancien. Sidney a dit que l'écrivain Charles Dickens y allait souvent. Il m'a invitée à le visiter. Il dit que c'est un lieu historique. Nous pouvons y aller, *ja* ?

— Pourquoi pas ? Ce sera assurément instructif.

— Bien, nous irons demain, déclara Hanni en hochant la tête d'un air décidé. Ce n'est pas la peine aujourd'hui, car Sidney reste ici pour étudier des vieux livres.

— Et la baronne nous attend pour le déjeuner, lui rappelai-je.

La princesse leva les yeux au ciel.

— Quelle enquiquineuse.

Puis son expression se radoucit.

— Sidney est un gentil garçon, vous ne trouvez pas ?

— Un peu trop sérieux pour vous, je le crains, reconnus-je.

— Il est communiste. C'est la première fois que j'en rencontre un. Je pensais qu'ils étaient tous fous et féroces comme en Russie, mais lui, il a l'air doux.

— Je suis sûre que c'est quelqu'un de bien, et il est idéaliste, indéniablement. Il croit en l'idéal d'une société communiste ; dans la pratique, cela ne marcherait jamais.

— Pourquoi pas ? demanda-t-elle en posant sur moi ses yeux bleus pleins d'innocence.

— Parce qu'on ne peut pas changer les gens. Personne n'accepte de son plein gré de partager ce qu'il possède à parts égales. Et chacun essaie de s'approprier tout ce qu'il peut. Le peuple doit être guidé par ceux qui sont nés pour diriger.

— Je ne suis pas d'accord. Pourquoi mon père serait-il roi simplement parce qu'il est né pour le devenir ?

— Je suppose qu'on a un avantage quand on a été élevé pour gouverner.

— Sidney vient des classes populaires, mais il ferait un bon dirigeant, affirma-t-elle.

Je me dis qu'il lui avait suffi de croiser une paire d'yeux gris pleins de sérieux pour se laisser aisément influencer. Si elle rencontrait demain un beau fasciste, elle serait partisane de tout ce en quoi il pourrait bien croire.

Tandis que nous nous dirigions vers Park Lane, Hanni jacassa avec enthousiasme. Je me surpris à espérer que le prince Siegfried serait présent pour déjeuner chez la comtesse – tout en redoutant cette hypothèse –, et qu'Hanni tomberait amoureuse de lui. Au moins, c'était un homme convenable. Puis je tentai de trouver une justification à l'attitude de la princesse : elle se comportait exactement comme toute demoiselle de dix-huit ans à peine sortie d'une école pour filles ; elle voulait s'assurer qu'elle attirerait les garçons – et, pour l'heure, peu lui importait que ceux-ci soient convenables ou non.

Siegfried ne déjeuna cependant pas avec nous. Le repas me parut durer une éternité, avec une succession de mets aussi lourds les uns que les autres. La cuisinière allemande de la comtesse douairière avait en effet ajouté à chaque plat des boulettes de farine bouillies et de la crème. La baronne se lécha les babines et engloutit tout ce qu'on lui proposait. Je me fis discrète, tâchant d'en dire le moins possible, priant à chaque instant pour que notre hôtesse ne prît pas soudain conscience qu'elle m'avait vue balayer son parquet.

Je fus contente que le déjeuner s'achève enfin.

— Nous pouvons aller voir des gars sexy, maintenant ? demanda la princesse. Nous allons dire bonjour à Darcy, ou à Gussie et Lunghi ?

— Je crois qu'il serait déplacé d'aller rendre visite à ces deux derniers, répondis-je sans réfléchir.

— Pourquoi ? s'étonna Hanni en me regardant de ses yeux innocents.

— Parce que euh…, bredouillai-je, me rappelant alors que je lui avais caché ce qui s'était passé la veille. L'un de leurs invités est tombé malade et il est mort, expliquai-je, avec l'espoir que cette demi-vérité satisferait sa curiosité. Cela les a bouleversés. Ils n'ont aucune envie de recevoir des visiteurs.

— Et Darcy ? Il pourrait m'emmener dîner ce soir.

Je fus tentée de lui dire la vérité à propos de la situation financière d'O'Mara, mais je me ravisai.

— Hanni, il vous faut apprendre qu'une demoiselle ne doit jamais se montrer si effrontée. Ce n'est pas à vous de faire le premier pas. Vous devez attendre que le jeune homme vous propose de sortir avec lui.

— Pourquoi ? C'est idiot. Si je veux un rendez-vous galant avec un garçon, pourquoi je ne peux pas l'inviter ?

Elle n'avait pas tort sur ce point. Si je m'étais montrée moins réticente avec Darcy, il ne se serait peut-être pas réfugié dans les bras de l'inconnue aux longs cheveux bruns, ni n'aurait flirté avec Hanni la veille au soir. Je refusai cependant de céder et décidai de distraire Hanni en l'emmenant voir une opérette de Sigmund Romberg, intitulée *Le Prince étudiant*. Ce fut probablement une erreur, car c'était l'histoire d'un prince qui tombe amoureux d'une fille du peuple ; il finit par renoncer à elle afin d'accomplir son devoir. Sur le chemin du retour, Hanni pleura sans discontinuer.

— C'est tellement triste, ne cessa-t-elle de murmurer. Si j'aimais un homme, je ne renoncerais jamais à lui par devoir. Jamais.

17.

Rannoch House
Vendredi 17 juin 1932

    Cher journal,
    Journée venteuse. Nuages blancs, ciel bleu. Une journée idéale pour monter à cheval – si j'avais été en Écosse. Au lieu de quoi je dois emmener Hanni rendre visite à un homme dans une librairie. Qu'il est fatigant de jouer les chaperons !

Quand, le vendredi matin, la princesse descendit pour le petit déjeuner, j'eus l'impression d'assister de nouveau à l'opérette de la veille. Elle était manifestement enthousiaste à l'idée de revoir Sidney.

— C'est un simple roturier, mais je m'en moque, ne cessa-t-elle de répéter.

Elle mangea frugalement, puis fit les cent pas en attendant notre départ. Comme je ne connaissais pas encore très bien la topographie de Londres, j'allai à l'office demander à mon grand-père comment on se rendait à Wapping.

— Wapping, mon canard ? Qu'est-ce que tu as à faire là-bas ?

— Nous allons voir une librairie.

— Une librairie à Wapping ? s'étonna-t-il.

— C'est exact. On y trouve des livres anciens et rares. Où est-ce ?

— C'est pas un endroit respectable. Wapping est près du fleuve, dans le quartier des docks. J'aurais pas pensé qu'il y avait beaucoup d'amateurs de bouquins dans ce coin. Tu as l'adresse exacte ?

— C'est tout proche de la grand-rue de Wapping, à côté d'un pub qui s'appelle le Prospect of Whitby[1].

Grand-papa afficha un air soucieux.

— Je crois me souvenir que ces fichus communistes organisent des meetings dans une salle des environs. T'as intérêt à être prudente, ma chérie. Tu comptes pas emmener la princesse dans un endroit pareil, j'espère ?

— C'est elle qui tient à y aller. Elle a rencontré un jeune homme employé dans cette librairie.

Mon grand-père eut une exclamation désapprobatrice, puis secoua la tête.

— Il faut la surveiller de près, cette fille.

— Ce jeune homme est très bien élevé, grand-papa. Il a fait ses études à Cambridge et il est apparemment très gentil et sérieux. Du reste, il fait grand jour.

Il soupira.

— Bon, c'est un jour de semaine, concéda-t-il. Les gens sont au travail. Ça m'étonnerait qu'il y ait de la baston un vendredi matin. Il y a souvent de vraies rixes après les réunions des communistes. Ils s'en donnent à cœur joie, avec les Chemises noires.

— Je suis certaine que nous n'avons rien à craindre et, connaissant Hanni, elle s'ennuiera vite dans une librairie.

— Pour plus de sûreté, vous habillez pas trop chic, conseilla mon grand-père. Prenez aussi garde aux pick-pockets et aux types qui pourraient vous faire des propositions indécentes.

---

1. Pub historique du quartier de Wapping, qui se targue d'être la taverne la plus ancienne des bords de la Tamise. (*N.d.T.*)

Je transmis ses recommandations à la princesse, puis nous quittâmes la maison vêtues simplement – jupes en coton et corsages blancs –, comme deux jeunes femmes ordinaires partant en promenade. Nous prîmes le métro jusqu'à la station de Tower Hill. Je montrai la Tour de Londres à Hanni, mais elle ne manifesta qu'un intérêt très limité pour l'histoire de la ville et me tira en avant, comme un chien impatient au bout de sa laisse. Atteindre la grand-rue de Wapping fut long et compliqué. Les voies sinueuses, tortueuses, débouchaient sur des impasses donnant sur les docks, où se dressaient de hauts entrepôts de brique. Les parfums exotiques des épices, du café et du thé rivalisaient avec l'odeur moins agréable des égouts et les effluves humides qui montaient de la Tamise. Des brouettes chargées de marchandises passaient avec fracas. Nous arrivâmes enfin à la grand-rue, très animée, sur laquelle donnait la ruelle où se trouvait la librairie. Elle était encore pavée, comme tout droit sortie d'un vieux tableau. Et, complétant la scène, un mendiant assis au coin agitait une tasse de fer-blanc dans laquelle s'entrechoquaient quelques piécettes. Sur la pancarte posée devant lui, je lus : *Jambe perdue pendant la Grande Guerre. Donnez-moi un sou.* J'eus pitié de lui et cherchai une pièce de six pence dans mon sac à main, puis changeai d'avis et lui donnai un shilling[1].

— Dieu vous bénisse, mademoiselle, dit-il.

Il n'y avait que trois boutiques dans la ruelle : une cordonnerie (*Bottines, chaussures et parapluies réparés et remis à neuf !*), un café russe un peu plus loin sur la gauche – je remarquai, assis derrière la vitre, deux hommes miteux à l'air triste qui discutaient avec de grands gestes –, et la librairie, située au fond de l'impasse. *Haslett's. Fondée en 1855. Spécialisée en livres rares et en littérature socialiste.* Une curieuse association,

---

1. À l'époque, le shilling équivalait à douze pence, et une livre sterling à vingt shillings. *(N.d.T.)*

160

car je doutais que beaucoup d'ouvriers communistes collectionnent des premières éditions. Maintenant que nous avions atteint notre destination, Hanni, intimidée, parut hésiter et me laissa entrer la première.

Une clochette carillonna lorsque la porte se referma derrière nous. L'odeur si singulière des vieux livres – mélange de renfermé, de poussière et de moisi – planait dans l'air. Des grains de poussière voletaient dans un unique rayon de soleil. L'arrière du magasin se perdait dans l'obscurité, et des étagères en acajou regorgeant d'ouvrages s'élevaient jusqu'au haut plafond. J'eus l'impression d'avoir fait un bond dans le passé. Je m'attendais presque à être accueillie par un vieux gentleman de l'époque victorienne, avec des favoris bien fournis et une queue-de-pie. Pourtant, la boutique semblait déserte.

— Il n'y a personne ? demanda Hanni, rompant le silence. Sidney m'a dit qu'il serait là.

— Il est peut-être au fond du magasin, en train de conseiller un client, suggérai-je en scrutant la pénombre.

— Allons le chercher.

Je suivis la princesse dans la boutique pareille à un labyrinthe, avec des allées qui serpentaient entre les rayonnages. Nous passâmes devant de sombres petits couloirs latéraux et contournâmes des cartons remplis d'opuscules traitant des syndicats et des droits des travailleurs. Au mur, je vis une affiche soviétique sur laquelle des ouvriers joyeux, l'air courageux, bâtissaient un avenir meilleur. Près d'elle se trouvait une étagère de premières éditions de livres pour enfants. Un charmant mélange. Nous finîmes par arriver, sur notre droite, devant un étroit escalier en colimaçon.

— Il est peut-être en haut, suggéra Hanni.

Elle commença à gravir le petit escalier sombre. Je m'apprêtais à la suivre quand j'entendis carillonner la clochette de la porte d'entrée.

161

— Puis-je vous aider, chère mademoiselle ? s'enquit une voix.

Son propriétaire ressemblait quelque peu au gentleman victorien que j'avais imaginé : favoris blancs, yeux d'un bleu délavé, gilet à motifs cachemire – hélas, il ne portait pas de queue-de-pie.

— Je suis vraiment navré, poursuivit-il en s'approchant de moi d'un pas traînant. Je me suis absenté un moment afin d'aller livrer un ouvrage en mains propres. Mais mon assistant aurait dû être là pour vous accueillir. Je suis M. Solomon, le libraire. Bien, en quoi puis-je vous être utile ?

Hanni avait déjà disparu dans l'escalier.

— Justement, nous cherchions votre assistant, s'il s'agit effectivement de M. Roberts. Il a promis de nous faire visiter le magasin aujourd'hui.

— M. Roberts. Un jeune homme très bien. Une âme noble. Oui, il devrait être dans les parages. Il a probablement déniché un livre qui a éveillé son intérêt et il s'est assis quelque part pour le lire, indifférent au reste du monde. Nous allons le tirer de sa cachette, d'accord ?

— Mon amie est déjà montée à l'étage.

— Oui, il s'y trouve certainement. Il écrit actuellement un ouvrage sur l'histoire du mouvement travailliste, et nous avons là-haut un rayon sur la Russie qu'il est probablement en train de consulter. Après vous, ma chère.

Il me fit signe de m'engager dans l'escalier. Les marches étroites et raides tournèrent à deux reprises avant que j'émerge à l'étage supérieur. Cet étage était encore plus sombre, l'odeur de renfermé plus forte et le plafond plus bas ; les rayonnages de livres étaient si proches les uns des autres qu'on avait tout juste la place de circuler entre eux. Des ampoules électriques éclairaient faiblement les lieux, sans tout à fait parvenir à dissiper les ténèbres.

— Hanni ? appelai-je. Où êtes-vous ?

Aucune réponse.

— Hanni ? Monsieur Roberts ?

— Par ici, finit-elle par murmurer. Je suis de ce côté.

Guidée par le son de sa voix, je me dirigeai vers une allée latérale, suivie de M. Solomon. Nous nous approchâmes de la princesse, qui ne leva pas les yeux ni ne se tourna vers nous. Aussi immobile qu'une statue, elle observait sa main avec une expression de stupeur sur le visage. Elle tenait un long et fin couteau, dont la lame était maculée d'une substance sombre, gluante. Mon regard passa sur elle pour se porter sur une forme blanche allongée par terre. Sidney Roberts gisait sur le dos, les yeux ouverts, la bouche figée sur un hurlement silencieux de surprise et de douleur. Une tache sombre s'étalait lentement sur sa chemise blanche.

18.

— Mon Dieu, qu'avez-vous fait ? s'exclama le vieux monsieur, en nous bousculant pour s'approcher de Roberts. Sidney, mon garçon !

Hanni leva vers moi des yeux effrayés.

— Je l'ai trouvé par terre, dit-elle en me tendant le couteau. En arrivant au coin de cette allée, j'ai senti mon pied heurter un objet. Je me suis penchée pour le ramasser et... j'ai vu ce que c'était. Ensuite, j'ai vu Sidney étendu sur le sol. Je suis innocente.

— Évidemment, répliquai-je.

— Dans ce cas, qui l'a poignardé ? demanda M. Solomon, s'agenouillant près de Sidney et lui palpant le poignet.

— Il est... mort ? s'enquit Hanni.

M. Solomon hocha la tête.

— Je ne sens plus son pouls. Mais son corps est encore tiède. Et le sang continue de couler. Cela a dû se produire il y a un instant à peine.

— Il est donc possible que le meurtrier soit encore dans la boutique, dis-je en lançant autour de moi des regards inquiets. Y a-t-il une autre issue ?

— Non, seulement la porte qui donne sur la rue.

— Dans ce cas, mieux vaut descendre immédiatement et appeler la police. L'assassin se cache peut-être tout près. Venez, Hanni.

Elle continuait de fixer le couteau dans sa main.

— Tenez, dit-elle en me le tendant.

— Je n'en veux pas ! m'écriai-je d'une voix que le dégoût, à la perspective de toucher la lame froide et collante, fit monter dans les aigus. Reposez-le par terre. La police voudra savoir où vous l'avez trouvé.

— Je ne sais plus où exactement, répondit-elle, paraissant au bord des larmes. Par ici, je crois.

Je replaçai moi-même le couteau sur le sol, et M. Solomon, galamment, nous fit passer devant lui pour descendre l'escalier.

— Hélas, je n'ai pas le téléphone, me dit-il. Je me dis toujours que je devrais le faire installer, mais mes clients préfèrent m'écrire.

— Dans ce cas, où est l'appareil le plus proche ?

— Je suis sûr que le comptable dont l'agence se trouve en face du café en a un. Je vais aller voir. Vous feriez mieux d'attendre dehors, mesdemoiselles.

— Et si le meurtrier essaie de s'enfuir ? demanda Hanni d'une voix tremblante. Nous ne pourrons pas l'arrêter.

— Bien sûr que non. Accompagnez-moi chez le comptable, si cela vous rassure. Ou, mieux encore, attendez-moi dans le café.

M. Solomon semblait aussi perdu et bouleversé que nous.

— Oui, c'est une bonne idée, acquiesçai-je. Hanni a semble-t-il bien besoin d'une tasse de thé.

Et cela ne me ferait pas de mal non plus, songeai-je, sans pouvoir m'empêcher de frissonner. Nous refermâmes la porte de la librairie derrière nous et suivîmes M. Solomon dans la ruelle pavée.

— Voici une pièce de six pence, dis-je à la princesse. Allez commander un thé. Je vais essayer de trouver un agent de police avant que le meurtrier ne puisse s'échapper.

— Ne me laissez pas seule, dit Hanni en me saisissant par le bras. J'ai peur. Il y a des taches de sang sur ma jupe. Et regardez mes mains.

Sur ces mots, elle fondit en larmes.

Je la pris précautionneusement dans mes bras – car du sang maculait aussi son corsage.

— Ne vous en faites pas. La situation est tout à fait horrible, je le sais, mais ne pleurez pas. La police sera bientôt là, et nous serons en sécurité.

— Pourquoi est-ce que quelqu'un a tué Sidney ? demanda-t-elle en essuyant ses larmes. Il était gentil, pas vrai ?

— Oui, très gentil. Vous vous sentirez mieux après avoir bu une tasse de thé, et il ne pourra rien vous arriver dans ce café. Je ne m'éloignerai pas trop, c'est promis. Vous voyez, vous pourrez même observer M. Solomon derrière la vitre.

Dès qu'elle fut à l'abri dans le café, je courus vers la grand-rue de Wapping. Je venais de tourner le coin quand je me cognai à un homme, qui m'attrapa par les épaules.

— Hé, doucement ! Il n'y a pas le feu.

J'essayai de me dégager, puis je me rendis compte qu'il s'agissait de Darcy.

— Que faites-vous ici ? bredouillai-je.

Avais-je des hallucinations ?

— Je garde l'œil sur vous. Je suis passé vous rendre visite, et votre majordome m'a dit où vous étiez parties. Comme il avait l'air plutôt préoccupé, j'ai proposé de vous rejoindre et de m'assurer que vous alliez bien.

— Ça ne va pas du tout, répondis-je – et j'entendis ma voix se briser. Un homme vient d'être assassiné, nous avons découvert son corps. Le propriétaire de la librairie se charge d'appeler la police. Je dois trouver un agent.

Ses mains se crispèrent sur mes épaules.

— Assassiné, dites-vous ? Où est la princesse ? Vous ne l'avez tout de même pas laissée seule ?

— Si, dans un café. Elle était en état de choc.

— Que diable faisiez-vous dans un endroit pareil, de toute façon ?

— Hanni voulait retrouver un type qu'elle avait rencontré chez Gussie.

— J'ai du mal à imaginer l'un des amis de Gussie fréquentant ce genre de quartier.

— Il s'appelait Sidney Roberts. J'ignore si Gussie et lui étaient vraiment amis, mais ils étaient à Cambridge ensemble. Nous avions fait sa connaissance lors du rassemblement communiste à Hyde Park, le jour où vous êtes venu à notre secours.

— Vous parlez de lui au passé... Cela veut donc dire qu'il...

Darcy me regardait d'un air interrogateur.

— Oui. C'est bien lui dont le corps sans vie gît au premier étage de la librairie. Il a été poignardé.

— Par tous les saints ! marmonna Darcy en esquissant un geste, comme pour se signer. Et c'est la princesse et vous qui l'avez découvert ?

— C'est Hanni. Elle a trébuché sur le couteau qui traînait par terre.

— On dirait que vous avez vous aussi besoin d'une bonne tasse de thé. Vous êtes blanche comme un linge.

J'opinai du chef.

— C'était affreux, Darcy. Tout ce sang... et j'ai touché le couteau et...

Je ravalai un sanglot.

Ses bras m'enlacèrent.

— Ne vous en faites pas, murmura-t-il en me caressant les cheveux comme si j'étais une petite fille. Vous êtes en sécurité, à présent.

Je fermai les yeux, consciente de sa chaleur, de sa proximité, de son menton contre ma chevelure, de ma joue appuyée sur sa veste rêche. J'avais envie qu'il me garde ainsi contre lui pour toujours.

— Venez. Nous ferions mieux d'aller vous commander cette tasse de thé.

Me prenant par le bras, il me conduisit jusqu'au petit café. Lorsque Hanni le vit, ses yeux s'illuminèrent.

— C'est Darcy ! Comment vous nous avez retrouvées ? Vous arrivez toujours au bon moment pour nous sauver.

— Eh oui, c'est bien moi, Darcy O'Mara. Ange gardien parmi les hommes.

Un coup de sifflet retentit dans le lointain, et un agent de police accourut dans la ruelle. M. Solomon sortit de la maison du comptable, suivi de plusieurs employés de bureau intrigués. Lorsque l'agent apprit que le meurtrier était peut-être encore dans la librairie, il hésita à y pénétrer. Il resta sur le seuil du café avec M. Solomon tandis que Darcy m'accompagnait à l'intérieur. Nous n'eûmes pas à attendre longtemps. Une sirène de police stridente se fit entendre, résonnant entre les hauts bâtiments. Avec le vacarme, plusieurs fenêtres s'ouvrirent et d'autres gens encore arrivèrent dans la ruelle.

La voie était juste assez large pour que l'automobile puisse passer. Celle-ci s'arrêta. Les deux policiers en civil et les deux agents en uniforme qui en descendirent se frayèrent un passage dans la foule de plus en plus nombreuse. Je sortis du café.

— Reculez, c'est un ordre. Rentrez chez vous ! cria l'un des policiers. Que s'est-il passé ? demanda-t-il à la vue de l'agent qui se tenait sur le seuil avec M. Solomon.

— Il paraît qu'un homme a été tué dans la librairie d'en face et que son meurtrier se trouve peut-être encore à l'intérieur, répondit l'homme. J'ai préféré ne pas y aller seul, monsieur, alors j'ai surveillé l'entrée au cas où il essaierait de s'échapper.

— Vous avez bien fait, dit son supérieur.

En dépit du beau temps, il portait le traditionnel imperméable couleur fauve et le tout aussi traditionnel chapeau mou enfoncé sur sa tête. Son teint et sa moustache étaient assortis à l'imperméable. Ses bajoues lui

168

donnaient l'aspect d'un bouledogue triste. Pire encore, je le reconnaissais à présent. Ce n'était autre que l'inspecteur Harry Sugg de Scotland Yard. À cet instant, il m'aperçut et parut tout aussi surpris que moi.

— Encore vous ? Ne me dites pas que vous êtes mêlée à cette affaire !

— C'est la princesse Hannelore qui a découvert le corps, expliquai-je en désignant l'intéressée derrière la vitre du café.

— Pourquoi est-ce sur moi que cela tombe ? se plaignit-il – même lorsqu'il était de bonne humeur, il avait tendance à s'exprimer d'une voix geignarde. D'habitude, je ne suis pas de service dans ce quartier. C'est par hasard que je passais non loin, voilà pourquoi j'ai été envoyé sur place. Trouver des cadavres est donc devenu l'un de vos passe-temps ?

— Pour tout dire, cette expérience ne m'enchante guère, inspecteur, répliquai-je. Et je me sens extrêmement nauséeuse. Je m'apprêtais à commander une tasse de thé.

— Bon, d'accord, acquiesça Sugg. Allez le boire, votre thé, mais ne quittez pas les lieux. Il va falloir que je vous interroge, la princesse et vous.

Depuis la table où elle était assise, Hanni leva vers lui des yeux écarquillés.

— Assurez-vous qu'elles ne bougent pas d'ici, Collins, ordonna sèchement l'inspecteur. Postez-vous devant ce café et ne les perdez pas de vue. Foreman, James, suivez-moi.

Écartant la foule sur leur passage, ils entrèrent dans la librairie. Ils en ressortirent quelques instants plus tard.

— Personne dans le magasin, annonça Sugg en revenant dans le café. Qui est le propriétaire ?

— C'est moi, répondit M. Solomon en s'avançant.

— Il n'y a apparemment pas d'autre issue que la porte donnant sur la rue.

— C'est exact.

— C'est bien vous qui avez appelé la police ?

— En effet.

— Et connaissez-vous l'identité de la victime ?

— Évidemment. C'était mon assistant, Sidney Roberts. Il n'y avait pas plus gentil et respectable que ce jeune homme. Je ne comprends pas comment quelqu'un a pu s'introduire dans ma librairie pour le tuer, ni pour quelle raison.

L'inspecteur Sugg se tourna vers Hanni et moi.

— C'est donc cette demoiselle qui a trouvé le corps ? Vous vous appelez… ?

— Voici Son Altesse Royale la princesse Maria Theresa Hannelore de Bavière, dis-je, adoptant mon ton le plus hautain afin de bien lui faire comprendre à qui il avait affaire. Elle est l'invitée du roi et de la reine. Je lui sers de chaperon durant son séjour londonien.

— J'aimerais bien savoir ce qu'une princesse en visite officielle fait dans un quartier pareil !

— Nous avons rencontré ce jeune homme, Sidney Roberts… au British Museum, répondis-je – j'avais failli dire « à une fête », mais je jugeais plus sage de ne pas lui rappeler la mort d'une autre de mes connaissances. Il a parlé à la princesse de la librairie où il était employé et lui a proposé de venir consulter des livres rares et anciens.

Harry Sugg me regarda droit dans les yeux, comme s'il essayait de déterminer la plausibilité de mon explication.

— Son Altesse parle-t-elle notre langue ? demanda-t-il.

— Un petit peu, dis-je avant qu'Hanni puisse répondre.

— Dans ce cas, racontez-moi de quelle manière vous avez découvert le corps, Vot' Altesse.

Hanni me lança un coup d'œil, comme pour que je la rassure.

— Lady Georgiana et moi, nous allons visiter Sidney.

Je remarquai qu'elle m'avait prise au mot et avait décidé de s'exprimer dans un anglais très imparfait.

170

— Nous entrons dans la librairie, poursuivit-elle. Personne. Nous cherchons. Je trouve escalier. Je monte devant Georgie. Il fait très sombre là-haut. Je donne un coup de pied dans un objet. Il est long, argenté. Je le ramasse et c'est collant. Je vois que c'est horrible couteau. Et ensuite je vois le corps sur le sol.

Elle porta la main à sa bouche pour étouffer un sanglot.

— Qu'avez-vous alors fait ?

— Lady Georgiana et M. Solomon montent juste après moi. M. Solomon voit le cadavre de Sidney, et nous allons appeler police.

— Depuis combien de temps était-il mort, d'après vous ? demanda l'inspecteur.

— Un court instant, dit le libraire. Son corps était encore tiède. Le sang continuait de s'écouler. Voilà pourquoi nous avons supposé que le meurtrier était peut-être encore sur les lieux.

— Qui d'autre a pu se trouver dans la boutique aujourd'hui ?

— Personne, à part M. Roberts et moi. La matinée a été très paisible. Je suis allé livrer un ouvrage qui venait d'arriver et j'ai laissé mon assistant seul dans le magasin. À mon retour, ces demoiselles étaient là.

— Vous êtes-vous absenté longtemps ?

— Seulement un moment.

— Avez-vous croisé qui que ce soit dans la ruelle ?

— Non, elle était déserte.

— Intéressant, dit l'inspecteur avait de reporter son attention sur nous. Et vous, mesdemoiselles, avez-vous croisé quelqu'un ?

— Personne, répondis-je. Si, attendez… Un mendiant était assis au coin, et j'ai aperçu deux hommes installés dans le café. Ils sont encore là.

— Foreman, allez voir ce mendiant et demandez-lui s'il a vu quelqu'un, lança Sugg. Et vous, James, interrogez les types du café.

Au-dehors, la foule continuait de grossir. Darcy me tendit une tasse de thé, que je bus avec gratitude.

— Puis-je me permettre une suggestion, inspecteur ? dit-il alors. Ne serait-il pas plus sage que je raccompagne ces jeunes ladies chez elles avant que ces messieurs de la presse ne débarquent ? Son Altesse est une princesse étrangère en visite officielle, après tout. Nous ne voudrions tout de même pas provoquer un incident diplomatique.

J'entendis des murmures parcourir la foule. Une princesse étrangère ? Certains badauds s'éloignèrent en courant pour rameuter leurs amis. Cette affaire allait visiblement être plus intéressante qu'un banal meurtre commis dans une ruelle.

— Et à qui ai-je l'honneur ? s'enquit Sugg, que l'idée d'un incident diplomatique ne préoccupait apparemment pas le moins du monde.

— Je m'appelle O'Mara, répliqua Darcy avec un air quelque peu fanfaron. Je suis un ami de ces demoiselles.

— Et je suppose que vous êtes un prince ou un duc, vous aussi ?

— Non, pas du tout. Si vous tenez vraiment à le savoir, mon père est lord Kilhenny, un pair irlandais, mais je ne vois pas en quoi cela va vous avancer.

— Étiez-vous présent lorsque le corps a été découvert ?

— Non, je ne suis moi-même là que depuis quelques instants.

— Et comment se fait-il que vous vous soyez vous aussi retrouvé dans ce quartier malfamé ? Une pure coïncidence ?

— Nullement. J'ai rendu visite à lady Georgiana, qui s'était absentée, et son majordome m'a indiqué où elle était allée. Étant donné qu'il était inquiet, j'ai agi comme il se devait : je l'ai rejointe afin de veiller sur elle et la princesse.

— Et pourquoi était-il inquiet ? insista Sugg, s'acharnant sur lui, pareil à un bouledogue qui refuserait de lâcher sa proie.

— C'est pourtant évident, inspecteur. Laisseriez-vous deux jeunes filles innocentes flâner dans un lieu comme Wapping ? Elles ont été élevées à l'écart du monde. Elles connaissent très mal les aspects sordides de cette grande ville.

Sugg le regarda fixement, un sourcil haussé, et esquissa un petit sourire narquois.

— Quand êtes-vous arrivé sur les lieux, exactement ? finit-il par reprendre.

— Juste avant vous. Alors que je tournais au coin de la ruelle, j'ai croisé lady Georgiana qui courait pour aller chercher un agent. Elle était tout à fait bouleversée. Je l'ai conduite ici pour qu'elle puisse prendre un thé. À présent, si vous en êtes d'accord, j'aimerais la ramener chez elle. Ainsi que la princesse, naturellement.

J'avais conscience de la foule qui grossissait, grouillant autour de nous, nous dévisageant avec une curiosité sans gêne. Les premiers journalistes arriveraient d'ici quelques instants.

— Vous connaissez mon adresse, inspecteur, dis-je. Et Son Altesse loge chez moi. Si vous souhaitez nous poser d'autres questions, nous y répondrons volontiers.

Sugg nous regarda tour à tour, Hanni, Darcy et moi. Je crois qu'il se demandait s'il perdrait la face ou non en nous autorisant à partir.

— Si les photos de ces demoiselles étaient publiées en première page des journaux dans le cadre d'une affaire de meurtre commis dans l'East End, le roi et la reine en seraient extrêmement fâchés, ajouta Darcy. Comprenez-vous ? Sans compter qu'elles sont clairement en état de choc.

— Tout cela me déplaît, rétorqua Harry Sugg. Oui, cette situation me déplaît, sachez-le. Je vous connais,

173

vous autres jeunes gens, et je sais ce qui vous procure des frissons. Voler des casques de policiers, entre autres choses, sans parler de ce qui se passe lors de vos fêtes. N'allez pas vous imaginer que je ne suis pas au courant. Oh, je ne suis pas né de la dernière pluie !

Il parlait sans me quitter des yeux. Il s'avança alors d'un pas, si près de moi que je vis sa moustache fauve s'agiter de haut en bas tandis qu'il me parlait.

— Deux cadavres en moins d'une semaine. Ça ne peut pas être une simple coïncidence, n'est-ce pas ?

— La mort de Tubby était accidentelle, répliquai-je. J'étais sur le balcon quand c'est arrivé. Personne ne se tenait près de lui. Il a basculé.

— Si vous le dites, lady de Rannoch. Simplement, je trouve cela étrange, voilà tout. Dans la police, on nous apprend à ne pas croire aux coïncidences. Si un fait nous paraît suspect, en général, c'est qu'il l'est. Et s'il existe un rapport quelconque entre ces affaires, je vais le découvrir, croyez-moi.

— Je vous assure qu'il n'y a aucun rapport entre nous et l'homme qui a été assassiné aujourd'hui, inspecteur, répondis-je d'un ton glacial. À présent, si cela ne vous ennuie pas, j'aimerais que vous nous raccompagniez à la maison, Darcy.

Nous sortîmes du café et nous frayâmes un passage dans la foule pour gagner la grand-rue de Wapping, sans que personne cherche à nous en empêcher.

19.

Dans le métro qui nous emmena jusqu'à Hyde Park Corner, aucun de nous ne fut très loquace. J'avais d'abord envisagé de rentrer en taxi, mais il s'était révélé impossible d'en trouver un à Wapping ; finalement, il nous avait paru plus simple de prendre les transports en commun. Même Hanni avait perdu son entrain habituel, ce qui ne lui ressemblait guère, et pas une fois elle n'essaya de flirter avec Darcy. Il nous accompagna à pied depuis la station de métro jusqu'à Rannoch House.

— Est-ce que ça va aller, maintenant ? me demanda-t-il.

Je hochai la tête.

— Merci d'être parti à notre recherche. Sans vous, nous serions sans doute déjà en route pour Scotland Yard dans un panier à salade.

— Mais non, c'est absurde. Vous savez très bien défendre vos intérêts sans l'aide de personne, à mon avis.

— Je vous suis très reconnaissante. C'est fort aimable à vous de vous faire du souci pour nous.

Je lui tendis la main. J'ai remarqué que, dans les moments difficiles, mon éducation reprend le dessus et que je me montre extrêmement polie.

Une expression amusée passa fugitivement sur le visage de Darcy.

— Vous congédiez votre humble serviteur, si je comprends bien ?

— Je suis navrée, mais vu les circonstances…

Il me prit la main et la serra.

— Je comprends. Allez prendre un bon remontant. Cela vous fera du bien. Vous vous sentirez même encore mieux en sachant que c'est le brandy de Binky que vous buvez.

Cette plaisanterie réussit à m'arracher un sourire. Alors que je retirais ma main, ses doigts se refermèrent sur les miens.

— Georgie…, commença-t-il, avant d'être interrompu par Hanni, qui se plaça entre nous.

— Je vous remercie moi aussi de nous avoir sauvées, dit-elle.

Elle passa les bras autour du cou de Darcy et lui planta un gros baiser sur la joue. Je fus tellement choquée que je restai clouée sur place. Darcy se dégagea de son étreinte, m'adressa un sourire quelque peu embarrassé et s'en alla. Je guidai Hanni jusqu'à la porte d'entrée.

— Que va-t-il se passer, maintenant ? demanda-t-elle. Je pense que le policier ne nous a pas crues quand nous avons dit que nous avions simplement trouvé le corps du pauvre Sidney.

— Il ne peut tout de même pas croire que l'une de nous l'a tué. Quel motif aurions-nous eu ?

Malgré tout, je venais de prendre conscience que la police était fort capable de mettre au jour des mobiles possibles. Je n'avais pas oublié les consommateurs de cocaïne dans la cuisine de Gussie. Et j'avais trouvé Hanni attablée avec eux. Et si Sidney était mêlé à tout ça ? Peut-être avait-il trempé dans un trafic de drogue, ou bien avait-il des dettes liées à sa propre consommation – j'avais lu dans les journaux que les trafiquants étaient des gens impitoyables. Sans doute travaillait-il dans l'East End, si près du fleuve, pour une raison précise. La respectable librairie où il avait été employé n'était peut-être qu'une couverture dissimulant des activités qui l'étaient beaucoup moins. Cette enquête ouvrirait-elle une véritable boîte de Pandore ? Je me sentais tout à fait nauséeuse en entrant dans la maison.

Mon grand-père nous attendait impatiemment. J'envoyai Hanni se reposer dans sa chambre avant le déjeuner, puis descendis à l'office, où grand-papa était occupé à astiquer l'argenterie ; tandis que je lui racontais ce qui s'était produit, sans rien omettre, il m'écouta d'un air préoccupé, désapprobateur.

— C'est une sale affaire, c'est sûr. Un type meurt au cours d'une fête et, quelques jours plus tard, la princesse revoit un garçon rencontré à cette même fête – au British Museum, tiens donc. Il l'invite à visiter une librairie dans un quartier louche de Londres et c'est là que vous tombez sur son cadavre. Ça peut pas être une coïncidence, à mon avis.

— C'est aussi l'opinion de l'inspecteur chargé de l'enquête, répondis-je. Mais c'est *vraiment* une coïncidence, grand-papa. Et c'est là le plus terrible. Je sais que le premier décès était un accident. Du reste, pourquoi diable l'une de nous deux aurait-elle souhaité la mort du pauvre Sidney Roberts ? Nous lui avons parlé pendant la fête, et il m'a semblé que c'était un garçon inoffensif et sérieux. Plutôt gentil, pour tout dire. Hanni était du même avis. Elle s'était apparemment entichée de lui. Mais nous ne l'avons rencontré qu'en deux occasions. Nous ne savions rien de lui, en réalité.

— Si j'étais toi, je me dépêcherais de décrocher le bigophone pour appeler le palais. Raconte tout à Sa Majesté, qu'elle décide quoi faire de la princesse, dit-il en reposant la théière en argent qu'il astiquait. Il fallait la surveiller de près, cette gamine, je t'avais prévenue. J'avais un drôle de pressentiment depuis le début.

— Mais enfin, grand-papa ! Hanni n'est absolument pas mêlée à cette affaire. Si elle voulait revoir Sidney, c'est parce qu'elle s'emballe facilement pour les garçons, après ses années passées au couvent. Et il était plutôt charmant. Je crois aussi que le fait qu'il soit communiste l'intriguait. Voilà tout.

— Je dis pas qu'elle a poignardé ce pauvre type, rien de tout ça. Je me fie juste à une intuition. Je les connais, les filles dans son genre. Partout où elles passent, elles créent des ennuis. Tu ferais mieux de te débarrasser d'elle, mon canard.

— Oh là là ! Je dois reconnaître que tu as raison. Je vais de ce pas appeler le palais.

— Déjeune d'abord, conseilla-t-il en passant un bras autour de mes épaules. T'es aussi blême que si tu avais vu un fantôme, crois-moi. C'est le choc, je suppose.

— Oui, c'était parfaitement horrible. Sans parler de la police et de tout le reste…

Je sentis soudain des larmes couler sur mes joues.

— Allons, allons, pleure pas, ma chérie, dit mon grand-père en me serrant fort dans ses bras.

Je restai là, la tête appuyée contre son épaule, consciente de la solidité réconfortante de son étreinte, tout en me rendant compte de l'étrangeté de la situation. Je crois que c'était la première fois de ma vie qu'un membre de ma famille m'étreignait pour de bon et me réconfortait. Oh, bien sûr, ma nourrice m'avait prise dans ses bras quand, petite, il m'arrivait de tomber, mais mes parents n'avaient jamais été présents. *C'est donc ainsi que se passent les choses avec les gens ordinaires*, songeai-je. *Ils se soucient les uns des autres. Ils se soutiennent.* Je résolus séance tenante que je serais une mère ordinaire et que je serrerais souvent mes enfants très fort contre moi.

— Je suis tellement heureuse que tu sois là.

— Moi aussi, ma chérie, murmura mon grand-père en me caressant les cheveux comme si j'étais une petite fille. Moi aussi, répéta-t-il avant de s'écarter. Tu ferais mieux d'aller voir Son Altesse, au cas où elle serait en train de s'attirer d'autres ennuis.

— Oh, mon Dieu, oui, je crois que tu as raison, répondis-je en me dirigeant vers l'escalier.

— Ta cuisinière a préparé un de ses fameux pâtés en croûte ! lança-t-il derrière moi. C'est une de ses spécialités, à Hettie.

Alors que je franchissais la porte tapissée de feutre qui menait au reste de la maison, je vis Hanni qui descendait l'escalier.

— Le déjeuner est prêt ? Je suis affamée.

En vérité, on aurait dit qu'elle venait de se réveiller après une bonne nuit de sommeil. Elle avait ôté ses habits maculés de sang et, dans une robe propre, avait l'air fraîche et innocente. Je la dévisageai un instant, réfléchissant aux paroles de mon grand-père. Était-elle vraiment de ces gens qui semblent attirer les ennuis, ou avions-nous toutes deux joué de malchance ces derniers jours ?

— Oui, bientôt, répondis-je. Je constate que vous vous êtes changée.

— Je crois qu'il faudra jeter ma jupe. Irmgardt essaie de la nettoyer, mais je ne pense pas qu'elle arrivera à faire disparaître les taches de sang.

— Je devrais aller me rafraîchir et me changer moi aussi, dis-je. Je reviens d'ici quelques minutes.

Je me rappelai avec soulagement que Mildred était sortie – je l'avais en effet autorisée à prendre de nouveau son après-midi. Alors que je commençais à déboutonner mon corsage, je m'aperçus que j'avais moi aussi encore du sang sur les mains. Je les observai fixement tout en essayant de surmonter ma répugnance. Jusqu'à tout récemment, je n'avais jamais vu un cadavre de ma vie. Et à présent, j'avais ces derniers jours assisté à la mort d'un homme et découvert le corps sans vie d'un autre. J'eus soudain l'envie irrésistible de partir précipitamment pour la gare et de prendre le prochain train pour l'Écosse. Le château de Rannoch était peut-être l'endroit le plus ennuyeux du monde, il abritait peut-être Fig et Binky, mais, au moins, c'était chez moi. J'en connaissais les règles. Je m'y sentais en sécurité. Il y avait cependant un petit problème à régler – la princesse. Après ce qui venait de se produire, la reine n'attendrait tout de même pas de moi que je continue à m'occuper d'elle.

Je me brossai vigoureusement les ongles et me lavai les mains d'une manière qui aurait forcé l'admiration de ma compatriote écossaise lady Macbeth. Une fois changée, je descendis déjeuner. Ainsi que mon grand-père m'en avait informée, Mme Huggins avait confectionné un délicieux pâté en croûte qu'Hanni attaqua avec enthousiasme.

— J'aime la cuisine anglaise, déclara-t-elle.

Je dus admettre que le plat, servi froid avec des betteraves et des oignons au vinaigre et de la laitue, semblait excellent. Mais je ne parvins ni à mâcher ni à avaler quoi que ce soit, me contentant de picorer et de pousser les aliments dans mon assiette du bout de ma fourchette. Je finis par goûter quelques bouchées. Lorsque mon grand-père apporta ensuite un gâteau roulé à la confiture servi avec de la crème anglaise, Hanni laissa échapper des petits cris de joie avant de se jeter dessus. J'apprécie tout particulièrement ce dessert, mais, encore une fois, je ne pus en manger plus d'une ou deux cuillerées. Je ne cessais de revoir le corps gisant sur le sol, le sang se répandant à travers sa chemise, et de sentir le couteau froid et gluant de sang dans mes mains.

— T'as presque rien avalé, se plaignit mon grand-père tout en débarrassant la table. Ce n'est pas bien.

— Désolée. Je suis encore un peu ébranlée.

— Je vais te chercher un verre de brandy, proposa-t-il gentiment.

— Oui, bonne idée, acquiesçai-je.

— Moi aussi j'aime le brandy, affirma joyeusement Hanni. Moi aussi je suis en état de choc.

Elle n'en avait pas l'air. Il me semblait qu'elle s'était très vite remise, avec une remarquable résilience – c'était d'autant plus étonnant que ce jeune homme lui avait beaucoup plu. Qu'aurais-je ressenti si Darcy s'était trouvé à la place de Sidney Roberts ? Je chassai aussitôt cette idée, trop douloureuse à envisager.

Grand-papa revint avec du brandy et du café, qu'Hanni et moi bûmes en bavardant de tout et de rien, sauf de ce qui s'était produit ce matin-là.

— Vous avez de la visite, lady Georgiana, annonça mon grand-père, de retour dans la salle à manger.

Craignant que ce ne soit la police, je me redressai.

— Je vais les recevoir dans le petit salon.

— Inutile de vous lever, mes chéries, ce n'est que moi, dit Belinda en faisant irruption dans la pièce avec sa vivacité coutumière, des bouffées de parfum Chanel flottant dans son sillage. Je tenais absolument à passer afin de m'excuser. J'avais vraiment mauvaise conscience.

— Pourquoi t'excuserais-tu ? demandai-je.

— Mais enfin, pour t'avoir laissée en plan pendant cette fête assommante. À dire vrai, j'y suis allée simplement parce que j'avais un homme en vue. Par conséquent, quand je me suis aperçue que c'était une autre que moi qu'il avait en tête… eh bien, j'ai décidé de faire la part du feu et de me rendre au Crockford's afin de terminer la soirée de façon fructueuse. Et j'ai bien fait, car non seulement j'ai gagné deux cents livres, mais j'ai aussi rencontré un Français tout bonnement divin. Une chose en amenant une autre, autant te l'avouer franchement, j'émerge tout juste de sa chambre d'hôtel. J'espère que tu as réussi à rentrer chez toi sans encombre.

L'ironie de cette dernière remarque faillit provoquer mon rire.

— Belinda, comment fais-tu ?

— Pour sans cesse rencontrer des hommes, veux-tu dire ? C'est mon charme, je suppose. Mon charme sulfureux.

— Non, ce n'est pas ce que je voulais dire. Comment fais-tu pour tracer ton chemin en esquivant toutes les embûches ?

— De quoi parles-tu ?

Elle ôta son coquet petit chapeau de paille et ses gants, puis se jucha sur une chaise.

— Puis-je vous apporter une tasse de café, mademoiselle ? proposa mon grand-père de son ton le plus soutenu.

— Volontiers, répondit Belinda.

Ils échangèrent un grand sourire.

— Vous êtes partie de la fête avant la mort du pauvre homme ? demanda Hanni à Belinda.

Elle avait probablement deviné de quoi il retournait lors de nos conversations, preuve qu'elle comprenait mieux notre langue qu'elle ne le laissait paraître.

— Darcy nous a obligées à nous en aller avant que j'aie le temps de me mettre à ta recherche, expliquai-je à mon amie.

— Qui est mort ? répliqua-t-elle sèchement.

— Tubby Tewkesbury. Il est tombé du balcon.

— Mais c'est épouvantable ! Pauvre vieux Tubby. Comment une chose aussi inouïe a-t-elle pu se produire ? Mais alors, est-ce pour cette raison qu'un jeune homme équipé d'un appareil photo est installé dans Belgrave Square, juste en face de Rannoch House ?

— Oh, grands dieux ! m'exclamai-je. Ne me dis pas que les journalistes sont déjà au courant !

— Au courant ? Il leur faut généralement moins de deux jours pour flairer un scoop, tu devrais le savoir.

— Elle veut parler de l'autre homme qui est mort, lui apprit Hanni. Aujourd'hui. Il y a moins de deux heures.

Belinda me regarda d'un air incrédule.

— Un autre homme ? Où ? Et comment ?

— Nous sommes allées voir un type que nous avions rencontré chez Gussie, commençai-je.

Et je lui relatai toute l'affaire.

182

— C'était vraiment affreux, je l'avoue, conclus-je. Je n'ai rien pu avaler au déjeuner.

— Cela n'a rien de surprenant, ma chérie. Quelle situation épouvantable ! Je dois dire que tu attires les cadavres, ces temps-ci.

— Ne tourne pas cela à la plaisanterie, s'il te plaît, Belinda. La mort de Gaston de Mauxville ne m'a pas trop dérangée, vu que c'était un homme odieux, mais les deux autres étaient des garçons gentils et convenables, qui ne méritaient pas de subir un tel sort.

Belinda opina du chef.

— Je voulais vous inviter à aller au théâtre ce soir, Hanni et toi, mais étant donné les circonstances…

— J'aimerais voir une pièce, dit gaiement la princesse. J'aime les spectacles londoniens. J'aime les chansons et les danseuses qui lèvent les jambes en l'air.

— Réfléchissez, Hanni, rétorquai-je sur un ton sec. S'il y a un reporter devant la maison, cela signifie que la presse est déjà informée du meurtre de ce matin. Imaginez quel mauvais effet cela ferait si on vous prenait en photo en train de vous divertir au théâtre.

Elle fit la moue, gardant pourtant le silence.

— Je pars demain à la campagne, annonça Belinda. Sinon, je serais venue te tenir compagnie et t'aurais aidée à refouler les journalistes, Georgie. Je crains que tu ne sois bonne pour un nouvel assaut, comme la dernière fois. Cela n'a rien de très amusant pour toi, j'en ai peur.

— Tu peux le dire. Un séjour à la campagne semble être une bonne idée. J'en ferai peut-être la suggestion à Sa Majesté quand je lui téléphonerai cet après-midi.

— Entre nous, je regrette d'avoir accepté cette invitation, maintenant que j'ai rencontré Louis, mais je ne peux tout de même pas revenir sur ma parole.

— Non, cela ne se fait pas, acquiesçai-je.

Je lui adressai un regard affectueux. Je me rendais compte qu'elle était extrêmement gentille et tout ce qu'il y avait de plus britannique, en dépit de son mode de vie effréné et dissolu.

— Bon, il faut que j'y aille, dit-elle en se levant. *Ciao*, mes chéries. Et gardez le moral. Vous le connaissiez à peine, c'est déjà ça.

— N'oubliez pas votre bibi ! lança Hanni alors que Belinda se dirigeait vers la porte.

L'intéressée se retourna, stupéfaite.

— Mon quoi ?

— Votre bibi. Votre chapeau. C'est bien comme ça que disent les Londoniens, non ?

Belinda revint sur ses pas pour récupérer l'objet en question.

— Tu devrais vraiment l'emmener à la campagne avant que son vocabulaire ne devienne complètement désastreux, me conseilla-t-elle avant de sortir de la pièce.

20.

Après le départ de Belinda, je suggérai à Hanni d'aller voir la baronne afin de tout lui raconter ; elle pourrait lui demander conseil sur la conduite à tenir et sur ce qu'il faudrait dire à son père. La princesse fit la grimace.

— Elle sera furieuse d'apprendre que je suis allée dans un quartier louche. Et que je voulais y rencontrer un garçon.

— Je n'y peux rien, vous devez l'en informer. Vous êtes une princesse, Hanni. Vous ne connaissez pas les usages de la cour car vous avez grandi au couvent, mais vous devez comprendre qu'il est indispensable d'agir correctement. Il faut suivre l'étiquette. Votre père exigera peut-être que vous rentriez chez vous immédiatement.

— Je ne dirai donc rien à la baronne. Je ne veux pas retourner en Bavière.

— Ne racontez pas de sottises, répliquai-je sèchement. Vous ne voulez tout de même pas qu'elle apprenne la nouvelle par les journaux, n'est-ce pas ? Cela ferait des tas d'histoires et vous auriez de sérieux ennuis.

— Bon, d'accord, acquiesça-t-elle en soupirant exagérément. Je vais voir la vieille enquiquineuse.

Dès qu'elle fut partie, je téléphonai au palais. J'exposai brièvement la situation au secrétaire personnel de Sa Majesté la reine. Il me dit que celle-ci s'était absentée, mais qu'il l'informerait de mon appel à son retour.

Je tâchai de me reposer. En vain. Lorsque je me postai à la fenêtre du salon, derrière les rideaux de tulle, je vis plusieurs hommes qui traînaient dans la rue, appuyés contre les grilles des jardins, occupés à fumer et à discuter. L'un d'eux avait à la main un appareil photo auquel était fixée une grosse lampe de flash. Oh, mon Dieu. Il fallait que j'agisse sur-le-champ. Je trouvai le numéro de téléphone de la résidence de Park Lane, demandai à parler à la princesse et lui ordonnai de revenir à Rannoch House en taxi après avoir parlé à la baronne. Je m'arrangerais pour que quelqu'un guette son arrivée. Je lui conseillai de rentrer directement dans la maison sans adresser la parole à personne.

— Un homme a essayé de me parler quand je suis sortie de chez vous. Je lui ai dit que j'étais la bonne.

En dépit de sa naïveté et de sa jeunesse, elle était dégourdie lorsque c'était nécessaire. M'étais-je méprise sur le fait qu'elle avait besoin d'être protégée dans cette grande ville ? Puis je me souvins des incidents chez Harrods et Garrard's, ainsi que des remarques de mon grand-père. Il était rusé comme un vieux singe et il avait acquis de l'expérience en faisant ses rondes pendant des années.

Hanni, qui arriva peu après, suivit mes conseils – elle sortit du taxi, monta les marches du perron en courant et franchit la porte d'entrée sans s'arrêter.

— Avez-vous de l'argent pour le chauffeur du taxi ? me demanda-t-elle.

— Je m'en occupe, répondit mon grand-père, qui alla payer l'homme.

— Alors, qu'a dit la baronne Rottenmeister ? m'enquis-je.

— Elle n'était pas là. Elle était sortie.

— Pourquoi n'avez-vous pas attendu son retour, dans ce cas ?

Hanni fit une grimace.

— Je ne voulais pas la voir.

— Lui avez-vous laissé un message, au moins ?

La princesse me lança un regard plein de défi.

— Elle sera furieuse. Elle voudra me ramener en Bavière.

J'éprouvai un profond soulagement. Une bonne chose au moins résulterait de cette horrible affaire. Hanni rentrerait chez elle. Je serais débarrassée d'elle. Je pourrais reprendre ma vie habituelle, aussi ennuyeuse fût-elle.

— Je refuse de partir, déclara-t-elle avec fermeté. J'aime bien vivre ici avec vous, Georgie. J'aime bien votre majordome et Mme Huggins. J'aime que ce ne soit pas officiel, vieux jeu et plein de règles. Toute ma vie, j'ai respecté les convenances.

Je la comprenais. Mes sentiments étaient plus ou moins les mêmes vis-à-vis de l'éducation que j'avais reçue.

— J'ignore ce que nous allons faire, Hanni. Les journalistes ont visiblement découvert que nous étions mêlées à cette affaire et ils vont nous harceler jusqu'à ce qu'ils obtiennent assez d'informations pour leurs articles. Je sais comment cela se passe, croyez-moi. J'ai déjà vécu ce genre de situation. La dernière fois, j'ai été obligée d'aller loger chez Belinda.

— La dernière fois ?

— Un homme avait été noyé dans notre baignoire.

— Vous vous y connaissez donc en cadavres ! commenta-t-elle gaiement.

— Je m'en passerais bien.

— Mais alors, pourquoi nous n'allons pas loger chez Belinda ? proposa la princesse. J'aime bien Belinda. C'est une poule super sexy. Elle peut m'apprendre comment faire avec les garçons. Les nonnes ne nous apprenaient rien. Elles disaient que tout ce qui se fait avec les hommes est péché. Même penser à eux est un péché.

— D'après ce que j'ai pu observer, vous vous êtes plutôt bien débrouillée avec eux jusqu'à présent, dis-je, me rappelant la façon dont elle s'était enroulée autour de Darcy quand ils avaient dansé ensemble. Et n'oubliez pas que vous êtes une princesse. On attend de vous que vous restiez vierge jusqu'à votre mariage.

— Calembredaines, répliqua-t-elle.

Un terme intéressant que je n'avais jamais entendu avant ce jour. Je n'aurais même pas su dire s'il s'agissait d'un gros mot.

— Quoi qu'il en soit, nous n'irons pas nous installer chez Belinda. Elle n'a qu'une chambre à coucher. La dernière fois, j'ai été forcée de dormir sur son sofa, et autant vous dire que c'était rudement inconfortable.

— J'ai faim, se plaignit Hanni. Prenons le thé. J'aime bien prendre le thé. C'est un bon moment. Quand je rentrerai en Allemagne, j'obligerai tout le monde à prendre le thé.

— Je ne crois pas que la famille royale de Bavière soit encore assez puissante pour obliger les gens à faire quoi que ce soit, répondis-je, amusée par la manière dont elle avançait son petit menton.

— C'est vrai, mais *Herr* Hitler sera bientôt notre nouveau dirigeant, et il m'aime bien. Il dit que je ressemble à une jeune fille aryenne en bonne santé.

C'était en effet le cas.

Elle afficha un sourire de sainte-nitouche.

— Alors si je lui dis : « S'il vous plaît, obligez tout le monde à prendre le thé en Allemagne », il répondra : « *Jawohl, mein Schatz.* D'accord, mon trésor. »

— Bon, très bien, m'esclaffai-je. Sonnez les domestiques et demandez si nous pouvons prendre le thé un peu plus tôt que d'habitude. Dites à Spinks que nous nous installerons dans le petit salon, cette pièce est plus agréable.

Nous venions de nous asseoir et j'étais en train de faire le service quand mon grand-père réapparut.

— Désolé de vous déranger, lady Georgiana, commença-t-il de son ton le plus solennel, mais un policier de Scotland Yard souhaiterait vous parler, à vous et à Son Altesse. Je l'ai conduit dans le salon.

— Merci, Spinks, dis-je. Est-ce de nouveau l'inspecteur Sugg ?

— Non, lady Georgiana. Cette fois, c'est son supérieur. Voici sa carte.

Il s'approcha et me la tendit.

— Le commissaire Burnall ! m'exclamai-je, puis je baissai la voix. C'est lui qui a essayé de faire pendre Binky. Et je continue de me demander si c'est vraiment un gentleman. Comme je n'ai pas reconnu les couleurs de sa cravate, j'ignore quelle école il a pu fréquenter.

— Il n'y a pas de quoi lui en tenir rigueur. Ce qui compte, c'est de savoir si c'est un bon flic.

— Il ne s'est pas montré très futé la dernière fois, mais n'importe qui est préférable à l'affreux Sugg. Son rêve le plus cher est de me reconnaître coupable d'un crime, n'importe lequel. Je le soupçonne d'être communiste, ajoutai-je avant de me lever. Navrée, Hanni, il nous faut pour l'heure renoncer à notre thé. Je suis sûre que c'est une simple formalité. Vous n'avez pas à vous inquiéter.

Sur ces mots, j'arborai une mine joyeuse et me rendis au salon d'un pas assuré. Debout près de la cheminée, le commissaire Burnall examinait les figurines de porcelaine Spode. À notre entrée, il se retourna, semblable au souvenir que j'avais gardé de lui : un homme grand, se tenant bien droit, dans un complet bleu marine bien taillé, avec une cravate dont je n'identifiai toujours pas les couleurs (à moins qu'il ne s'agisse d'une cravate régimentaire ?) ; il avait des cheveux noirs, grisonnants au niveau des tempes, et un visage aux traits distingués assortis d'une fine moustache à la Clark Gable. Il aurait pu tout aussi bien passer pour un officier de la Garde royale, un membre du Parlement ou un vendeur dans une boutique de vêtements pour hommes.

— Lady Georgiana, dit-il avec un petit salut de la tête très comme il faut. Je suis désolé de vous importuner de nouveau aujourd'hui.

— Cela ne me dérange absolument pas, commissaire. Voici Son Altesse la princesse de Bavière. Votre Altesse, puis-je vous présenter le commissaire Burnall de Scotland Yard ?

Je priai pour qu'elle ne s'exclame pas : « Salut, beau gosse ! » ou, pire encore : « Hello, mon vieux ! » Mais elle resta muette, se contentant de lui rendre son salut en inclinant gracieusement la tête.

— Asseyez-vous, je vous prie, dis-je en indiquant le sofa et les fauteuils.

— Je suis sûr que vous êtes consciente, lady Georgiana, du caractère extrêmement fâcheux du drame qui s'est produit ce matin à Wapping.

— Une mort est toujours un événement tragique, acquiesçai-je. Surtout celle d'un garçon si jeune, au futur si prometteur.

— Euh… tout à fait.

Il marqua une pause, comme s'il ne savait pas vraiment comment poursuivre.

— L'inspecteur Sugg m'a mis au courant de l'affaire et j'ai cru comprendre que c'était vous, Votre Altesse, qui aviez découvert le corps.

— Oui, répondit Hanni. Parce que j'ai monté l'escalier avant lady Georgiana.

— La victime gisait dans l'une des allées latérales, très mal éclairées, reprit le commissaire. Je me demande par conséquent comment vous avez pu trouver le corps si vite après être arrivée à l'étage. Vous avez en effet expliqué que vous étiez tombée sur lui presque immédiatement, n'est-ce pas ?

— C'est parce que le couteau traînait par terre, répliquai-je. La princesse l'a heurté de son soulier et, intriguée, s'est penchée pour le ramasser. C'est alors qu'elle a levé les yeux et découvert le corps de M. Roberts.

— Je préférerais que la princesse réponde elle-même, dit Burnall.

— Je suis arrivée juste derrière elle, précisai-je.

— Et vous, qu'avez-vous vu ?

— Je l'ai trouvée avec le couteau à la main. Elle semblait profondément choquée.

— Ce qui nous amène à une question intéressante, dit le commissaire en me regardant fixement. Pourquoi le meurtrier a-t-il lâché l'arme sur le sol ?

— J'imagine qu'il lui a fallu partir à la hâte, suggérai-je. Je crois que M. Solomon ne s'était absenté qu'un instant pour aller livrer un livre. Si le tueur se trouvait déjà sur les lieux, caché quelque part dans la librairie, il a dû vouloir en profiter pour se précipiter à l'étage et surprendre M. Roberts, puis se sauver avant le retour de M. Solomon. Il ne fallait évidemment pas que quelqu'un l'aperçoive en train de courir dans la ruelle avec un couteau ensanglanté à la main.

— Justement, il y a un autre point intéressant, reprit Burnall. Le mendiant assis au coin de la rue n'a vu personne s'enfuir avant votre arrivée, mesdemoiselles.

— Dans ce cas, le meurtrier a dû fuir en passant ailleurs.

— Si je ne m'abuse, il n'y a pas d'autre itinéraire possible. La ruelle est une impasse. La librairie possède bien un grenier, avec une petite fenêtre par laquelle une personne athlétique pourrait se faufiler pour atteindre le toit…

— Vous voyez, c'est une possibilité, l'interrompis-je.

Le commissaire secoua la tête.

— Quelqu'un d'athlétique et d'audacieux pourrait certes s'y aventurer, mais il lui faudrait ensuite sauter près de deux mètres au-dessus du vide pour atteindre le toit suivant.

— Une fuite aurait donc été possible, conclus-je.

— Oui, mais improbable. À en juger par la poussière accumulée dans le grenier, la lucarne n'a apparemment pas été ouverte depuis un certain temps.

— Nous n'avons croisé personne, en tout cas. Et nous n'avons rien vu ni entendu en entrant dans la librairie.

— M. Solomon affirme pourtant que le meurtre n'a pu survenir que quelques instants avant votre arrivée.

— C'est exact, acquiesçai-je. Le sang continuait de se répandre sur la chemise de la victime, et son corps était encore tiède.

— Ce qui m'amène à la question suivante, tout aussi intéressante. Qu'étiez-vous venues faire au juste dans cette boutique, mesdemoiselles ?

— Nous avons déjà répondu à tout cela, rétorquai-je en m'efforçant de contenir mon irritation.

Une lady est toujours maîtresse de ses émotions, ainsi que ma gouvernante me l'avait scandé à maintes reprises, mais j'avais déjà enduré tant de choses ce jour-là que j'étais littéralement à fleur de peau.

— Hier, Son Altesse a croisé une connaissance au British Museum. C'était M. Roberts. Il l'a invitée à découvrir la librairie où il était employé.

— Où l'aviez-vous rencontré auparavant ? demanda Burnall.

— À Hyde Park et ensuite à une fête, dit Hanni.

— Quand êtes-vous arrivée en Angleterre, Votre Altesse ?

Hanni plissa son petit nez délicat.

— Il y a une semaine.

— Ce qui signifie que vous avez été mêlée, en seulement quelques jours, à nombre de péripéties. Vous vous êtes rendue à une soirée lors de laquelle un homme est tombé d'un balcon. Vous avez fait la connaissance d'un garçon au parc, puis l'avez vu de nouveau au musée avant d'aller le retrouver sur son lieu de travail, où vous avez découvert son corps sans vie.

Il croisa les jambes et se pencha plus près de la princesse.

— J'ignore comment les choses se passent dans votre pays, mais elles sont généralement moins tumultueuses dans le nôtre.

— Tumultueuses ? répéta Hanni, sans comprendre.

— Je veux dire que la vie est beaucoup plus paisible ici, qu'il y a peu de violence et d'agitation. N'est-ce pas, lady Georgiana ?

— D'ordinaire, oui.

— Dans ce cas, comment expliquez-vous que cette apparente éruption de gangstérisme ait coïncidé avec l'arrivée de Son Altesse dans notre pays ?

Oh, non ! J'aurais préféré qu'il ne s'exprime pas de la sorte. Jusqu'à cet instant, il ne m'était jamais venu à l'idée d'associer la passion d'Hanni pour les films de gangsters américains à tous les incidents étranges qui s'étaient produits. Je passai rapidement en revue les différents événements de la semaine. Lorsque Tubby avait chuté du balcon, Hanni n'était pas présente. Quant à poignarder Sidney Roberts... ma foi, c'était parfaitement ridicule. D'une part, elle n'en aurait pas eu le temps : j'étais arrivée juste derrière elle. D'autre part, je l'avais trouvée complètement abasourdie. Et pour finir, pourquoi aurait-elle voulu tuer un jeune homme inoffensif qu'elle trouvait attirant ?

— Vous ne suggérez tout de même pas que Son Altesse serait un gangster œuvrant masqué, monsieur le commissaire ? demandai-je.

Il lâcha un petit rire nerveux et toussotant.

— Grands dieux, non ! Admettez toutefois qu'il y a là une curieuse coïncidence.

— Je suis d'accord, mais c'en est vraiment une, je vous assure. Vous ne pouvez pas penser un seul instant que la princesse et moi soyons mêlées au meurtre de M. Roberts.

— Je dois établir des faits, lady Georgiana.

— Dans ce cas, je vous suggère de relever les empreintes digitales laissées sur l'arme du crime et de rechercher la personne à laquelle ces empreintes appartiennent, plutôt que de nous importuner.

— Ah ! fit-il. Justement, chose curieuse, nous n'avons trouvé les empreintes que de deux personnes : les vôtres et celles de la princesse.

— Cela ne me surprend pas outre mesure, répondis-je. Un individu capable de se glisser dans un lieu sans se faire remarquer, de tuer vite et en silence est manifestement un professionnel et, en tant que tel, il devait porter des gants.

Burnall opina du chef.

— C'est une observation perspicace, car nous avons dans l'idée que ce crime a été commis par un assassin bien entraîné. Un rapide coup de couteau entre la troisième et la quatrième côte a permis à la lame de toucher le cœur avant d'être immédiatement retirée, afin que le sang puisse couler sans entraves. Ce pauvre garçon n'a sans doute pas compris ce qui lui arrivait. La mort a dû être instantanée.

Hanni lâcha une petite exclamation horrifiée.

— S'il vous plaît, taisez-vous. C'est trop affreux. Je n'arrête pas d'y penser. Ce pauvre Sidney, allongé par terre, et tout ce sang...

— Est-il vraiment indispensable de poursuivre cet entretien ? demandai-je. Vous bouleversez la princesse, et moi-même je me sens un peu nauséeuse.

— Je n'ai que quelques questions de plus, puis je vous laisserai tranquilles. Je suis curieux de savoir pour quelle raison vous teniez à retrouver ce jeune homme dans la librairie.

— Tel était le souhait de Son Altesse.

— Et Son Altesse aime-t-elle beaucoup les livres ?

Son sourire était presque narquois. Je me surpris à me demander si les policiers sont embauchés pour leur capacité à afficher des expressions agaçantes ou si c'est au fil de leur carrière qu'ils les acquièrent.

— Je crois que M. Roberts plaisait plutôt à Son Altesse, répondis-je en adressant un sourire rassurant à

Hanni. C'était un garçon très présentable et on ne peut plus gentil.

— Par conséquent, pourquoi ne pas lui avoir donné rendez-vous dans un endroit plus convenable ? Un salon de thé ou un restaurant situé dans un lieu respectable ?

— Si nous avions su où la librairie se trouvait exactement, je crois que nous nous serions abstenues de nous y rendre. Simplement, je ne connais pas encore très bien les différents quartiers de Londres.

— Si je vous ai posé cette question, reprit Burnall d'un air circonspect, c'est en raison de la particularité de cette librairie. On y trouve certes des livres anciens, mais c'est aussi un lieu de rencontre non officiel pour des individus aux tendances politiques très marquées à gauche. Vous y avez peut-être aperçu des opuscules ainsi que des affiches sur les murs.

— En effet.

— Quant à ce M. Sidney Roberts, vous affirmez qu'il était on ne peut plus gentil, mais vous serez sans doute étonnée d'apprendre qu'il avait sa carte du Parti communiste. Il était à jour de sa cotisation et militait activement. Depuis un an, il s'occupait des syndicats, organisait des grèves et des manifestations, et tenait une rubrique dans le *Daily Worker*[1].

— Nous savions qu'il était communiste. Nous avions fait sa connaissance au Speakers' Corner, à Hyde Park, où il distribuait des tracts pour son parti.

— Et vous pensiez que c'était une cause noble ? Vous étiez sur le point de vous débarrasser de votre château et d'aller vivre parmi les masses populaires, c'est ça ?

— En aucune façon, rétorquai-je, lui décochant un regard dont la reine Victoria aurait été fière – ce n'est pas pour rien que je suis son arrière-petite-fille. Ainsi que je vous l'ai dit, la princesse Hannelore souhaitait revoir

---

1. Quotidien fondé par le Parti communiste de Grande-Bretagne en 1930, rebaptisé *The Morning Star* en 1966. *(N.d.T.)*

M. Roberts, et c'était son apparence, plus que ses convictions politiques, qui la motivait.

— Il y aura évidemment une information judiciaire pour établir la cause du décès, ce qui pose un problème épineux, dit le commissaire avant de marquer une pause et de s'adresser à Hanni : Votre Altesse, vous n'avez peut-être pas conscience de la situation fâcheuse dans laquelle vous nous avez plongés. Il ne vous est probablement pas venu à l'esprit que, dans votre pays, les communistes et les fascistes sont des ennemis mortels. Le parti nazi a pour l'instant fait une percée au Parlement allemand, mais sa victoire n'est pas assurée. Les communistes s'efforcent de provoquer une crise qui pourrait leur permettre de s'emparer du pouvoir.

— Ce n'est pas comme si nous comptions adhérer au Parti communiste, commissaire, intervins-je. Du reste, j'ai toujours cru comprendre que vivre dans un pays libre comme la Grande-Bretagne présentait des avantages, étant donné que chacun a le droit d'exprimer ses opinions, quand bien même elles seraient ridicules ou extrêmes, sans être inquiété par les autorités.

— Bien entendu. Mais ce n'est pas la Grande-Bretagne qui importe dans cette affaire, c'est l'Allemagne. Je dois vous dire que l'équilibre est en ce moment délicat entre l'extrême droite fasciste et les communistes. Il existe aussi en Bavière un mouvement puissant qui envisage de restaurer le père de Son Altesse et d'en faire une force contre les nazis. Quand l'Allemagne apprendra que la princesse était de mèche avec des communistes, je crains que certains n'y voient là une provocation – une tentative d'ébranler le Parlement. Des guerres ont éclaté pour moins que ça.

Je ris avec embarras.

— Vous essayez de nous dire que l'Allemagne pourrait nous déclarer la guerre parce que la princesse s'est rendue dans une librairie communiste pour y retrouver un jeune homme ?

— Lequel a été tué dans ce lieu. Elle est peut-être mêlée à ce crime.

— Bien sûr que non. C'est ridicule ! rétorquai-je sèchement.

— Georgie, est-ce que cet homme pense que j'ai tué Sidney ? demanda Hanni d'une voix apeurée. Je ne sais pas poignarder quelqu'un, et j'aimais bien Sidney. Je voulais avoir l'occasion de parler avec un garçon loin de la cour, loin de la baronne, qui me refuse tout. Chez moi, il y a toujours quelqu'un pour me dire ce que je dois faire et dire. Ici, je croyais que j'étais libre.

— Vous l'avez, votre réponse, commissaire, repris-je. Son Altesse sort tout juste du couvent. Elle a dix-huit ans. Bavarder avec des jeunes hommes est pour elle une nouveauté. Quant au meurtrier de M. Roberts, vous avez dit vous-même que les fascistes et les communistes se battent constamment. Nous en avons été témoins à Hyde Park, il y a quelques jours. Un affrontement horrible avec des Chemises noires. Peut-être devriez-vous chercher l'assassin parmi leurs rangs.

— Nous remuerons ciel et terre pour le trouver, croyez-moi, lady Georgiana, affirma Burnall en se levant. Merci de m'avoir reçu. Comme je vous l'ai dit, vous serez probablement convoquée afin de témoigner lors de l'enquête judiciaire. Prévoyez de rester à Londres, je vous prie. Dès que nous aurons une date, nous vous avertirons.

Sur ces mots, il prit congé avec un bref signe de tête.

21.

— C'est grave, Georgie, dit Hanni. Mon père se mettra en pétard quand il apprendra la nouvelle.

— En pétard ? Où avez-vous appris cette expression ?

— C'est votre cuisinière, Mme Huggins. L'autre jour, votre majordome était énervé et elle lui a dit : « Va pas te mettre en pétard ! » J'aime bien cette expression.

— Peut-être, mais je vous déconseille de l'employer en public, surtout à la cour.

Une lueur amusée passa sur le visage de la princesse.

— D'ac'. Mon père sera furieux, de toute manière. Il m'ordonnera de rentrer immédiatement en Allemagne.

— J'irai voir la reine, annonçai-je. Nous nous plierons à sa décision.

— Oh, super ! J'aime les visites au palais. Je viendrai avec vous.

— Mieux vaut que je m'y rende seule, cette fois. Nous allons discuter de votre avenir et cela risque d'être délicat. Vous devriez aller chez la baronne, pour le moment. Je vous y emmènerai moi-même.

— Plus rien ne va comme je veux, se plaignit Hanni.

— Maintenant, vous comprenez peut-être que vos gangsters ne mènent pas des vies aussi fascinantes que vous le pensiez, ne pus-je m'empêcher de faire observer.

— Si j'avais une mitraillette, je ferais sauter la cervelle de ces horribles policiers.

— Hanni, pour l'amour du ciel ! Ne parlez jamais de la sorte devant qui que ce soit, même pour plaisanter. Vous êtes la suspecte principale dans une affaire de meurtre.

— La police ne peut pas me faire trinquer à la place d'un autre.

— Cessez d'employer votre argot de gangster. Je vous l'interdis formellement. Dorénavant, vous devez vous comporter et vous exprimer comme une princesse en toutes circonstances. Vous avez entendu ce que le commissaire a dit : des guerres ont éclaté pour moins que ça.

— C'était juste pour rire, Georgie. Parce que j'ai peur.

— Je suis moi-même un peu effrayée, avouai-je. Mais la police est partie, à présent. Nous sommes à la maison, en sécurité, et rien ne peut nous arriver ce soir.

On toqua à la porte du salon, et mon grand-père apparut.

— La baronne Rottenmeister, lady Georgiana, annonça-t-il d'un ton solennel.

L'intéressée entra dans la pièce, l'allure majestueuse, pareille à un ange exterminateur, sa cape noire flottant derrière elle. Si elle avait eu des fusils à la place des yeux, Hanni et moi aurions été tuées sur-le-champ.

— Qu'avez-vous fait, espèces de jeunes idiotes ? demanda-t-elle d'une voix tonitruante. Le secrétaire personnel de la reine m'a téléphoné à propos de l'événement tragique de ce matin. Naturellement, je n'étais pas au courant, puisque je n'étais pas là. J'ai alors appris qu'un homme avait été assassiné et que la police soupçonnait Son Altesse.

Elle lança un regard noir à Hanni.

— Je vous laisse seule pendant deux jours. Vous m'avez suppliée, en me disant que vous souhaitiez rester avec lady Georgiana. Vous avez affirmé qu'elle était responsable, qu'elle veillerait sur vous. Je vous ai crue et j'ai pensé à mon petit confort. Je suis maintenant profondément honteuse. J'avais le devoir de rester auprès de vous, en dépit des grands inconvénients à vivre dans cette maison. Je n'aurais pas dû vous laisser un seul instant. J'aurais dû vous accompagner à la fête. J'aurais dû venir ce matin avec vous. Rien de tout cela ne se serait produit.

— Le jeune homme aurait de toute manière été tué, répliquai-je, même si vous nous aviez accompagnées.

— Sa mort m'est bien égale !

Le visage de la baronne était à présent cramoisi de colère. Manifestement, sa gouvernante ne lui avait jamais appris qu'une lady doit toujours être maîtresse de ses émotions.

— Ce qui m'importe, c'est l'honneur de votre famille, Hannelore. Et l'honneur de l'Allemagne.

Elle marqua une pause théâtrale.

— Il ne me reste qu'une chose à faire. Je vais écrire à votre père et attendre ses ordres. Et je m'installe de nouveau dans cette maison dès maintenant. Je suis prête à sacrifier mon confort et mon bonheur pour le bien de la famille royale de Bavière et de mon pays.

À l'entendre, on aurait pu croire qu'elle était contrainte de partir en expédition au pôle Nord et de se nourrir exclusivement de graisse de phoque. Rannoch House n'est pourtant pas un lieu aussi déplaisant que cela en été.

— Je compte aller voir Sa Majesté la reine dès qu'elle m'aura sommée de me rendre au palais, expliquai-je. Elle décidera quelle ligne de conduite il vaut mieux adopter. Il serait sans doute plus sage que la princesse rentre immédiatement en Allemagne.

— Pas question, objecta Hanni, furieuse.

— Hannelore, la situation a assez duré, reprit la baronne. Vous devez vous rappeler que vous êtes une princesse. Comportez-vous et exprimez-vous désormais dignement. Montez directement dans votre chambre et écrivez une lettre à votre père afin de vous excuser de votre attitude irréfléchie.

Elle termina sa phrase en allemand, mais je crus comprendre l'essentiel. Puis elle se tourna vers moi.

— Quant à vous, lady Georgiana, ayez l'obligeance de demander à votre cuisinière de me préparer un repas qui ne soit pas mauvais pour ma digestion. Quand bien même, avec tous ces soucis, je ne pourrai certainement pas avaler une bouchée.

Je descendis à l'office pour donner des instructions à Mme Huggins.

— Sa digestion ? s'étonna celle-ci, les mains posées sur ses larges hanches. J'ai pas remarqué qu'elle avait des problèmes de ce côté-là. C'est une vraie goinfre, si vous voulez mon avis. Et elle est vache, avec ça. Pour qui elle se prend, cette fichue bonne femme ? Me donner des ordres, à votre grand-papa et à moi, comme si elle était la reine d'Angleterre ! « Faites ci, faites ça. » J'ai bien envie d'aller lui dire que c'est elle l'étrangère, que je suis chez moi à Londres et que j'autorise personne à me parler comme à un chien.

— Je vous comprends, madame Huggins. Je sais que c'est affreux, et je vous suis extrêmement reconnaissante pour tout. Vous êtes une perle. Et vous cuisinez à merveille.

Elle rougit avec modestie.

— Ma foi, merci beaucoup, lady Georgiana. Ça me fait plaisir de vous aider. Mais vous savez combien de temps on va devoir encore endurer ça ? Vot' grand-papa commence à s'agiter, son potager et sa routine lui manquent. Même s'il vous dit rien, vu qu'il se plierait en quatre pour vous, je vois bien que ça commence à lui courir sur le haricot.

— Espérons que tout sera bientôt terminé, madame Huggins.

— C'est pas le ménage et la cuisine qui m'embêtent, poursuivit-elle. Ça m'a jamais dérangée de travailler dur.

J'y suis habituée, vous savez. Mais c'est ces gens. La baronne, laide comme un pou, et puis cette bonne, Hildegarde ou je ne sais pas quoi, qui rôde dans la maison sans jamais dire un mot, et qui se contente de nous fixer quand on s'adresse à elle dans notre bon anglais. Sans parler de cette Mildred que vous avez embauchée. Une sacrée bêcheuse, celle-là. Elle se ramène à l'office pour nous raconter que c'était beaucoup mieux chez les aristos pour qui elle a travaillé. « Il n'y a pas plus aristo que lady Georgiana, je lui ai dit. Elle appartient à la famille royale. S'il y avait une autre épidémie de grippe et qu'ils mouraient tous autant qu'ils sont, elle pourrait bien devenir reine, vous avez intérêt à pas l'oublier. »

Je lui souris affectueusement.

— Ne me souhaitez pas une chose pareille. Du reste, il faudrait vraiment une épidémie de grande ampleur. Je suis la trente-quatrième prétendante au trône.

— Bref, ce que je voulais vous dire, c'est qu'on va tenir bon pour vous faire plaisir, mais faudrait pas que ça dure trop longtemps.

— Je comprends parfaitement, madame Huggins. Je suis plutôt du même avis que vous. La princesse est une fille charmante à bien des égards, mais j'ai l'impression de m'occuper d'un jeune chien espiègle. Elle est complètement imprévisible. Et elle n'a aucune idée de la manière dont elle est censée se comporter.

J'entendis un bruit de pas approcher et je levai les yeux, me sentant un peu coupable, mais ce n'était que mon grand-père.

— Le vieux dragon est donc de retour, à ce que je vois, grommela-t-il. Il a fallu que je me coltine une pile de bagages jusqu'à sa chambre. Que diable fait-elle avec tout ce fatras ? Elle est tout le temps vêtue de noir, de toute façon. Et elle est d'une humeur massacrante ! « Faites ceci, mais pas comme ça. » J'ai eu le plus grand mal à tenir ma langue. Je vais te dire une chose, Georgie, je suis pas fait pour servir qui que ce soit. Je l'ai jamais été.

— Il n'y en a plus pour longtemps, grand-papa. J'ai contacté le palais, et j'espère avoir une audience avec Sa Majesté dès demain.

— Plus tôt elles repartiront en Allemagne, mieux ce sera, voilà ce que j'en dis, marmonna Mme Huggins. Bon débarras !

— Je dois reconnaître que je serai soulagée de les voir quitter Londres, dis-je. Quant au dîner, pourriez-vous préparer quelque chose que la baronne digérera facilement ?

— Que diriez-vous d'un bon plat de pieds de porc ? proposa-t-elle.

Je n'aurais su dire si elle plaisantait, n'ayant moi-même jamais goûté à cette partie du cochon. Avant que je puisse répondre, mon grand-père lui donna un coup de coude dans les côtes.

— Arrête ton char, Hettie !

L'intéressée partit d'un gloussement asthmatique.

— Ou un bon plat d'anguilles en gelée ? ajouta-t-elle, moqueuse.

— Si elle veut quelque chose de nourrissant, pourquoi pas du bacon et du foie ? suggéra mon grand-père une fois que Mme Huggins eut cessé de rire. Tout le monde aime ça. Il n'y a pas plus rassasiant, pour sûr. Et un entremets au lait pour terminer ?

— Bonne idée, déclara Mme Huggins. Ça vous va, lady Georgiana ?

— Ce sera parfait.

Je quittai l'office, et mon grand-père me suivit.

— Alors, qu'est-ce qu'il te voulait, ce commissaire ? me demanda-t-il doucement. C'était une simple visite de routine, hein ?

— Justement, non, répondis-je avec un soupir. Il semble croire que nous avons peut-être provoqué un grave incident diplomatique. Si Hanni est mêlée à une sorte de complot communiste, le gouvernement allemand profasciste pourrait y voir un affront. Une tentative d'amener la princesse à soutenir l'opposition, pour ainsi dire.

— C'est foutrement idiot, marmonna-t-il avant de me regarder d'un air coupable. Désolé, je voulais pas être grossier, ça m'a échappé. La police pense donc que la mort de cet homme a un rapport avec les activités des communistes, c'est ça ?

— La victime, Sidney Roberts, était un membre actif du parti.

— Ça alors ! Décidément, elle sait les choisir, ta princesse allemande, pas vrai ? Où diable l'avez-vous rencontré, ce communiste ?

— Au Speakers' Corner de Hyde Park. Nous l'avons ensuite revu à une fête.

— Le soir où un type est tombé du balcon ?

— Oui, celle-là même.

— Bon Dieu. C'est à se demander s'il n'y a pas un lien entre ces deux morts, hein ?

— C'est impossible. J'étais sur le balcon, grand-papa. J'ai vu Tubby, complètement ivre, basculer en arrière et chuter dans le vide.

— Et ce Tubby, c'était aussi un communiste ?

Je m'esclaffai.

— Grands dieux, non ! Sa famille possède la moitié du comté du Shropshire.

— Si tu le dis, ma chérie. Mais je peux t'assurer une chose : si j'étais encore policier, je me renseignerais de près sur cette fête, histoire de savoir qui était présent et ce qui s'est passé. Si ça se trouve, le meurtre de ce Sidney Roberts n'a rien à voir avec ses idées politiques. Il y a probablement une explication plus banale – ce jeune homme s'est peut-être mis à fréquenter une mauvaise clique.

— Dans ce cas, espérons que la police fera rapidement toute la lumière sur cette affaire. Cela serait un grand soulagement pour moi.

Je me tus un instant, puis une pensée me vint à l'esprit.

— Dis-moi, grand-papa, pourrais-tu t'en occuper de ton côté ? Je sais que tu as pris ta retraite depuis un bon moment, mais tu dois encore avoir des relations. Et par le passé, tu as travaillé dans ce quartier de Londres, il me semble ? Tu pourrais par exemple poser quelques questions et découvrir si des rumeurs circulent à propos de gangs.

— Je ne sais pas trop. Ça fait un bout de temps, mon canard, et je suis plutôt occupé à faire le larbin pour tes deux dames teutonnes.

— Oui, j'en ai conscience. Mais les choses s'arrangeront peut-être dès demain. La reine décidera sans doute de les renvoyer aussitôt chez elles, ou bien elle les invitera à séjourner au palais, et nous pourrons respirer de nouveau.

— Espérons-le, ma chérie. Espérons-le.

Je montai à l'étage afin de me changer pour le dîner. Une fois dans ma chambre, j'écoutai les bruits qui venaient de Belgrave Square par les fenêtres ouvertes. Des enfants jouaient dans le jardin situé au centre de la place. Leurs petites voix haut perchées se mêlaient aux chants des oiseaux et aux sons étouffés de la circulation. Tout semblait tellement joyeux, normal et sécurisant. Et pourtant des reporters s'attardaient encore près des grilles, me rappelant que la situation n'avait absolument rien de normal ni de sécurisant. Pourquoi avions-nous malheureusement décidé de nous rendre à la librairie à cet instant critique ? Si nous étions arrivées quelques minutes plus tôt, peut-être aurions-nous pu empêcher le meurtre de Sidney. Quelques minutes plus tard, et quelqu'un d'autre aurait découvert son corps.

Je réfléchis à cette hypothèse. Le meurtrier avait-il fait coïncider son acte avec notre arrivée afin que la police nous soupçonne ? Et s'il s'agissait d'un ami ou d'une connaissance de Sidney Roberts, et que celui-ci lui avait confié qu'une princesse étrangère comptait lui rendre visite ce matin-là ? C'était le genre de rendez-vous dont un jeune homme aurait pu se vanter. Sidney l'avait peut-être même mentionné au café, et quelqu'un l'avait entendu en parler.

Le mendiant assis à l'entrée de la ruelle n'avait vu personne s'y engager ou la quitter. Et si le meurtrier s'était déjà trouvé là ? Peut-être était-il employé dans l'un des immeubles adjacents. Il lui avait alors suffi de s'introduire dans la librairie sans se faire remarquer, ce qui avait dû être assez facile, puis de guetter notre arrivée dans la ruelle avant d'aller commettre son crime et de se faufiler hors du magasin pour rejoindre l'immeuble où il travaillait. Personne ne s'en serait rendu compte, surtout s'il était un habitué des lieux. Il aurait échappé à notre attention tandis que nous observions les enseignes des autres boutiques. Et même si nous l'avions brièvement aperçu, nous n'aurions pas fait attention à lui, occupées que nous étions à chercher la librairie.

C'était à cela que la police aurait dû être en train de s'occuper – interroger les employés des immeubles jouxtant le magasin de M. Solomon. Peut-être fallait-il que je suggère à mon grand-père d'aller poser quelques questions dans le voisinage. Je pouvais même m'y rendre de mon côté afin d'aller fouiner ; encore fallait-il que je réussisse à me débarrasser de la princesse et… Quelle idée ! En quoi cela me concernait-il ? C'était à la police de résoudre cette affaire. Je n'étais qu'un témoin innocent. Pourquoi m'inquiéterais-je ?

Mais alors, pour quelle raison des nœuds se formaient-ils ainsi dans mon ventre ? La police me harcelait, la baronne cherchait à m'intimider, et j'aurais avec la reine une entrevue imminente, lors de laquelle elle me ferait part de son extrême mécontentement. Si j'avais été raisonnable, j'aurais pris le prochain train pour l'Écosse et laissé tout le monde se débrouiller sans moi. Mais les Rannoch ne fuient jamais. C'était une autre sage devise que ma nourrice, puis ma gouvernante m'avaient inculquée dès mon plus jeune âge. Elle allait de pair avec les récits de mes aïeux qui avaient tenu bon lorsque déferlaient sur eux des hordes d'Anglais – ou de Turcs, ou bien de Français ou encore d'Allemands, selon le champ de bataille. Tous ces récits s'achevaient sur le massacre d'un Rannoch en particulier, et leur morale n'était par conséquent guère propre à réchauffer le cœur.

Qu'aurait fait l'une mes ancêtres dans la situation présente ? Se serait-elle laissé intimider par une baronne allemande, un policier au sourire narquois et la reine d'Angleterre ? Si j'avais eu sous la main ma fidèle claymore, je les aurais tous occis d'un seul coup, me dis-je en souriant. Il était grand temps que j'apprenne à me défendre et que ces gens sachent qu'on ne peut pas malmener une Rannoch.

On frappa à la porte de ma chambre, et je sursautai.

— On te demande au téléphone, m'annonça mon grand-père à voix basse, car Mildred rôdait dans les parages. C'est le palais.

22.

Rannoch House
Samedi 18 juin 1932

> *Cher journal,*
> *Temps : morose. Ciel couvert, annonciateur de pluie.*
> *Humeur : tout aussi morose. Je suis attendue au*
> *palais juste après le petit déjeuner.*

Lorsque Mildred m'apporta le *Times*, je le parcourus attentivement. Je n'y trouvai qu'un entrefilet : *La police enquête sur un meurtre commis dans le quartier des docks. Le corps poignardé d'un jeune homme a été découvert hier dans la librairie Haslett's où il était employé, tout près de la grand-rue de Wapping. La police attend les témoignages de quiconque se trouvait dans les parages autour de dix heures et demie hier matin.*

Dieu merci, nous n'étions pas nommées. C'était le *Times*, évidemment. Qui sait ce que le *Daily Mirror* et d'autres journaux à scandale avaient pu raconter ?

Le petit déjeuner fut des plus lugubres. J'eus du mal à avaler quoi que ce soit. Même la baronne s'abstint de se resservir en bacon et en œufs. Nous étions toutes conscientes du sort sinistre que l'on nous réservait peut-être. J'avais hâte de m'en aller pour le palais et d'en finir avec tout cela. Je laissai même Mildred choisir ma tenue pour mon entrevue avec la reine. Elle était très excitée, fière que je lui confie cette tâche.

— Vous vous rendez au palais… il vous faut bien entendu afficher une élégance discrète. C'est l'occasion ou jamais de porter votre rang de perles, lady Georgiana.

Le fait que je l'autorise à passer elle-même le collier autour de mon cou montrait à quel point j'étais tendue. De toute ma vie, je n'ai jamais porté de perles en journée de mon plein gré. Je partis à neuf heures et demie après avoir obtenu de la baronne l'assurance qu'elle ne permettrait pas à la princesse Hannelore de quitter la maison, sous quelque prétexte que ce soit ; je fis également promettre à mon grand-père-majordome qu'il n'ouvrirait à personne. Je nouai un fichu sur ma tête en espérant ne pas être reconnue et me dépêchai de gagner Buckingham.

Je fus tentée d'emprunter l'entrée dérobée, le long du mur de brique, et de pénétrer dans le palais par un corridor de l'office qui passait devant les cuisines, mais je décidai, en cette occasion précise, d'agir selon les règles afin que Sa Majesté la reine ne trouvât rien à redire à ma conduite. Je rassemblai donc mon courage, traversai la cour des Ambassadeurs et sonnai à l'entrée habituelle des visiteurs. Je connaissais déjà le vieux gentleman distingué qui m'ouvrit, pour l'avoir rencontré un jour que je m'étais faufilée dans un couloir. Je n'avais jamais réussi à savoir qui il était ni quelle fonction officielle il assurait, et je ne pouvais tout de même pas le lui demander. Sans doute n'était-il qu'un vulgaire page, seulement chargé d'ouvrir les portes. Il arborait toutefois les manières affectées d'un serviteur occupant un poste important.

— Ah, lady Georgiana, est-ce bien cela ? dit-il en s'inclinant légèrement. Sa Majesté la reine vous attend. Puis-je vous escorter jusqu'à elle ?

Sans attendre de réponse, il me conduisit dans l'escalier qui menait au *piano nobile*. À cet étage, tout était de grande envergure : moquette luxueuse, murs couverts de tapisseries, colonnes de marbre et statues un peu partout, couloirs qui paraissaient interminables. Tout autant que les bavardages du vieux serviteur.

— Il fait très froid pour un mois de juin, ai-je cru comprendre, bien que je n'aie pas encore mis le nez dehors aujourd'hui. Sa Majesté, qui fait toujours un tour dans les jardins le matin, a daigné dire à sa femme de chambre qu'il faisait « frisquet ».

— Oui, la journée est fraîche, répliquai-je, espérant enfin voir le bout de cet immense corridor.

Il finit par s'immobiliser devant une porte – fort heureusement, car nous avions épuisé les sujets de conversation sur le temps qu'il faisait et les chances des joueurs anglais lors du prochain tournoi de Wimbledon. Il se retourna pour s'assurer que j'étais prête, puis frappa.

— Lady Georgiana est arrivée, Votre Majesté, annonça-t-il.

Nous entrâmes ensemble et nous inclinâmes à l'unisson.

Debout devant une fenêtre, Sa Majesté contemplait les jardins. Une main élégamment placée sur la tenture de velours à glands, elle donnait l'impression de poser pour le prochain portrait royal. Elle se tourna vers nous et hocha gravement la tête.

— Ah, Georgiana. Merci, Reginald, vous pouvez disposer.

Le vieux monsieur sortit à reculons et referma silencieusement la porte derrière lui.

— Venez vous asseoir, Georgiana, dit la reine en traversant la pièce.

Elle désigna une chaise à dossier droit et un sofa tapissé de brocart. Elle choisit la chaise, et je pris dès lors place au bord de l'autre siège, face à elle. Elle m'étudia pendant un long moment ; j'attendais que tombât sur moi le couperet qui scellerait mon sort et qu'elle me dît par exemple : « Nous avons décidé de vous envoyer comme dame d'honneur d'une lointaine parente dans les îles Malouines. » Au lieu de quoi elle se contenta de soupirer, puis elle prit la parole :

— C'est une fâcheuse affaire, Georgiana.

— En effet, madame, et je m'excuse de vous avoir causé de l'embarras. Mais quand j'ai emmené la princesse visiter cette librairie, je ne me doutais nullement que nous faisions quoi que ce soit de stupide ou sortant de l'ordinaire, je vous assure. Si j'avais su que ce magasin était situé dans un quartier de Londres aussi peu respectable et qu'il était associé au Parti communiste, j'aurais refusé de m'y rendre.

— Comment avez-vous connu ce jeune homme, au juste ? Celui qui a été assassiné.

— À Hyde Park, madame.

— À Hyde Park ? répéta-t-elle avec la même intonation que la très guindée lady Bracknell dans *L'Importance d'être constant*[1]. Avez-vous pour habitude d'aborder des inconnus dans les parcs ?

— Bien sûr que non, madame. Son Altesse souhaitait voir le Speakers' Corner, et elle s'est mise à converser avec ce jeune homme qui distribuait des tracts.

— Des tracts communistes ?

— Oui, madame, mais c'était parfaitement innocent. Ce garçon s'exprimait bien et semblait plutôt agréable. Nous avons ensuite été étonnées de le revoir à l'occasion d'une fête donnée par des amis.

— Il faisait donc partie de votre cercle ?

— Je n'appartiens en réalité à aucun cercle. Mais il n'était pas issu de notre milieu, si c'est ce que vous souhaitez savoir. J'ai cru comprendre qu'il avait des origines modestes et qu'il avait pu faire ses études à Cambridge grâce à une bourse. C'est là-bas qu'il s'était lié d'amitié avec certains des jeunes hommes présents lors de cette soirée.

---

1. *The Importance of Being Earnest*, pièce d'Oscar Wilde, dont la première eut lieu en 1895 à Londres. *(N.d.T.)*

— Il était invité aux fêtes de Mayfair et pourtant il fréquentait également les communistes, est-ce exact ?

— Oui, je crois que c'était un fervent partisan socialiste, un idéaliste qui souhaitait améliorer les conditions de vie des travailleurs.

— C'est étrangement contradictoire, ne trouvez-vous pas ? Avec des convictions pareilles à propos du sort des ouvriers, il est curieux qu'il se soit abaissé à cautionner les folles dépenses de ses riches amis.

— Vous avez raison, madame. En fait, notre hôte a été surpris de le voir ce soir-là.

— Et cet hôte était... ?

— Augustus Gormsley, madame. Et je crois qu'Edward Fotheringay avait lui aussi lancé les invitations.

— Gormsley. Une famille d'éditeurs, il me semble.

— C'est exact.

— Ils ne sont pas communistes, c'est certain, dit la reine en pouffant. Le grand-père s'était fait bâtir la plus grosse horreur de l'Angleterre victorienne. En comparaison, Sandringham House ressemble à une chaumière de paysan.

— Le champagne et les cocktails ont en tout cas coulé à flots toute la soirée, ajoutai-je en souriant.

J'omis de mentionner la cocaïne. Je ne savais pas si cette substance pouvait se boire, ni si Gussie était impliqué. Peut-être s'était-il contenté de fermer les yeux.

— Qu'allons-nous faire, Georgie ? Là est la question. Nous avons contacté les propriétaires des journaux pour leur demander de s'abstenir de citer votre nom et celui de la princesse dans leurs articles pour le moment, et je suis certaine qu'ils s'y plieront – à l'exception du *Daily Worker*, naturellement. Nous n'avons absolument aucune influence sur ce qu'ils publient. Mais personne d'important ne lit ce journal, de toute manière. Malheureusement, dès que l'enquête judiciaire aura eu lieu, vos noms apparaîtront dans le rapport public, et nous ne pourrons pas nous y opposer. C'est extrêmement embarrassant, bien entendu. Surtout à l'heure actuelle, alors que les relations avec l'Allemagne sont si fragiles et que la situation de ce pays est elle-même si instable.

— La baronne Rottenmeister a déjà ordonné à Son Altesse d'écrire à son père ; elle va lui expliquer que nous avions accepté en toute bonne foi d'aller admirer des livres rares et que nous ignorions que la librairie avait des liens avec les communistes. Elle précisera que nous connaissions à peine ce jeune homme et que nous avons joué de malchance en arrivant à un moment aussi critique.

La reine opina du chef.

— Je me demande si je devrais téléphoner au roi de Bavière. Vu le quartier où cet affreux incident s'est produit, mieux vaudrait raconter que vous y faisiez de bonnes œuvres en faveur des pauvres.

— Ce serait en effet plus sage, acquiesçai-je. Cependant, j'ai déjà dit à la police que nous nous étions rendues dans cette librairie sur invitation de la victime.

— Qu'est-ce que cette librairie avait donc de si intrigant ?

— Ce n'était pas la boutique qui intéressait la princesse, madame, mais le jeune homme en question. Je crois qu'elle était tombée sous son charme.

— Oh, ciel ! À peine sortie du couvent, et déjà prête à tout pour rencontrer des garçons. D'après vous, que devrions-nous faire, Georgiana ?

Je fus décontenancée par cette question. Je m'étais imaginé qu'elle m'informerait de ce qui allait survenir, non qu'elle souhaiterait connaître mon opinion.

— Ne croyez-vous pas qu'il vaudrait mieux renvoyer immédiatement la princesse chez elle afin qu'elle n'ait pas à supporter les journalistes et l'enquête de police ? Son père ne voudra tout de même pas qu'elle endure tout cela.

La reine poussa un léger soupir.

— Mais alors, nous n'aurions aucune chance d'atteindre notre objectif, n'est-ce pas ? Nous n'avons pas encore trouvé l'occasion d'organiser une rencontre afin que David puisse voir Hannelore et s'entretenir tranquillement avec elle. Ce garçon est un cas désespéré. J'avais prévu de le placer à côté de la princesse lors de notre petit dîner, l'autre soir, mais il nous a faussé compagnie.

— Sans doute devrions-nous renoncer à cette cause et la déclarer perdue, madame. Le prince de Galles n'a pas montré le plus petit intérêt pour la princesse durant notre brève conversation.

— Ce garçon est un imbécile. Comment un homme pourrait-il s'intéresser davantage à une Américaine d'âge moyen, desséchée et méchante, qu'à une gentille et ravissante demoiselle ?

— J'ignore ce qui se passe dans la tête des hommes, madame.

— Je ne crois pas que cela ait quoi que ce soit à voir avec ce que David a dans la tête. Ni même avec le désir charnel. Elle a sur lui une emprise que je ne m'explique pas. Sans doute se lassera-t-il bientôt d'elle, mais je souhaiterais écraser cette liaison dans l'œuf, tant que cette femme a encore un époux auprès duquel elle peut retourner. Celui-ci pourrait tout de même intervenir, ne trouvez-vous pas ? Il devrait lui donner une bonne correction et la ramener au bercail – c'est ce que ferait tout jeune Anglais vigoureux.

Je l'écoutai en hochant poliment la tête.

— Très franchement, j'aimerais donner une dernière chance à notre projet, Georgie, poursuivit-elle. J'en ai discuté avec le roi, et je crois avoir une solution qui nous permettrait de faire d'une pierre deux coups, pour ainsi dire. Je sais que les Cromer-Strode reçoivent en ce moment des invités à la campagne – les connaissez-vous ?

— J'ai déjà rencontré leur fille, Fiona, mais je ne suis jamais allée chez eux.

214

— Dippings est une splendide demeure qui renferme de belles antiquités. Elle se trouve à deux pas de notre maison de Sandringham, dans le Norfolk.

Comment les Cromer-Strode avaient-ils réussi à conserver leurs objets d'art en vivant si près d'une résidence royale ?

— Le roi et moi partons pour Sandringham aujourd'hui en automobile. Mon époux a beaucoup trop travaillé ces derniers temps et il ne va pas bien du tout, Georgiana. Je l'ai donc persuadé de prendre quelques jours de congé. Et il adore Sandringham. C'est le seul endroit où il se sente vraiment à l'aise, je crois. Naturellement, nous serons obligés de rentrer à Londres pour la garden-party prévue la semaine prochaine, mais le voyage n'est ni trop long ni trop fatigant.

— Une garden-party ?

— L'une de ces épouvantables réceptions lors desquelles il nous faut inviter les masses laborieuses. Bon, ce n'est pas tout à fait exact, mais il s'agit de gens assommants comme le directeur du conseil d'administration des docks et celui des chemins de fer et divers membres du Parlement. Des personnes qui estiment être en droit de nous serrer la main une fois par an. Vous devrez venir avec la princesse Hannelore afin qu'elle découvre l'un des aspects traditionnels de la vie en Grande-Bretagne. Vous n'aurez qu'à rentrer à Londres en automobile avec nous depuis Sandringham.

— Merci, madame. Je suis certaine qu'elle en sera ravie.

— Espérons que le temps sera clément, cette fois. Il a fait si chaud l'an passé que j'ai trouvé fort désagréable de rester debout avec le soleil brûlant dans le dos.

Elle se tut. J'attendis qu'elle reprenne. Ses yeux étaient rivés sur le mur du fond de la pièce.

— Ces pièces de porcelaine de Worcester sont très belles, n'est-ce pas ? dit-elle en indiquant des objets bleu roi exposés dans une vitrine chinoise. Le reste de notre collection est à Sandringham. Je crois qu'il existe un bol orné des mêmes motifs, mais je n'ai pas encore réussi à en dénicher un. Si un jour vous en voyez un lors de vos séjours ici et là, faites-le-moi savoir...

Afin que vous puissiez fondre sur lui et l'arracher à son propriétaire, songeai-je. Tout le monde connaissait la passion sans bornes de Sa Majesté pour les objets d'art anciens, et elle n'avait pas le moindre scrupule à en acquérir par tous les moyens.

— Vous parliez de Sandringham, madame. Dois-je comprendre que vous souhaitez que nous vous y accompagnions ?

— Non, non, je ne pense pas que ce serait une bonne idée. Voyez-vous, David nous a laissé entendre qu'il s'y rendrait avec nous, et il pourrait s'imaginer que nous cherchons à le jeter dans les bras de la princesse. Cela aurait assurément l'effet inverse. Mais mes espions me disent que l'odieuse Américaine a réussi à se faire inviter à Dippings – lord Cromer-Strode a épousé une Américaine, vous savez, ce qui explique naturellement pourquoi, tout à coup, David s'intéresse tellement à Sandringham.

J'acquiesçai d'un signe de tête.

— Voici ce qui m'est venu à l'esprit : si vous et la princesse Hannelore participez à la partie de campagne de Dippings, David sera alors en mesure de faire la différence entre une jeune beauté et une vieille mégère.

— Mme Simpson est peut-être âgée et acariâtre, mais elle a des goûts vestimentaires exquis et elle est pleine de vivacité.

— Vous l'aimez donc bien, si je ne me trompe ?

— Je l'ai vraiment en horreur, madame. J'essaie juste de me montrer impartiale.

La reine me sourit.

— Qu'en pensez-vous, Georgiana ? Cette solution vous paraît-elle la meilleure ? Nous écarterons la princesse des feux de l'actualité en l'emmenant à Dippings, en sécurité, et nous laisserons les choses suivre leur cours.

— Cela me semble être un bon plan, madame, répondis-je, soulagée à l'idée qu'Hanni ne serait plus sous ma responsabilité dès notre arrivée à la campagne, mais sous celle des Cromer-Strode. La police nous a cependant ordonné de ne pas quitter Londres avant l'ouverture de l'enquête.

— De ne pas quitter Londres ? Quel toupet ! À croire que vous seriez susceptibles de déguerpir comme de vulgaires criminelles. Mon secrétaire informera les autorités que le roi et moi vous avons invitées à la campagne après votre fâcheuse aventure. Nous leur garantirons personnellement que vous serez ramenées à Londres en automobile si la police l'exige.

— Je vous remercie, madame.

— J'espère simplement que la police parviendra à faire toute la lumière sur cette sordide affaire aussi vite que possible. Si une conclusion satisfaisante est trouvée avant la date de l'enquête judiciaire, alors vous ne serez peut-être même pas contrainte d'apparaître en public. Et les journaux n'auront certainement rien à raconter.

— Espérons-le, madame.

Elle braquait de nouveau sur moi son regard d'acier, inflexible.

— Vous pourriez vous rendre utile, Georgiana.

— Comment cela, madame ?

— En élucidant ce meurtre. Vous êtes très perspicace. Et vous vous en êtes brillamment tirée lorsque votre frère a été accusé à tort d'un crime.

— J'ai résolu cette affaire surtout fortuitement, madame, et parce que j'étais en danger de mort.

— C'est absurde, vous êtes trop modeste, répliqua la reine. Vous m'avez extrêmement impressionnée. Le roi aussi l'a été. Je crois que vous seriez en mesure de découvrir le fin mot de cette sordide histoire plus rapidement que la police.

— Je ne pense pas que les autorités apprécieraient que je m'en mêle. Je ne vois pas comment je réussirais à fouiner ici et là et à poser des questions sans éveiller leurs soupçons.

— Votre grand-père a bien appartenu aux forces de l'ordre, me semble-t-il ?

— Oui, madame, il y a plusieurs années de cela, mais il n'était qu'un simple agent.

— Il saura néanmoins où poser des questions et qui interroger. J'ai du mal à croire que cela soit si compliqué, mais les inspecteurs paraissent tellement bornés. Et ils sont pareils à des chiens terriers... dès qu'ils ont une idée en tête, ils s'acharnent dessus et ne peuvent plus la lâcher.

Une autre pensée me vint à l'esprit.

— Madame, comment pourrais-je enquêter sur un meurtre qui a été commis à Londres si je me retrouve coincée dans le Norfolk ? lâchai-je brusquement, sans réfléchir au fait qu'il était sans doute impoli de m'adresser ainsi à la reine.

— Demandez à votre grand-père de faire le travail préliminaire pour vous. Ensuite, une fois que vous aurez accompagné Hannelore à Dippings et qu'elle y sera bien installée, vous pourrez repartir discrètement à Londres. Nous ferons en sorte que les Cromer-Strode tiennent à votre disposition une voiture qui vous emmènera à la gare.

— C'est très aimable à vous, dis-je, quoique je n'en pense pas un mot.

Comment diable s'imaginait-elle que je parviendrais à élucider un meurtre ? Même avec l'aide de grand-papa, cela me semblait impossible. Par où commencer ? Je n'en avais pas la moindre idée. S'attendait-elle vraiment à ce que je furète dans le quartier des docks pour y poser des questions ? Puis je me rappelai qu'elle était la reine, et que personne ne lui refusait jamais rien.

23.

À mon retour, tous les occupants de Rannoch House m'attendaient dans le vestibule.

— Alors ? demanda la baronne Rottenmeister.

— La reine me renvoie chez moi ? fit Hanni.

Je vis mon grand-père rôder près de la porte tapissée de feutre menant à l'office. Mme Huggins devait se trouver de l'autre côté, à l'écoute.

— Sa Majesté a trouvé une solution formidable, répondis-je. Nous allons séjourner chez lord et lady Cromer-Strode, qui possèdent une résidence du nom de Dippings, dans le Norfolk. Ils ont invité quelques personnes à participer à une partie de campagne, laquelle devrait être assez animée pour la princesse.

Je vis Hanni afficher une mine abattue et la baronne un air désapprobateur.

— Mais le policier a dit que nous ne devions pas quitter Londres, me rappela la première. Je ne veux pas quitter la grande ville.

— Et qui sont ces Cromer-Strode ? demanda la seconde. Appartiennent-ils à la famille royale ?

— Non, à la noblesse, dis-je.

La baronne fronça les sourcils.

— C'est un affront à Son Altesse. Elle devrait loger chez des gens de la royauté. Je vais écrire à son père pour me plaindre.

— La reine tient les Cromer-Strode en haute estime, précisai-je. Et leur domaine est proche de Sandringham House, l'une des résidences royales, où Leurs Majestés séjourneront aussi.

À ces mots, Hanni parut retrouver sa bonne humeur, sans que je puisse me l'expliquer.

— J'aime les maisons royales. La reine ne m'a pas encore fait visiter le palais de Buckingham comme elle l'a promis.

— Sa Majesté vous invite aussi à une garden-party la semaine prochaine. Cela vous plaira. Nous mangerons des fraises à la crème sur la pelouse.

— Oui, approuva Hanni en secouant énergiquement la tête. Ça, ça me plaira.

— Quand partons-nous pour la campagne ? s'enquit la baronne.

— La reine nous fait envoyer une automobile dans une heure.

— Quoi ? Nous sommes censées être prêtes en si peu de temps ?

— Sa Majesté pense qu'il vaut mieux que nous quittions Londres au plus vite.

— Hannelore, allez dire à Irmgardt de faire nos bagages immédiatement, ordonna la baronne. Si tel est le désir de la reine, nous ne pouvons nous y opposer. J'espère que ce Dippings n'est pas froid et humide, et que la nourriture ne sera pas trop anglaise.

— J'ai cru comprendre que c'était une belle demeure, et lady Cromer-Strode est américaine.

— Américaine ? répéta Hanni, ragaillardie.

Elle espérait probablement rencontrer quelques gangsters à demeure.

De son côté, la baronne n'était toutefois pas convaincue.

— Anglais. Américains. Ils sont tous pareils. Ils ne savent pas cuisiner.

Elles allèrent dire à Irmgardt de faire leurs valises, et je les suivis afin d'informer Mildred de notre départ. La nouvelle sembla la transporter de joie.

— Nous allons à la campagne, lady Georgiana ? À Dippings, en plus ? J'ai entendu de si mârveilleuses choses à propos de cette demeure. Il paraît que l'endroit est tout à fait châârmant.

Je pris alors conscience, non sans étonnement, qu'elle s'attendait à faire partie de cette petite expédition. Étais-je donc bête ! Il était normal que ma femme de chambre m'accompagne. Je n'étais décidément plus du tout habituée à avoir des domestiques.

— Quand partons-nous, lady Georgiana ?

— Immédiatement, Mildred. Une automobile va passer nous chercher sur ordre de la reine.

À ces mots, elle se troubla.

— Je dois donc préparer vos bagages sur-le-champ. Où sont rangées vos malles ? Vous aurez besoin de toutes vos robes de dîner, évidemment. Il est impensable que vous portiez la même toilette plus d'une fois.

— Je n'en possède pas plus de deux, je crois.

Elle poursuivit malgré tout, encore en extase :

— Et il y aura forcément une soirée habillée ou un bal. N'oublions pas non plus votre tenue de tennis. Est-il possible que vous alliez naviguer dans les environs ?

Je m'esclaffai.

— Je n'ai pas de tenue de yachting, si c'est ce que vous voulez savoir. Nous irons peut-être faire une excursion en bateau dans les Broads[1] du Norfolk.

— Une formidable occasion pour vous, lady Georgiana, déclara Mildred en m'adressant un sourire radieux. Il y aura sans doute plusieurs jeunes hommes convenables lors de cette partie de campagne.

---

1. Nom que l'on donne à l'ensemble des lacs et canaux de la région. *(N.d.T.)*

Oh, non ! Même Mildred cherchait à me trouver un mari, à présent. Elle se mit à fouiller dans ma garde-robe en fredonnant. Elle serait à l'évidence dans son élément à Dippings et, puisqu'elle était à mon service, elle bénéficierait peut-être du rang le plus élevé parmi les femmes de chambre ; elle allait savourer chacun des instants passés chez les Cromer-Strode. Ma foi, sa déception serait grande quand il me faudrait repartir pour Londres afin de mener l'enquête que m'avait confiée la reine – à moins que je ne réussisse à m'éclipser à l'insu de Mildred !

Je la laissai à ses fredonnements et à ses valises afin d'aller trouver mon grand-père à l'office.

— On dirait bien qu'on peut ficher le camp, Hettie et moi, pas vrai ?

— Je ne sais pas exactement quand nous serons de retour à Londres. Mais je suis sûre que vous pouvez rentrer chez vous pendant quelques jours. Seriez-vous toutefois prêts à reprendre votre service si nous sommes obligées de revenir à Rannoch House ?

— Je crois bien, même si Hettie commence à en avoir ras le bol.

— Comment pourrai-je te contacter rapidement ?

— Tu peux toujours appeler le pub qui se trouve au coin de ma rue. Le Queen's Head. Ils viendront me prévenir, et nous reviendrons dare-dare si t'as besoin de nous.

— Je te suis vraiment reconnaissante, grand-papa. Tu as été formidable.

— Arrête un peu ! répliqua-t-il en souriant et en m'ébouriffant les cheveux. Je peux pas dire que je sois fâché de m'en aller. Je suis toujours content d'être en ta compagnie, ma chérie, mais c'est les autres… je sais pas comment t'arrives à les supporter.

— Il faut bien faire son devoir, répondis-je. Et je n'y serais pas parvenue sans Mme Huggins et toi. Vous avez été très chics.

— Où en est la police, maintenant ? C'est pas grave que tu files avant l'enquête judiciaire ?

— La reine se porte garante pour nous, dis-je avant de marquer une pause et de prendre une profonde inspiration. Il y a autre chose. Elle aimerait que j'élucide cette affaire avant que l'enquête n'ait lieu.

— Quoi ? s'exclama-t-il d'une voix tonitruante.

Je souris.

— Je sais, c'est ridicule. Je ne vois pas ce que je pourrais faire sans agacer la police ni attirer davantage les soupçons sur moi.

— Sans compter qu'il te faudrait enquêter sur des personnes très peu fréquentables. Le meurtrier de ce jeune homme voulait sa mort au point de prendre de gros risques.

— Sa Majesté suggère que tu devrais m'aider, grand-papa.

— Moi ? Et comment ça ?

— Tu faisais tes rondes dans ce quartier. Tu y as des relations.

— Je connais peut-être encore deux ou trois personnes du côté des docks, reconnut-il. Mais si quelqu'un doit aller poser des questions, je préfère m'en charger. Elle est sacrément culottée, ta Majesté… prête à te mettre en danger juste pour éviter un scandale dans la famille royale.

— Ce pourrait être plus grave qu'un simple scandale, d'après ce que j'ai pu comprendre. Plutôt une crise diplomatique.

— Ces bougres d'Allemands. Ils causent que des ennuis, ces gens-là. On aurait pu penser qu'ils avaient retenu leur leçon, après la guerre, tu crois pas ? Eh bien non. Cet Hitler s'amène avec ses fichus nazis et recommence à mettre le bazar.

— Bien, vas-tu réussir à glaner des renseignements ? demandai-je. Une fois que la princesse sera installée à Dippings, je suis censée revenir à Londres pour fureter un peu et résoudre cette affaire de meurtre.

— Reste tranquillement à la campagne, mon canard.
Je ferai ce que je peux pour toi, mais pas question de te
laisser fouiner dans les repaires de ces communistes. Je
suis ton grand-père et je te dis carrément ce que j'en pense.

Je le regardai en souriant.

— Oui, grand-papa.

★

Tout le monde était d'humeur joyeuse quand l'automobile passa nous prendre. C'était une grande Rolls avec
un chauffeur en uniforme.

— Tout est comme il se doit, déclara la baronne. Ce
moyen de transport convient à Son Altesse.

Nous laissâmes Mildred et Irmgardt attendre un taxi
sur le trottoir, près d'une montagne de bagages. Elles
n'avaient pas droit à la voiture royale. Il leur faudrait
transporter les piles de valises par le train. Je me surpris
à les plaindre et me rendis compte, non sans honte, que
ce genre de détail ne m'avait jamais effleuré l'esprit
jusqu'à ce jour. Les domestiques et les bagages arrivaient
toujours à destination et, s'ils rencontraient des désagré-
ments, cela ne nous importait guère. Nous pensions sincèrement que le personnel de maison n'avait qu'un but dans
l'existence : que la nôtre se déroulât sans heurts.

Notre voiture traversa d'abord les banales banlieues
nord de Londres, puis la ville tentaculaire céda la place
à une campagne magnifique. Après avoir été confinée à
Londres durant tout le printemps ou presque, je ne
m'étais pas préparée à cette profusion de verdure estivale
– chênes aux larges ramures, pâturages plantureux, épis
de blé et d'orge déjà hauts et plumetés dans les champs.
Il n'y a rien de plus luxuriant que la campagne anglaise
en été.

La baronne, qui avait très chaud, s'était assoupie.
Hanni regardait par la vitre.

— L'Angleterre est très plate, commenta-t-elle. Il n'y a pas de montagnes.

— C'est une région sans relief, répondis-je. Nous avons des montagnes dans le nord et l'est, bien qu'elles ne soient pas aussi hautes que les Alpes bavaroises.

— En Bavière, nous avons de grandes montagnes avec de la neige. Les plus hautes du monde.

— Pas tout à fait. La chaîne de l'Himalaya a l'altitude la plus élevée du monde. Les Alpes détiennent le record européen.

— En Bavière, nous avons les sommets les plus hauts, répliqua-t-elle. La Zugspitze et la Jungfrau.

— Le mont Blanc, qui est en France, est plus élevé, je suis au regret de vous l'apprendre, dis-je avec un sourire.

— Bah, le mont Blanc, fit-elle d'un ton dédaigneux avant de se tourner vers moi. Cet endroit, Dippings, c'est joli ?

— Je suppose.

— Est-ce qu'il y aura des garçons ? Nous allons danser ?

— Je l'ignore, Hanni.

— Vous savez si Darcy sera là ?

Je restai parfaitement impassible.

— Je ne pense pas.

— Mince, c'est vraiment dommage. Je veux le voir plus souvent. Je crois qu'il m'aime bien.

Le silence retomba dans la voiture, tandis que je m'efforçais de ne pas penser à Darcy – et surtout à Hanni et Darcy ensemble.

— C'est un nom bizarre, Dippings, finit par déclarer la princesse. Vous savez ce que ça veut dire ?

— Aucune idée. Peut-être cela a-t-il un rapport avec l'histoire des lieux.

— C'est un nom minable. Est-ce qu'on rendra visite au roi et à la reine dans leur maison ?

— S'ils nous invitent.

— Je suis une princesse. Ils devraient m'inviter. À Londres, j'aurais dû loger au palais.

— La reine a pensé à vous. Elle s'est dit que vous vous amuseriez davantage avec des gens de votre âge.

— Je n'ai pas rencontré de gens de mon âge. À part vous. Je ne suis pas encore sortie avec un mec marrant et sexy.

Moi qui croyais lui avoir fait perdre la mauvaise habitude de parler en argot de gangster américain, je m'étais manifestement trompée...

— Cela fait une semaine que vous êtes là, Hanni. Vous ne pouvez en espérer davantage en si peu de temps.

— Mais vous ne comprenez pas. Bientôt je rentrerai chez moi, et ensuite je n'aurai plus le droit de parler avec des hommes. Seulement avec des types que ma famille voudra que j'épouse. Personne de sexy et de sensuel. Et il y aura toujours quelqu'un comme la baronne avec moi. Comment je vais apprendre quoi que ce soit sur les relations sexuelles ?

— Je suis certaine que cela vous viendra vite. Vous savez déjà plus ou moins de quoi il retourne, semble-t-il.

— Ah bon ?

— Hanni, nous sommes allées à une fête. Vous avez dansé. Vous avez flirté. Je vous ai vue faire.

— C'est quoi, flirter ?

— Vous savez bien. Battre des paupières. Montrer à un garçon qu'il vous intéresse.

— Ça, je sais le faire. J'aime bien ça, oui. Mais pas vous. Ce n'est pas une bonne chose, je crois. Ça veut dire que les hommes ne comprennent pas que vous les aimez bien.

Ces paroles me firent réellement l'effet d'une gifle. Peut-être avait-elle raison. Peut-être Darcy s'était-il détourné de moi parce que je ne lui avais pas suffisamment montré qu'il me plaisait. Mais flirter n'est pas chose aisée pour une jeune fille élevée dans un château isolé, aux cabinets tapissés de papier peint à motif tartan, où l'on joue de la cornemuse à l'aube et où les hommes portent des kilts.

— Je ferai plus d'efforts à l'avenir, répondis-je.

— Je n'ai pas encore embrassé de garçon. Est-ce agréable ?

— Oh oui, très, quand on est avec l'homme qu'il faut.

— Vous avez trouvé l'homme qu'il vous faut ? demanda-t-elle. Vous connaissez un type sensuel et sexy ?

Par la vitre, je contemplai un ruisseau serpenter dans une prairie, où du bétail se tenait dans l'ombre tachetée de lumière.

— Pas encore, à l'évidence. Sinon, je serais mariée.

— Vous voulez vous marier ?

— Oui, je suppose. C'est ce que désirent toutes les femmes. Pas vous ?

— Pas avant d'avoir découvert ce que c'est que de mener ma propre vie, répliqua-t-elle d'un ton sérieux qui ne lui ressemblait pas. Il y a des choses que j'ai envie de faire. Des choses qu'une épouse ne peut pas faire, surtout si elle est reine ou princesse. J'ai des rêves.

— Lesquels, par exemple ? demandai-je, intriguée.

— Des choses idiotes. Faire les boutiques. Déjeuner dans un café.

Elle se tourna brusquement et regarda par la vitre.

Seuls les ronflements rythmés de la baronne rompaient le silence. Je me mis à réfléchir. Les événements des derniers jours étaient si embrouillés. Il y avait d'abord eu la chute mortelle de Tubby, puis l'horrible épisode dans la librairie, avec le pauvre Sidney gisant là, le sang se répandant à travers sa chemise. Mon grand-père semblait penser qu'il y avait forcément un lien entre ces deux drames. Pour ma part, je ne voyais pas lequel, à moins que cela n'eût un rapport avec la cocaïne que j'avais aperçue dans la cuisine de Gussie. Je savais très peu de choses sur les drogues en général, mais j'avais entendu dire que ceux qui en faisaient le commerce étaient impitoyables. Si Tubby et Sidney avaient fréquenté ce genre de personnes, et qu'ils n'avaient pas réglé ce qu'ils leur devaient, peut-être avait-on voulu leur donner une leçon

227

en le leur faisant payer de leur vie. Mais qui était le meurtrier ?

Les terres plates de la région de l'East Anglia se déployaient à présent devant nous – un paysage qui semblait presque entièrement dominé par le ciel. Des nuages blancs flottaient comme de la ouate, projetant des pans d'ombre au-dessus des champs. Dans le lointain, la flèche d'une église trahissait la présence d'un village parmi les arbres. Nous traversâmes Little Dippings, puis Much Dippings, un autre village semblable où des maisons rose et blanc à toit de chaume étaient regroupées autour d'une église et d'un pub (le Cromer-Strode Arms), avant de longer un mur de brique et de tourner pour franchir une entrée impressionnante. La première moitié du domaine se composait d'espaces verts où tout poussait à l'état sauvage, avec de nombreux arbres et ce qui ressemblait à des rhododendrons, dont la floraison était pourtant déjà terminée. Un faisan prit son envol dans un bruyant battement d'ailes. Un petit troupeau de daims, qui avait une fonction décorative, s'éloigna en entendant la voiture approcher.

— Regardez là-bas ! dit Hanni. Quel genre d'animal est-ce donc, dans ces buissons ? Il est rose, mais ça ne ressemble pas à un cochon.

Je fixai la créature rose qui remuait dans le feuillage. Elle paraissait dotée d'un nombre étonnant de pattes.

— Je l'ignore complètement, répondis-je avant de me rendre soudain compte de quoi il s'agissait.

C'étaient apparemment deux personnes dévêtues, enlacées dans l'herbe, occupées à une activité que je vous laisse deviner. De l'autre côté de la cloison vitrée, notre chauffeur toussota discrètement et appuya sur l'accélérateur. Alors que notre automobile approchait, l'un des deux individus releva la tête. J'aperçus fugacement un visage stupéfait, puis nous poursuivîmes notre route.

24.

Dippings
Norfolk
Samedi 18 juin 1932

Au détour d'un virage, la résidence de Dippings apparut devant nous dans toute sa gloire. Comme la plupart des demeures des environs, elle avait été bâtie en briques rouges dont l'éclat s'était patiné au fil des siècles pour céder la place à un beau rose pâle. Les cheminées élisabéthaines étaient rayées de briques rouge et blanc et, à l'époque géorgienne, un portique classique et un perron de marbre avaient été ajoutés à l'avant de la maison. Il y avait un bassin d'agrément avec une fontaine dans l'avant-cour, et un vol de colombes blanches tournoyait au-dessus de nos têtes. Dans l'ensemble, les lieux revêtaient un aspect fort plaisant. Notre automobile avança entre des pelouses et des allées ombragées bien entretenues, puis s'immobilisa devant le perron.

La baronne ouvrit un œil.

— Nous sommes arrivées, lui annonça Hanni.

La dame de compagnie s'empressa de rajuster son chapeau, tandis que des valets ouvraient les portières.

— Bienvenue à Dippings, madame, me dit l'un d'eux en m'aidant à descendre de voiture.

À peine avions-nous posé le pied dans l'avant-cour gravillonnée qu'une silhouette dévala les marches pour nous accueillir. C'était une femme de haute taille, anguleuse, d'une maigreur qui faisait presque peine à voir. Son visage trop fardé ressemblait à un masque, avec ses sourcils épilés et ses lèvres d'un rouge saisissant (bien que ce maquillage ne fût pas aussi parfaitement réussi que celui de ma mère). Les pans de sa robe mauve flottèrent autour d'elle tandis que, bras tendus, elle se précipitait vers nous.

— Bienvenue, bienvenue à Dippings ! lança-t-elle avec l'accent traînant des gens originaires du sud des États-Unis. Vous devez être lady Georgiana, et voici la princesse. Bienvenue, Votre Altesse, ajouta-t-elle en exécutant une petite révérence saccadée. Je me réjouis de votre présence parmi nous. Je ne peux vous dire à quel point j'étais excitée lorsque la reine a appelé pour me suggérer de vous convier à cette petite réunion. Je sais que vous allez tout simplement adorer votre séjour. Tout le monde se plaît ici. Mon époux est un hôte merveilleux. Il prend grand soin de ses invités et fait en sorte que chacun d'eux s'amuse. Allez, venez, entrez donc.

Hanni et moi échangeâmes un regard, le souffle un peu coupé, tandis que notre hôtesse gravissait le perron sans cesser de jacasser.

— Notre petit groupe est tout à fait charmant. Il y a des jeunes gens de votre âge. Vous connaissez probablement la plupart d'entre eux, lady Georgiana, j'en suis sûre, à l'exception de mes nièces, qui sont venues des États-Unis. Des filles adorables. Vous allez les adorer, j'en suis convaincue.

Nous pénétrâmes dans un vestibule lambrissé de boiseries ; aux murs étaient accrochés des portraits de famille ainsi que, comme on pouvait s'y attendre, quelques épées croisées et un étendard effiloché, souvenir d'une bataille de jadis.

— Je crains que vous ne soyez arrivées trop tard pour le déjeuner, poursuivit-elle, et le thé ne sera servi que dans une heure. Mais je suppose que vous êtes affamées, n'est-ce pas ? Que diriez-vous de déguster un sandwich et un verre de limonade sur la pelouse située à l'arrière de la maison ? À moins que vous ne souhaitiez d'abord voir vos chambres ? Nous avons envoyé un domestique chercher vos bagages à la gare, et vous devriez pouvoir vous changer très bientôt.

Elle marqua une pause pour reprendre son souffle. Elle avait posé tant de questions sans attendre de réponses de notre part que je dus réfléchir avant de dire :

— Il est inutile de monter dans nos chambres avant l'arrivée de nos bonnes et de nos valises. Nous prendrons donc volontiers un verre de limonade.

— Je ne sais pas où tout le monde est passé, reprit-elle. Ils sont peut-être allés jouer au tennis, bien qu'il fasse plutôt chaud aujourd'hui, vous ne trouvez pas ? Je suppose que Fiona est avec ses cousines américaines. Vous vous souvenez de ma fille Fiona, n'est-ce pas ? Je sais que vous avez toutes deux fréquenté ce même établissement scolaire extrêmement coûteux.

Cette façon qu'ont les étrangers de toujours dévoiler involontairement qu'ils ne sont pas des « nôtres » est curieuse. Dans mon milieu, on ne tiendrait jamais compte du fait qu'une école est onéreuse ou non. Si l'établissement est convenable et que d'autres membres de la famille y ont fait leurs études, alors on serre les dents et on se débrouille pour régler les frais de scolarité.

Lady Cromer-Strode (je présume qu'il s'agissait bien d'elle, quoiqu'elle n'ait pas pris la peine de se présenter dans les règles) nous conduisit à travers une série de pièces lambrissées et de galeries jusqu'à un charmant salon meublé d'innombrables fauteuils bas confortables et dont les portes-fenêtres donnaient sur la pelouse. Des sièges et des tables avaient été placés à l'ombre d'un immense hêtre pourpre qui se dressait au milieu de la pelouse ; plusieurs personnes s'y trouvaient déjà. Elles levèrent les yeux vers nous alors que nous sortions de la maison et descendions les marches menant au jardin.

— Les voici ! annonça lady Cromer-Strode à la cantonade. Elles sont arrivées !

Les jeunes hommes se levèrent de leurs chaises longues avec gaucherie – il n'est jamais aisé de quitter ce genre de siège gracieusement.

— Voici lady Georgiana et la princesse Hannelore, continua notre hôtesse. Elles vont se joindre à notre joyeuse petite troupe. C'est formidable, non ?

— Et puis-je vous présenter la baronne Rottenmeister, la dame de compagnie de Son Altesse ? ajoutai-je.

Lady Cromer-Strode avait jusqu'alors ignoré la baronne, qui hésitait derrière nous, l'air de fort mauvaise humeur.

— Salut, Georgie ! Content de vous revoir, dit Gussie Gormsley, qui se trouvait parmi les jeunes gens. Vous aussi, Votre Altesse.

— Appelez-moi Hanni, s'il vous plaît. Nous sommes entre amis.

Fiona Cromer-Strode, une grosse fille au teint rose, vint m'embrasser. Une raquette de tennis à la main, elle affichait un enthousiasme tout à fait écœurant.

— Je suis tellement ravie de vous revoir, Georgie ! J'ai l'impression que cela fait une éternité que nous étions ensemble aux Oiseaux ! C'était tout bonnement épatant, n'est-ce pas ?

— Oui, en effet.

Nous nous connaissions à peine à l'époque, et je me souvenais à présent que je l'avais toujours trouvée agaçante.

— Voici ma cousine Jensen Hedley, reprit-elle. Elle vient de Baltimore et séjourne quelque temps chez nous. Ses deux sœurs sont parties visiter Cambridge pour la journée, mais vous ferez leur connaissance au dîner.

La jeune Américaine, pâle et élégante, vêtue d'une robe qui venait forcément de Paris, nous adressa un sourire charmant.

— Mince alors ! J'ai toujours eu envie de rencontrer une vraie princesse, dit-elle en serrant la main d'Hanni.

— Je vous croyais plus intéressée par les princes, la taquina Fiona.

— Tous les princes des environs semblent occupés à autre chose, répondit Jensen en lançant un bref coup d'œil par-dessus son épaule.

Derrière nous, vêtue d'un short blanc et d'un dos nu rouge vif, Mme Simpson se prélassait à l'ombre en lisant un magazine. Elle n'avait pas daigné quitter son siège à notre arrivée. Sentant sans doute des regards posés sur elle, elle leva enfin les yeux.

— Tiens donc, c'est la fille de l'actrice, dit-elle en feignant la surprise. Je ne m'attendais pas à vous voir là.

— La reine a suggéré que nous séjournions ici afin qu'elle puisse garder l'œil sur nous depuis Sandringham, répliquai-je. Sa résidence est toute proche de Dippings, ainsi que vous le savez probablement, précisai-je avec un joli sourire.

Elle plissa les yeux, puis porta son attention sur Hanni.

— Et qui est cette ravissante fillette blonde ?

— Son Altesse Royale la princesse Hannelore de Bavière, dis-je avec raideur. Votre Altesse, je vous présente Mme Simpson, elle aussi américaine.

— J'adore les États-Unis, déclara Hanni, radieuse. Il y a des gangsters, là où vous vivez ?

— J'espère sincèrement que non, répliqua Mme Simpson. Baltimore est une ville ancienne et raffinée. Notre hôtesse et moi y avons fréquenté le pensionnat de jeunes filles. Le même que celui des demoiselles Hedley, n'est-ce pas, mon chou ? demanda-t-elle à Jensen.

— Reagan et moi, oui, répondit l'intéressée. Mais Danika a été éduquée à la maison en raison de sa santé fragile.

Les trois sœurs Hedley s'appelaient donc Reagan, Jensen et Danika... Aucune Américaine ne portait-elle donc un nom ordinaire comme Jane ou Mary ?

— Des prénoms intéressants, commentai-je.

— Nous avons aussi un frère, Homer, précisa Jensen.

— Ah, l'un de vos parents doit être féru de lettres classiques.

Avec un froncement de sourcils, elle plissa son ravissant petit nez.

— Non. Papa aime le base-ball.

— Et comment se porte votre chère mère ? me demanda Mme Simpson. Toujours très occupée en Allemagne ?

— Elle va et vient. Je l'ai vue récemment et elle était en bonne santé, merci.

— Elle est endurante, je dois bien le reconnaître. Mais cela s'explique par son éducation à la dure dans les rues de Londres, j'imagine.

— Survivre au château de Rannoch l'aura endurcie davantage encore, rétorquai-je, peu encline à me laisser entraîner dans une querelle. Les pièces y sont beaucoup plus froides et lugubres que dans la maison de mes grands-parents.

J'étais sur le point de m'éloigner, quand je ne pus m'empêcher d'ajouter :

— Êtes-vous venue accompagnée de M. Simpson ?

Son visage maquillé à la perfection se rembrunit brièvement.

— Malheureusement, il a dû rentrer aux États-Unis pour affaires.

— Vraiment ? Quel dommage.

Tandis que je lui adressais un sourire mielleux, je me rendis compte qu'elle ne m'intimidait plus. Au moins, l'adversité n'a pas que des inconvénients.

De la limonade et des sandwichs furent apportés. Jensen Hedley entraîna Gussie vers le court de tennis. La baronne s'installa dans l'une des chaises longues et se servit généreusement en sandwichs. Ils me paraissaient tellement tentants – œufs et cresson, crabe et concombre, et même saumon fumé, mon préféré – que je m'apprêtais à l'imiter quand un homme dans une tenue de cricket blanche toute froissée s'approcha d'un pas nonchalant sur la pelouse. Il avait un visage rouge et buriné, encadré de cheveux blancs fins et clairsemés, et des yeux d'une innocence enfantine. Je le reconnus d'emblée. C'était le visage qui était apparu derrière un buisson lors de notre arrivée en voiture.

25.

Le nouveau venu ne donna toutefois pas l'impression de nous avoir reconnues et s'avança avec un grand sourire.

— Tiens donc, vous voilà ! Formidable. Formidable. Cromer-Strode, se présenta-t-il en me serrant la main avec chaleur. Je vous ai rencontrée quand vous étiez petite, ajouta-t-il. Chez Hubert Anstruther. Je crois que votre mère était...

— Son épouse à l'époque, terminai-je à sa place, encore incapable de le regarder droit dans les yeux.

Je ne pus m'empêcher de me demander à qui appartenaient les autres paires de bras et de jambes roses que nous avions aperçues dans les buissons. D'ailleurs, lady Cromer-Strode était-elle au courant ?

— Et cette jeune personne ravissante est notre princesse en visite officielle, dit lord Cromer-Strode en dévisageant Hanni. Est-ce la première fois que vous logez dans un manoir anglais, Votre Altesse ? dit-il, lui prenant la main et la pressant dans la sienne.

— Oui, c'est mon premier voyage en Angleterre.

— Dans ce cas, vous m'autoriserez à vous faire visiter le domaine. Que vous vous fassiez une impression générale des lieux. Dippings est célèbre pour la splendeur de ses paysages, et tous les guides touristiques mentionnent notre roseraie. Presque tous les jours, des vacanciers réclament à cor et à cri à d'y jeter un coup d'œil. Allons, terminez votre limonade, et nous aurons le temps d'aller faire un petit tour avant le thé.

Un petit tour où ça, au juste ? Une impression générale de quels lieux ? Se comportait-il souvent de la sorte ? J'espérais qu'il allait me convier à les accompagner comme chaperon.

— Nous laisserons ma fille et lady Georgiana échanger quelques nouvelles, d'accord ? ajouta-t-il, me faisant clairement comprendre que je n'étais pas la bienvenue. Elles se sont à peine revues depuis l'époque où elles étaient à l'école ensemble. Allons-y.

Après avoir passé un bras autour de la taille d'Hanni, il s'éloigna en sa compagnie. Je restai plantée là, en proie aux affres de l'indécision. Pouvais-je imaginer une excuse afin de les suivre ? Même le pire des vieux satyres ne s'autoriserait tout de même rien de répréhensible avec une princesse en visite officielle. J'entendais déjà les réprimandes de la reine à mes oreilles : « Et vous êtes restée assise là sans rien faire pendant qu'il la déflorait en plein jour ? L'Allemagne va nous déclarer la guerre, et ce sera entièrement votre faute. »

Si je les vois se diriger vers le massif de rhododendrons, je cours les rejoindre, décidai-je.

— C'est drôlement épatant d'être de nouveau réunies, hein, Georgie ? dit Fiona en s'approchant de moi.

Je me rappelai alors qu'elle avait toujours été un peu exubérante.

— Je ne sais pas si je devrais laisser la princesse se promener sans chaperon, lui dis-je en voyant les silhouettes d'Hanni et de lord Cromer-Strode disparaître au coin de la maison.

— Ne soyez pas ridicule, elle est avec papa. Il prendra grand soin d'elle, je vous assure.

Comme d'autres aristocrates, Fiona ne prononçait pas la lettre « r » correctement, de sorte que je crus entendre : « Il pwendwa gwand soin d'elle. » La concernant, je me doutais que c'était pure affectation. Elle glissa son bras sous le mien.

— Pourquoi n'allons-nous pas nous promener, nous aussi ? Nous avons de petits agneaux laineux parfaitement adorables à la ferme du manoir. Bon, ils sont plutôt grassouillets maintenant, mais ils étaient encore trop chou il y a un mois et quelque.

Étant donné que la ferme se situait plus ou moins dans la direction que la princesse avait prise, j'acceptai.

— N'est-ce pas littéralement merveilleux d'être ensemble, Georgie ? insista Fiona. Maman a invité des tas de gens absolument sensationnels, et nous allons nous amuser comme des folles.

Je parvins à esquisser un sourire ravi.

— Avez-vous appris la nouvelle ? Savez-vous que je suis fiancée ?

— Non, je l'ignorais. Félicitations. Qui est l'heureux élu ?

— Mais enfin, ce cher Edward !

— Edward ?

— Vous le connaissez, j'en suis sûre. Tout le monde le connaît. Edward Fotheringay.

— Lunghi Fungy, voulez-vous dire ? lâchai-je sans réfléchir.

— Je n'aime pas ce surnom idiot. J'ai interdit à Gussie de l'appeler ainsi. Mais je suis si contente que vous le connaissiez. Il est merveilleux, n'est-ce pas ? Tout le monde l'adore.

Y compris ma mère, songeai-je. Et d'après ce que j'avais pu observer, c'était un sentiment réciproque.

— Edward est-il ici en ce moment ? demandai-je d'un ton détaché.

— Bien entendu. Nous ne pourrions pas organiser une partie de campagne sans l'inviter, tout de même. Il a conduit mes cousines américaines à Cambridge pour la journée. Il leur fait voir la ville et leur sert de guide.

Vu son attitude avec ma mère et la manière dont il avait flirté avec Hanni, je me demandai ce qu'il avait prévu de leur faire voir – hormis la ville – au cours de la journée.

— Mais ils seront tous de retour à temps pour le dîner, continua gaiement Fiona. Ah, nous voilà rendues. Voici la ferme du manoir. N'est-ce pas absolument charmant ? On dirait presque une ferme miniature pour enfants. J'ai toujours adoré cet endroit. Et papa l'aime tant. Il y passe la majeure partie de son temps, à parler aux cochons.

Je m'étranglai de rire. Je sais que réagir de la sorte est indigne d'une lady, mais c'était plus fort que moi. La vision de la créature rose aperçue dans les buissons était trop vivace dans mon esprit. Sa famille pensait qu'il passait tout son temps à la ferme, c'était donc ça ?

À notre retour dans la maison, nos bagages et nos bonnes étaient arrivés. Je découvris qu'Hanni était elle aussi rentrée, apparemment indemne, et qu'elle était montée dans sa chambre, où elle discutait avec la baronne tandis qu'Irmgardt, toujours taciturne et renfrognée, s'empressait de déballer leurs affaires.

— Votre promenade vous a-t-elle plu ? demandai-je avec circonspection.

— Oui, beaucoup, répondit Hanni. Lord Cromer-Strode est un homme très gentil. Très amical. Nous avons dû grimper à un pilier, je crois que ça s'appelle comme ça.

— Un pilier ?

— Entre deux champs.

— Un échalier, voulez-vous dire ? Une petite échelle placée contre une haie ?

— Oui. Nous avons grimpé l'échalier et il a eu l'amabilité de me soulever pour passer de l'autre côté.

Et, incidemment, de la peloter un peu, songeai-je.

— La chambre de la princesse est tout à fait satisfaisante, déclara la baronne. J'ai cru comprendre que la vôtre était voisine de la sienne. Je suis au regret de vous dire que la mienne n'est pas aussi agréable. Je suis à l'arrière de la maison, au nord, en haut d'un escalier très raide.

— Je suis navrée, répondis-je. Voulez-vous que nous en parlions à lady Cromer-Strode ?

— Je suis prête à souffrir, soupira la baronne. Un titre de noblesse allemand ne signifie apparemment rien pour ces gens. On me traite comme une domestique.

— Ils n'ont peut-être pas été informés de votre rang. La reine a arrangé ce séjour, et sans doute ignorait-elle que vous nous accompagneriez.

— C'est probablement vrai, surtout si vous n'avez pas rappelé à Sa Majesté que je séjournerais ici, moi aussi.

C'était donc ma faute.

— Je vais voir si on peut vous donner une autre chambre, répliquai-je.

— Je ne veux pas vous déranger. Je souffrirai. Cela me fera du bien de monter quelques marches supplémentaires.

— Je n'ai pas encore vu ma chambre, précisai-je. Elle n'est peut-être pas aussi agréable que celle de la princesse. Je passerai vous chercher à l'heure du thé, cela vous convient-il ?

— Le thé ? Mais nous venons de manger des sandwichs.

— Ce n'était qu'un en-cas destiné à nous faire patienter jusqu'au thé, expliquai-je.

— Au moins, nous serons nourries correctement dans cette demeure, commenta la baronne avant que je sorte de la pièce.

Dans ma chambre, Mildred avait déjà défait tous mes bagages et était occupée à repasser chacun de mes vêtements chiffonnés. C'était une vraie perle. Je n'arrivais pas à comprendre pourquoi j'étais si soulagée à l'idée d'être bientôt débarrassée d'elle.

— Vous avez une vue merveilleuse depuis votre fenêtre, lady Georgiana, dit-elle avec enthousiasme. Vous allez passer un séjour si agréable dans cette maison, j'en suis sûre. Et j'ai constaté qu'il y avait quelques jeunes hommes séduisants. J'en ai croisé un dans le couloir, il y a un instant. Très beau et extrêmement charmeur. Il m'a même fait un clin d'œil, précisa-t-elle en rougissant.

À seize heures, nous descendîmes prendre le thé dans la grande galerie. Lady Cromer-Strode, exerçant ses fonctions d'hôtesse, déambulait avec son exubérance habituelle.

— Goûtez donc au gâteau de Savoie, c'est la spécialité de notre cuisinière. Et ces petites bricoles croquantes. Elles sont divines ! J'ignore où mon époux a encore filé. Il est retourné à la ferme, je suppose. Il y passe beaucoup trop de temps. Il s'y consacre avec un tel enthousiasme, n'est-ce pas, Fiona ?

La jeune fille acquiesça. Je crus voir certains des invités échanger des regards éloquents et me demandai qui, parmi eux, avait eu droit à une visite de la fameuse ferme. Nous mangeâmes avec plaisir, alors que nous avions avalé des sandwichs seulement une heure plus tôt. L'effet que le bon air peut avoir sur l'appétit est incroyable, n'est-ce pas ? Il y avait des scones absolument délicieux accompagnés de crème épaisse et de confiture de fraise faits maison, des cigarettes russes et des choux à la crème si légers qu'ils fondaient dans la bouche. La baronne allait manifestement être très heureuse à Dippings. Les invités arrivèrent un à un dans la pièce – dont Jensen et d'autres joueurs de tennis. Puis un jeune homme que je crus reconnaître vint s'asseoir à côté de moi.

— Bonjour, je suis Felix. Je ne pense pas vous avoir déjà rencontrée.

— Georgiana, répondis-je. Je crois vous avoir récemment aperçu chez Gussie.

— Le soir fatidique où le pauvre Tubby est tombé du balcon ?

Je hochai la tête.

— Une drôle d'affaire, vous ne trouvez pas ? Qui aurait imaginé qu'une chose pareille arriverait à ce vieux Tubby ?

— Gussie donne-t-il souvent des fêtes ?

— Oh, sans arrêt, ma vieille. Quand il s'agit d'organiser une bringue, il est champion.

— Il doit recevoir une bonne rente. Le champagne et les cocktails coulaient littéralement à flots, ajoutai-je non sans embarras.

Dans notre milieu, nous avons en effet pour règle de ne pas parler d'argent mais, en tant que détective, j'avais besoin de savoir comment Gussie finançait son train de vie.

— Ma foi, j'ignore s'il touche une rente, mais il se débrouille plutôt pas mal, ce vieux Gussie, répondit Felix d'un air circonspect. D'une façon ou d'une autre.

La manière dont il s'était exprimé me remit en tête cette histoire de cocaïne. J'avais vu Gussie jouer le rôle de l'hôte sympathique, mais peut-être arrondissait-il ses fins de mois en fournissant de la drogue à ses amis.

— Vous étiez à Cambridge ensemble, me semble-t-il ? demandai-je.

Son visage s'illumina.

— Oh, absolument. Nous sommes des anciens élèves du Trinity College[1]. Nous faisions de l'aviron, à l'époque. C'est terminé. Nous nous sommes plutôt laissés aller.

— Et que faites-vous, à présent ?

— Pas grand-chose, en réalité... au grand désespoir de mon paternel. Je n'ai pas encore trouvé ma voie dans la vie. Je n'étais pas taillé pour l'armée, le droit ou

_____

1. L'université de Cambridge compte une trentaine de collèges (ou établissements d'enseignement supérieur). (N.d.T.)

l'Église, et à part ça, il n'y a pas grand-chose d'autre, pas vrai ?

Il avait raison, les choix étaient limités.

— Et vous ? reprit-il. Êtes-vous l'une de ces redoutables et intelligentes jeunes filles qui ont fait des études universitaires ?

— Hélas non. Cela m'aurait certes plu, mais on ne me l'a pas proposé.

Felix opina du chef par sympathie.

— Les temps sont durs, je sais. Tout le monde doit se montrer économe. J'imagine qu'on vous oblige à vous débrouiller et à gagner votre vie ?

— On ne m'a pas autorisée à travailler, à dire vrai. On verrait cela d'un mauvais œil.

— Que voulez-vous dire ?

— On jugerait cela inconvenant.

À cet instant, Gussie s'approcha d'un pas nonchalant.

— Vous avez donc fait la connaissance de Georgie ? dit-il à Felix. Excellent. Il paraît que votre famille est arrivée et qu'elle va séjourner dans le coin pendant quelques jours, ajouta-t-il à mon intention. Comptez-vous leur rendre visite ?

— Sa famille ? s'étonna Felix.

— Le roi et la reine, mon vieux. Ne soyez pas si bête. Georgie est la sœur de Binky.

Le visage de Felix vira au rose vif.

— Oh, ça alors ! J'ai visiblement mis les pieds dans le plat, n'est-ce pas, en vous parlant de faire des économies et de devoir gagner votre vie ?

— Nous nous serrons la ceinture comme tout le monde, répondis-je en riant. Et j'aimerais vraiment pouvoir travailler.

— Il y a parmi les invités une fille formidable qui a monté sa propre affaire et qui s'en tire très bien, reprit Felix. Je l'admire à un point ! Oh, tenez, la voilà.

Belinda entra dans la pièce, en grande conversation avec lord Cromer-Strode. La manière amicale dont ils se séparèrent fit naître en moi des soupçons impossibles à dissiper. À ma vue, elle se dirigea droit vers moi.

— Ma chérie, quelle charmante surprise ! Si je m'étais doutée que tu serais des nôtres…

— Belinda, que fais-tu là ?

— Tu sais bien que je ne refuse jamais quelques repas gratuits. Je t'avais dit que je partais à la campagne. Il est tout simplement impossible de rester à Londres quand il commence à faire chaud.

— Comment se fait-il que tu connaisses absolument tout le monde ?

— C'est un effort continu, ma chérie. Et une question de survie. Vu ce que mon activité de modiste me rapporte en ce moment, je mourrais de faim si je n'étais pas invitée dans des maisons où l'on boit et mange bien. Du reste, Fiona est l'une de nos anciennes copines de classe.

— Nous la détestions, murmurai-je. Te rappelles-tu les premiers temps, quand elle nous suivait partout ? Il a fallu que tu inventes une affreuse histoire de fantôme rôdant dans la salle de bains du premier étage pour que nous puissions nous y réfugier en paix.

— Je m'en souviens, dit Belinda en riant, avant d'embrasser la pièce du regard. C'est un groupe plutôt joyeux, n'est-ce pas ? Je connais pas mal de monde, dont Lunghi Fungy.

— Je viens d'apprendre que Fiona et lui étaient fiancés.

— Ils sont promis l'un à l'autre depuis la naissance, ma chérie. Cela ne mènera à rien. Qui pourrait épouser une fille qui s'extasie devant des agneaux laineux ?

— Elle semble pourtant sûre d'elle. Elle m'a même proposé d'être l'une de ses demoiselles d'honneur.

— Dans ce cas, Lunghi se montrera peut-être raisonnable. Fiona est après tout fille unique et c'est elle qui héritera de ce domaine un de ces jours. La situation financière de Lunghi est précaire.

— Je croyais que les Fotheringay étaient une vieille famille ?

— Oui, mais complètement fauchée, ma chérie. Son père a tout perdu aux États-Unis lors du krach de 1929. Comme le tien. Lunghi est alors parti en Inde, où il a trouvé un poste de vulgaire employé de bureau pour une société d'import-export, d'après ce que j'ai cru comprendre.

— Je vois.

Ma mère était-elle au courant ? Son instinct était généralement infaillible. La jeunesse et la grande beauté de Lunghi s'étaient peut-être révélées trop tentantes.

Le thé une fois terminé, nous regagnâmes nos chambres respectives afin de nous changer pour le dîner. Chose curieuse, la vie dans une grande demeure champêtre s'organise autour d'une succession de repas. Et pourtant les gens qui mènent ce genre d'existence ne semblent pas grossir démesurément. Sans doute faut-il mettre cela sur le compte de toutes les petites excursions jusqu'à la ferme, sans parler d'autres formes d'activités tout aussi fortifiantes autour du domaine. Je laissai Mildred choisir ma robe et mes bijoux, et l'autorisai même à tenter d'arranger mes cheveux selon la mode. Le résultat ne me déplut pas. Lorsque je redescendis, je découvris que les portes-fenêtres du salon étaient encore ouvertes et que l'on servait du Pimm's et des cocktails sur la terrasse. La soirée était douce. Au-dessus de nos têtes, des hirondelles voltigeaient dans tous les sens. Un paon lançait des appels depuis le taillis tout proche – un cri perçant, surnaturel, semblable à celui d'une soprano que l'on assassinerait avec une scie. Des invités causaient en petits groupes. Fiona parlait avec ses cousines, les trois demoiselles Hedley ; toutes portaient des robes vertes à fleurs, presque identiques, leur donnant l'air d'une bordure de plantes herbacées qui auraient pris vie. D'autres invités tout aussi jeunes, dont Gussie et Belinda, installés un peu plus loin, étaient occupés à fumer et boire des cocktails, tandis que des personnes plus âgées s'étaient regroupées autour de lord Cromer-Strode. Je remarquai que Mme Simpson se tenait à l'écart, les mains posées sur ses hanches d'une maigreur à faire peur ; elle contemplait le parc d'un air mécontent. Peut-être espérait-elle encore la venue d'un cavalier qui avait été retenu à Sandringham !

— Ah, voici la délicieuse lady Georgiana, dit lord Cromer-Strode en venant à ma rencontre, avant de passer le bras autour de ma taille et de me guider vers ses compagnons. Je suis sûr que vous connaissez les jeunes gens, mais vous n'avez sans doute pas encore rencontré le colonel Horsmonden et son épouse, tout juste rentrés d'Inde, ainsi que sir et lady Stoke-Podges, de vieux amis de l'époque où nous vivions dans les colonies.

Tout en parlant, il gardait son bras fermement enroulé autour de ma taille et, à ma stupéfaction, je sentis ses doigts s'égarer un peu plus haut et entrer en contact avec le dessous de mon sein. Ne sachant comment réagir, je fis un pas en avant afin de serrer quelques mains et parvins ainsi à me dégager. On me tendit un verre de Pimm's. Nous échangeâmes des civilités à propos du beau temps de ce début d'été et de l'arrivée éventuelle de la pluie avant le premier test-match de cricket. Lord Cromer-Strode proposa de former une équipe de onze joueurs qui affronterait celle du village, et il y eut une discussion passionnée sur le choix du premier batteur.

— Le jeune Edward a l'œil aiguisé et il manie sa batte à la verticale, déclara notre hôte. Ah, justement, le voici. Je me demandais où vous étiez passé, mon garçon.

Lunghi venait en effet d'apparaître sur la terrasse en compagnie de la princesse. Il affichait une mine un peu coupable, tandis qu'Hanni semblait contente d'elle-même. La baronne était invisible.

— Vous avez manifestement rencontré notre princesse étrangère, mon garçon ! Formidable. Formidable. Allons, que tout le monde finisse son verre.

Fiona s'écarta de ses cousines pour se précipiter vers Lunghi.

— Edward, mon petit chou adoré. Si vous saviez à quel point je me suis languie de vous aujourd'hui. Comment était-ce, à Cambridge ? Est-ce qu'il y a fait affreusement, terriblement chaud ?

— Non, tout s'est passé fort agréablement, Fiona. C'est la semaine des examens de dernière année. L'endroit est complètement mort. Tout le monde révise, vous savez.

Des invités continuaient d'arriver ; la plupart étaient des gens âgés que je ne connaissais pas. La baronne Rottenmeister fit son entrée, comme à son accoutumée vêtue de noir, une expression furieuse sur le visage.

— Je suis passée chercher la princesse, mais elle était déjà sortie de sa chambre sans m'avoir attendue, me dit-elle. Elle a pris de mauvaises habitudes avec vous.

Au bout d'un moment, le gong annonçant le dîner retentit.

— Chacune de ces dames sait-elle quel cavalier doit l'accompagner jusqu'à la salle de banquet ? lança lady Cromer-Strode, qui papillonnait autour de nous, nous poussant gentiment vers les portes-fenêtres, pareille à un chien de berger obstiné.

Mme Simpson apparut près d'elle.

— Mon cavalier n'est visiblement pas là, Cordelia. Dois-je en conclure que votre époux m'escortera jusqu'à la table ?

— Mon époux ? répéta lady Cromer-Strode, qui parut troublée. Mais enfin, Wallis, ce serait inconvenant ! Il est prévu que lord Cromer-Strode escorte la dame de plus haut rang. Et ce doit être lady Georgiana, n'est-ce pas ?

— Sa mère est une vulgaire traînée, déclara Mme Simpson d'une voix assez forte pour que plusieurs personnes l'entendent.

— C'était une célèbre actrice, Wallis, soyez juste, murmura lady Cromer-Strode. Et son père était le cousin germain du roi. Vous ne pouvez pas le contester.

— J'ai moi aussi des relations dans la famille royale, répliqua Mme Simpson d'une voix boudeuse.

— Oui, mais elles ne sont pas officielles, Wallis. Vous savez très bien qu'en Angleterre tout se passe selon des règles précises. Il faut suivre l'étiquette. Je suis certaine que sir William Stoke-Podges se fera un plaisir de vous accompagner jusqu'à la salle de banquet, n'est-ce pas, William ?

Elle les mit dans les bras l'un de l'autre avant de s'approcher de moi d'un pas léger.

— Lady Georgiana, je crois que vous devriez avoir mon époux comme cavalier.

— Oh, non, lady Cromer-Strode, dis-je avec un sourire innocent.

Mme Simpson s'immobilisa, attendant que je concède qu'elle était en effet la dame la plus importante de l'assemblée.

— Son Altesse est d'un rang plus élevé que le mien. C'est elle que votre époux devrait escorter.

— Évidemment ! Comme c'est idiot de ma part. Princesse Hannelore, mon chou, par ici.

Sur ces mots, elle s'empara d'Hanni tandis qu'on me plaçait aux côtés du colonel Horsmonden.

— Et moi ? s'enquit la baronne en apparaissant près de moi – elle semblait toujours d'aussi mauvaise humeur. Je n'ai pas de cavalier.

— Oh, mon Dieu ! s'exclama lady Cromer-Strode, qui avait manifestement oublié de la compter parmi les invités. Personne ne nous a dit que la princesse viendrait avec une dame de compagnie, comprenez-vous. Je suis vraiment navrée. Bon, voyons voir. Révérend Withers, puis-je vous demander un service ? Escortez cette dame jusqu'à la salle de banquet, voulez-vous ? Rappelez-moi votre nom, mon chou ?

— Je suis la baronne Rottenmeister, répliqua l'intéressée, le visage presque violacé.

— Je vous présente le révérend Withers. Votre épouse n'est pas venue, mon père, n'est-ce pas ?

— Non, elle est allée à Skegness, rendre visite à sa famille.

— Dans ce cas, auriez-vous l'amabilité de servir de cavalier à cette dame ?

— J'en serais enchanté, ma chère, répondit-il en offrant son bras à la baronne.

Celle-ci le dévisagea d'un air suggérant qu'elle le plaçait, dans la hiérarchie des êtres vivants, juste au-dessus du ver de terre.

— Vous avez une femme ? Et vous êtes prêtre ?

— Je suis un pasteur de l'Église anglicane, ma chère. Nous avons le droit de nous marier, vous savez.

— Un protestant !

— Nous sommes tous les enfants de Dieu, affirma-t-il avant de la conduire dans le rang, tandis que j'allais prendre place près du colonel.

— Il semble qu'il nous manque à présent un monsieur, reprit alors lady Cromer-Strode en observant la file des couples. Qui cela peut-il bien être ? Qui n'est pas encore arrivé ?

Comme à point nommé, Darcy O'Mara gravit les marches de la terrasse. Il avait fière allure dans son smoking, avec ses cheveux sombres légèrement ébouriffés et ses yeux brillants. Mon cœur fit une pirouette dans ma poitrine alors qu'il se plaçait à côté de Belinda. Que diable faisait-il à Dippings ?

Avant que je puisse voir s'il regardait dans ma direction, les invités s'agitèrent et le majordome s'avança pour annoncer :

— Son Altesse Royale le prince de Galles, lady Cromer-Strode.

Mon cousin David, sémillant comme lui seul pouvait l'être, fit son entrée avec sa désinvolture habituelle.

— Vraiment désolé d'être en retard, lady C.-S., dit-il en l'embrassant sur la joue, ce qui la plongea dans un émoi plus vif encore. J'ai été retenu à Sandringham House, vous savez. J'espère que cela ne vous a pas trop contrariée. Ah, Wallis, vous voilà !

Il se dirigea droit vers Mme Simpson. Tout en glissant son bras sous celui du prince, elle me décocha un sourire triomphant, puis me bouscula pour rejoindre l'avant de la file.

Je relevai à peine son comportement insultant, car les paroles de David avaient fait ressurgir un souvenir dans ma mémoire : les deux initiales tracées sur une feuille de papier aperçue dans la chambre d'Hanni à Rannoch House. C. P. Qui avait pu lui envoyer un message composé de seulement deux lettres, et que signifiaient-elles ? Et pourquoi avaient-elles été raturées d'une large croix rouge la seconde fois où je les avais vues ?

26.

La salle de banquet scintillait sous les lustres suspendus au plafond, sur lequel étaient peints des chérubins. Des candélabres aux multiples branches avaient été disposés sur une table en acajou qui occupait toute la longueur de la vaste pièce. Les couverts en argent étincelaient, et la lumière se réfléchissait sur leur surface astiquée avec soin. Je fus placée presque en bout de table, entre le colonel Horsmonden et Edward Fotheringay. Le prince de Galles s'assit entre lord Cromer-Strode et Hanni, tandis que Mme Simpson se retrouva juste en face de moi.

— Vous n'avez toujours pas de cavalier régulier, à ce que je vois, me dit-elle. Le temps file à toute allure, vous savez. Vous êtes dans la fleur de votre jeunesse, mais cela ne durera pas.

— J'attends de rencontrer un homme qui n'appartienne pas déjà officiellement à une autre, répliquai-je en lui adressant un sourire mielleux.

— Vous avez la langue acérée, jeune fille, commenta-t-elle avant de reporter promptement son attention sur le prince et notre hôte.

Ce dernier racontait une histoire à l'évidence extrêmement paillarde.

— Alors le fermier a dit : « Bon Dieu, j'ai jamais vu une aussi grosse paire de… »

251

La fin de sa phrase fut couverte par le rire strident de Mme Simpson et par le gloussement de mon cousin. Hanni paraissait perplexe. Je doutais qu'elle ait saisi le double sens, quoique le geste ayant accompagné les paroles de lord C.-S. semblât dépourvu de toute ambiguïté. Cependant, en l'observant plus attentivement, je m'aperçus que son attention n'était pas dirigée sur ses voisins de table ; elle était en réalité fort occupée à jeter des regards aguicheurs à Edward, puis à Darcy.

Je pensai de nouveau à ces étranges initiales. Représentaient-elles une sorte de menace ? Si tel était le cas, pourquoi la princesse ne m'avait-elle pas fait part de ses craintes ? Qui savait qu'elle séjournait à Londres et connaissait son adresse ?

Le dîner débuta par de la bisque de homard, et les plats suivants se firent de plus en plus succulents. Le colonel Horsmonden se lança dans des récits de sa vie en Inde – chasses au tigre, palais de maharajahs, révoltes dans les bazars –, chaque histoire rendue plus assommante que la précédente, comme seul un vieux colonel en est capable, tandis qu'il les truffait de noms de personnes dont je n'avais jamais entendu parler.

Obéissant à mon instinct de conservation, je lui appris qu'Edward revenait tout juste d'Inde, et soudain tous deux se mirent à causer – moi au milieu.

— Je suis surpris que nous ne nous soyons jamais rencontrés, mon garçon, dit le colonel. Je pensais pouvoir me targuer de connaître tous les militaires résidant en Inde.

— Ah, je n'étais pas dans l'armée, répondit Edward. Mais dans le commerce, monsieur. Une compagnie d'import-export.

— Où avez-vous vécu ?

— Un peu partout. Je ne suis jamais resté longtemps dans un endroit, vous savez. J'ai aussi fait quelques ascensions dans l'Himalaya.

— Sapristi ! Vous devez donc connaître le vieux Beagle Bailey. Vous avez déjà grimpé avec lui ?

— Non, pas que je sache, monsieur.

— Vous ne connaissez pas le vieux Beagle ? C'est une institution dans l'Himalaya. Fou à lier, évidemment. Avec qui avez-vous fait vos randonnées, dans ce cas ?

— Oh, avec quelques anciens camarades de Cambridge.

— Et où avez-vous trouvé des sherpas ?

— Nous nous en sommes passés.

— Vraiment ? Comment vous en êtes-vous tirés ? Personne ne part en montagne sans sherpas. C'est rudement dangereux. Ils connaissent le pays comme leur poche.

— Nous n'avons entrepris que de brèves excursions, s'empressa de préciser Edward. Le temps d'un week-end. Histoire de se divertir, vous savez.

— Un orage dans l'Himalaya n'a rien d'amusant, rétorqua le colonel Horsmonden. Je me rappelle un jour où nous étions dans le Cachemire. Nous gravissions un glacier du Nanga Parbat. Vous le connaissez ? Une montagne sacrément belle. L'orage s'est abattu sur nous en dix minutes, et le vent a bien failli nous emporter.

Et ainsi de suite. J'observai Hanni, dont les yeux passaient d'Edward à Darcy, puis ce dernier, qui mangeait d'un air parfaitement insouciant. Le prince de Galles causait avec lord Cromer-Strode, sans jamais détacher son regard de Wallis Simpson. La reine pouvait oublier ses projets ! David n'était nullement fasciné par Hanni, dont l'allure innocemment voluptueuse était pourtant sans pareille. Lord Cromer-Strode était quant à lui conscient de ses charmes. Il se tournait sans cesse pour lui tapoter les doigts, lui caresser le bras et sans doute lui palper le genou sous la table – à en juger par la disparition régulière d'une de ses mains. Quoi qu'il fasse, Hanni ne semblait pas s'en offusquer.

Tout en mangeant, Gussie bavardait lui aussi sans répit et avec décontraction, régalant les cousines américaines d'histoires de pensionnat anglais qui les faisaient hurler de rire.

— Un larbin ? Vous aviez donc un élève plus jeune qui vous servait de larbin ? s'étonna l'une d'elles. Mais c'est affreux.

Mes pensées errèrent vaguement sur les événements de la semaine passée. Si Gussie fournissait effectivement ses amis en cocaïne, et si Tubby et Sidney Roberts se l'étaient mis à dos pour une raison ou pour une autre, comment pouvait-il être assis là, à se comporter comme si de rien n'était ? C'était sûrement une hypothèse stupide. Gussie comptait parmi les jeunes hommes affables, pas particulièrement futés, avec lesquels j'avais dansé durant ma première saison mondaine. Je pouvais l'imaginer consommer de la drogue, même en vendre à ses amis, mais je ne le voyais pas tuer qui que ce soit. C'était complètement absurde.

Une fois le dîner terminé, tandis que les messieurs allumaient des cigares et se servaient des verres de porto, lady Cromer-Strode conduisit les dames au salon. Mme Simpson s'appropria le fauteuil le plus confortable, et Belinda entama une discussion avec les jeunes Américaines. La baronne et Hanni s'étaient apparemment querellées. J'entendis la première dire en anglais :

— C'est un affront impardonnable. J'appellerai votre père demain matin.

Puis elle s'éloigna d'un air digne vers l'autre bout de la pièce et s'assit à l'écart des autres.

Je me dirigeai sans but précis vers les portes-fenêtres ouvertes. Le parfum des roses et du chèvrefeuille planait dans l'air depuis le jardin. La pleine lune se reflétait dans le bassin. Une soirée idéale pour une idylle ; or l'homme avec lequel j'avais envie de me promener au clair de lune était dans la pièce voisine, et il ne s'intéressait pas à moi. Mme Simpson n'avait peut-être pas tort. Certaines femmes, de nature, ne sont pas des séductrices. Peut-être ma mère serait-elle capable de me donner des conseils, mais j'en doutais. Elle exsudait la sensualité, qui lui sortait naturellement par tous les pores. J'avais hérité du sang de la reine Victoria, laquelle, peu encline à s'amuser, n'aurait jamais pu être qualifiée de sexy en dépit des quantités d'enfants qu'elle avait engendrés.

Hanni vint me rejoindre.

— C'est super, *ja* ? Darcy est là. Edward aussi. Je n'arrive pas à décider s'il y en a un que je préfère à l'autre. Ils sont tous les deux sensuels et sexy, pas vrai ?

— Ils sont tous deux séduisants, acquiesçai-je, mais il se trouve que le second est le fiancé de Fiona.

Hanni afficha un grand sourire.

— Je ne pense pas qu'il soit très amoureux d'elle. Pendant le dîner, il m'a regardée et m'a fait un clin d'œil. Ça doit vouloir dire qu'il m'aime bien, oui ?

— Essayez de bien vous tenir, Hanni. Nous sommes les invitées des parents de Fiona.

— Dommage, dit-elle avant de marquer une pause. Son père est un type très gentil, lui aussi. Mais il m'a pincé les fesses en allant dîner. C'est une vieille coutume anglaise ?

— Certainement pas.

— Et pendant notre promenade, il m'a demandé si j'aimais me rouler dans la paille. La paille, c'est pour les animaux, n'est-ce pas ? Pourquoi est-ce que je voudrais m'y rouler ?

— Lord Cromer-Strode est un petit peu trop amical, il me semble. Prenez garde quand vous serez de nouveau seule avec lui. Et surtout s'il vous propose d'aller vous rouler dans la paille.

— Pourquoi ? Ce n'est pas bien ?

— Ce n'est pas le genre d'activité à laquelle s'adonne une princesse en visite officielle.

Je me surpris à parcourir la pièce du regard en me demandant encore une fois laquelle de ces dames avait batifolé dans les rhododendrons avec lord Cromer-Strode, un peu plus tôt dans la journée. S'apercevant que je l'observais, Belinda me fit signe d'approcher.

— J'ai constaté que Darcy O'Mara était là, dit-elle. Crois-tu qu'il a été officiellement invité ou qu'il joue encore une fois les pique-assiettes ?

— Il m'a semblé que lady Cromer-Strode l'attendait, répondis-je en essayant de feindre l'indifférence.

— Qu'est-il venu faire à Dippings ? Ce ne sont pas des gens qu'il fréquente d'habitude. J'ignorais même qu'il connaissait les Cromer-Strode. Ce qui ne peut vouloir dire qu'une chose, ajouta-t-elle en me décochant un sourire entendu. Il s'intéresse encore à toi, vois-tu.

— Je ne crois pas qu'il soit venu pour moi.

Les messieurs entrèrent tranquillement dans le salon ; autour d'eux planaient encore des nuages de fumée. Hanni leva les yeux d'un air impatient, se retourna et sortit sur la terrasse d'un pas décidé. Edward fit mine de la suivre, mais se ravisa. Darcy me lança un regard que je ne pus interpréter, puis partit derrière la princesse. Je les observai s'éloigner en essayant de me composer un visage qui ne trahisse aucune émotion.

— Je devrais peut-être les suivre, dis-je à Belinda.

— Je te déconseille de lui courir après. Ce serait malavisé.

— Pas pour moi, mais pour Hanni. Je suis censée veiller sur elle, et elle est extrêmement avide d'expériences sexuelles. Je suis sûre que Darcy ne demanderait pas mieux que de lui rendre service.

— Oui, probablement. Aucun homme ne refuserait ce que cette innocente petite demoiselle offre si ostensiblement et si librement, et Darcy est certainement plus ardent que la plupart de ses congénères.

Je soupirai.

— J'ai gâché mes chances avec lui, n'est-ce pas ? Si mon attitude avait été moins bêtement morale et correcte, il ne serait pas allé voir ailleurs.

— Tu ne peux pas changer ta nature, répondit Belinda. C'est à cause de toute cette histoire d'honneur familial qui t'a été inculquée... Tu aurais été déprimée si tu avais couché avec Darcy, qui t'aurait ensuite plaquée, quoi qu'il en soit.

— Je suis plutôt déprimée de toute manière. Je sais qu'il n'est pas convenable du tout, mais je ne peux pas étouffer ce que je ressens pour lui.

— Personne ne choisit le moment ni l'endroit pour tomber amoureux. Cela arrive, voilà tout. Tu rencontres quelqu'un et...

Elle se tut, les yeux rivés vers l'autre bout de la pièce. Edward Fotheringay était entouré de Fiona et de ses cousines américaines, qui pouffaient à chacune de ses paroles – tandis que lui regardait fixement Belinda.

— Il fait un peu étouffant à l'intérieur, tu ne trouves pas ? dit-elle d'un ton dégagé, plaçant la main sur sa nuque d'un mouvement extrêmement suggestif. Je crois que je vais moi aussi aller faire un tour sur la terrasse.

Sur ces entrefaites, elle franchit gracieusement les portes-fenêtres. Au bout d'une ou deux minutes, Edward la rejoignit. C'était donc ainsi qu'on s'y prenait. Elle donnait l'impression que c'était si facile. Si je m'aventurais à l'imiter, je trébucherais probablement contre l'encadrement de la porte, ou je basculerais de la terrasse.

27.

Restée seule, j'observai le prince de Galles qui se dirigeait à présent tout droit vers Mme Simpson, laquelle tapotait l'accoudoir de son fauteuil comme si David était un petit chien de compagnie. Les messieurs âgés se regroupèrent autour de la carafe de brandy et parlèrent à mi-voix de jouer au billard. Les dames quant à elles, assises sur le sofa, échangeaient des potins.

— Vous êtes fort songeuse, ce soir, dit quelqu'un près de moi.

Je sursautai. C'était Gussie, qui me souriait.

— Je donnerais bien un sou pour connaître vos pensées, ajouta-t-il.

— Je suis plutôt pauvre, ces temps-ci. Je vous les offre pour une demi-couronne.

— Vous êtes dure en affaires ! s'esclaffa-t-il.

— Pur désespoir de ma part, je vous assure. Il est difficile de vivre à Londres sans le moindre sou.

— Oui, j'imagine.

C'était l'occasion idéale pour lui soutirer des informations, songeai-je.

— Ce doit être agréable d'être à votre place, de pouvoir donner des tas de joyeuses fêtes et de vivre dans ce bel appartement.

Il fronça brièvement les sourcils, du moins me sembla-t-il.

— Je crois que cet appartement ne me plaît plus trop. Plus depuis la chute du pauvre Tubby. Je n'arrive toujours pas à m'en remettre. Je ne cesse de me demander si j'aurais pu faire quoi que ce soit pour le sauver – hormis faire installer une balustrade plus solide, évidemment.

— Je ressens la même chose. J'ai eu l'impression de regarder un film, n'est-ce pas ? Une scène un peu irréelle.

Il hocha la tête et garda le silence un instant.

— Bon, que diriez-vous d'un petit tour dans le jardin ? finit-il par proposer. C'est une belle soirée, avec la pleine lune et tout le toutim.

— Merci, dis-je. Avec plaisir.

Il me prit par le bras et me guida jusqu'à la terrasse. J'aperçus Darcy et Hanni qui se tenaient l'un près de l'autre, à quelques pas seulement des portes-fenêtres. La princesse le dévisageait avec adoration. Dans le salon, quelqu'un commença à jouer au piano un morceau de Debussy intitulé « Clair de lune ». Aucun signe de Belinda ou d'Edward.

— Quelle agréable soirée, n'est-ce pas ? dit Gussie. Il fait encore très doux.

— Oui, c'est une belle nuit.

Je glissai ma main dans la sienne et le conduisis en bas des marches de la terrasse. Mon cœur battait à tout rompre. Nous entrions en territoire inconnu. Je ne savais pas vraiment où se situait la frontière entre flirt et séduction. Je me tournai vers lui avec un petit sourire encourageant.

— J'attendais que quelqu'un m'emmène en promenade au clair de lune, dis-je. C'est très romantique, n'est-ce pas ?

— Oui, sans doute. Je ne pensais pas que vous seriez intéressée, vous savez.

— Pourquoi ?

— Eh bien, parce que vous êtes la sœur de Binky, tout de même. Mais vous êtes une fille formidable,

Georgie. Et plutôt pas mal, par-dessus le marché. À dire vrai, je ne comprends pas pourquoi personne ne vous a encore mis le grappin dessus. Vous feriez une épouse parfaite. Vous êtes d'une bonne lignée. Vous êtes fiable.

— À vous entendre, on pourrait me prendre pour un épagneul. Quelqu'un de sûr, de fiable. Je ne suis donc ni chaleureuse ni sexy ?

Il rit nerveusement.

— Bon sang, Georgie, vous êtes la sœur de Binky !

— Je suis aussi une femme, dis-je en manquant m'esclaffer – quelle réplique idiote.

— Oui, en effet.

Il s'y était pourtant laissé prendre. Il m'observait d'un air étrange, inquisiteur.

Nous étions à présent seuls sur la pelouse sombre qu'éclairait la lune. J'entendais les clapotements de la fontaine et la musique dans le lointain. Je me tournai face à lui.

— Alors, n'allez-vous pas me donner un baiser ?

— Ma parole, et comment !

Il approcha ses lèvres des miennes. Elles étaient étonnamment humides et froides. C'était un peu comme embrasser un cabillaud. Lorsque j'avais embrassé Darcy, je n'avais pas prêté attention à nos lèvres, à nos langues, ni à rien de tout cela. Simplement à la merveilleuse sensation d'un désir vibrant, impétueux, à la sensation de me fondre en lui. En revanche, j'étais maintenant consciente, de manière horrible, de tout ce que Gussie faisait ou essayait de faire. D'abord de sa grosse langue molle. Et de ses mains, qui s'étaient glissées dans mon dos, à l'intérieur de ma robe, pour dégrafer mon soutien-gorge. Mais je gardai les yeux fermés et feignis d'être en extase, lâchant de petits gémissements de plaisir de temps à autre.

Cela sembla l'inciter à aller plus loin. Sa respiration se fit plus bruyante. Il tenta de passer la main sous mon bras pour s'emparer de l'un de mes seins. Puis il me tira à moitié jusqu'à un banc de pierre tout proche. Nous nous y affalâmes ensemble. Une main se glissa dans le décolleté de ma robe et se mit à caresser mon sein droit comme si elle palpait une orange mûre. L'autre main remonta le long de ma jupe et commença à se faufiler entre mes jambes.

J'étais à présent quelque peu effarée, déconcertée. Jusqu'où voulais-je que les choses aillent ? Le moment n'était-il pas venu d'y mettre un terme ? Gussie haletait comme une locomotive à vapeur tout en se débattant avec ma culotte. Il me vint soudain à l'esprit que je n'avais pas envie de perdre ma virginité avec Augustus Gormsley. Vu que j'avais résisté à Darcy alors que je le désirais de tout mon être, il aurait tout de même été hypocrite de céder si facilement à quelqu'un dont je ne voulais pas.

Gussie s'était mis à tirer lentement mon slip vers le bas.

D'autres pensées se bousculèrent dans mon esprit : j'avais entendu dire que, la première fois, on saignait et qu'on exposait les draps ensanglantés hors de la chambre à coucher afin de prouver que l'union avait été consommée. Que diable penserait-on si je retournais d'un pas vacillant dans le salon, couverte de sang et échevelée ? Mon cousin le prince et Mme Simpson s'y trouvaient en ce moment même. Il était même possible que cela parvienne aux oreilles de Sa Majesté.

Gussie, qui tâtonnait pour défaire sa ceinture, plongea la main dans son pantalon et en sortit une chose que je ne pus vraiment distinguer, mais sur laquelle il plaça mes doigts. Horrifiée, j'eus un mouvement de recul. La chose remuait, comme dotée d'une vie propre. Elle me faisait penser à un triton que Binky et moi avions eu enfants.

— Je suis navrée, dis-je en essayant de m'écarter. Mais je devrais retourner à l'intérieur. Les autres vont se demander où je suis passée.

Gussie pantelait toujours.

— Vous ne pouvez pas me laisser dans cet état, Georgie, dit-il en remontant ma jupe avec des gestes frénétiques. Vous ne pouvez pas exciter un type pour ensuite lui dire de s'arrêter. Il faut que je tire un petit coup rapide, vous savez. Allez, soyez gentille et laissez-vous faire.

Il me repoussa plutôt brutalement, de sorte que je me retrouvai étendue sur le banc de pierre froid. Je me rendis alors compte qu'il était plus vigoureux que je ne l'avais cru et que nous étions loin de la maison. Il recommença à m'embrasser, s'allongeant sur moi de tout son poids. Je ne pus m'empêcher de penser à l'une des maximes préférées de Belinda : « Si le viol est inévitable, détends-toi et prends-y du plaisir. »

Tout à coup, la situation ne me parut plus aussi amusante. Je n'avais pas envie d'être une nouvelle Belinda. Je ne voulais pas devenir comme ma mère. Je retirai mes lèvres des siennes.

— Je vous ai dit non, Gussie.

Je tentai de le repousser, tandis qu'il s'escrimait à soulever ma jupe suffisamment haut. Dieu merci, le vêtement se composait d'une bonne quantité de tissu, sans oublier les couches que formaient mes deux jupons. J'essayai de lever un genou, mais Gussie se montrait fort persévérant.

— Je vous ai dit de me lâcher !

Je le poussai, me tortillai et me tournai en même temps, si bien que nous basculâmes tous deux du banc pour atterrir dans l'herbe humide. Je tentai de me redresser ; lui s'efforça de m'attirer de nouveau vers le sol.

— Que se passe-t-il ? demanda soudain une voix d'homme. Il y a une sale bête dans les buissons. Allez me chercher mon fusil !

Gussie se remit debout en toute hâte et déguerpit sans m'attendre. Je me relevai et commençais à épousseter mes vêtements quand je m'aperçus que l'homme arrivé à point nommé était Darcy.

— Il a filé comme un lévrier au départ d'une course, pas vrai ? commenta-t-il d'une voix amusée.

— Que faites-vous là ?

— Je me dégourdis les jambes, voilà tout. C'est une belle soirée pour une promenade. Plus important encore, que faisiez-vous ?

— Cela ne vous regarde pas.

— Ne me dites pas que vous y avez pris du plaisir.

— Je vous répète que mes faits et gestes ne vous regardent pas.

— Le problème, c'est que j'ai eu droit à un long sermon de votre part il y a un mois environ ; vous m'avez expliqué que vous ne vouliez pas devenir comme votre mère et que vous attendiez l'homme idéal et le bon moment. Je vous en prie, ne me dites pas que vous trouvez Gussie Gormsley plus irrésistiblement séduisant que moi. Car si tel est le cas, je vais vraiment aller chercher mon fusil et me tirer une balle dans la tête.

— Je ne comptais pas laisser Gussie me…

— Je vois. Ce n'était pas flagrant, aux yeux d'un observateur extérieur.

Il se mit en marche à mes côtés en direction de la maison.

— Quoi qu'il en soit, je peux parfaitement me débrouiller seule, affirmai-je. Vous semblez toujours surgir de nulle part et vous comporter comme si vous voliez à mon secours. C'est tout à fait inutile, sachez-le.

— Tout le plaisir est pour moi, lady Georgiana.

— Ne vous sentez pas obligé de rester, je ne voudrais pas vous éloigner une seconde de plus de la ravissante princesse Hanni. Qui sait, vous finirez peut-être dans un château de conte de fées et apprendrez à défiler au pas de l'oie.

Cette remarque lui arracha un sourire.

— Lorsqu'une femme se jette littéralement dans vos bras, il est difficile de résister.

— J'en suis certaine. Elle sort du couvent. Elle est bien décidée à découvrir ce qu'elle a manqué jusqu'à présent.

— Et comment ! répondit-il en souriant de nouveau.

— Et vous serez sans aucun doute ravi de lui servir de guide.

— Personne n'est parfait. Nous autres hommes avons du mal à dire non à un corps brûlant de désir.

— Je suppose qu'elle doit vous attendre, répliquai-je en pressant le pas.

Il me rattrapa et me saisit le poignet. L'espace d'un instant, je crus qu'il allait me prendre dans ses bras ; au lieu de quoi il me dit :

— Vous ne pouvez pas retourner au salon comme ça.

— Comme quoi ?

— Ma foi, non seulement vous avez des taches d'herbe dans le dos, mais vos sous-vêtements sortent à moitié de votre robe. Ah, oui, je vois. Votre soutien-gorge s'est mystérieusement dégrafé. Permettez-moi de...

— Sûrement pas, l'interrompis-je. Je vais me débrouiller.

— Vous ne pouvez pas vous montrer ainsi. Tenez-vous tranquille.

Au contact de ses mains tièdes dans mon dos, j'eus un frisson involontaire.

— Voilà. Vous êtes de nouveau assez présentable.

Sa main s'attarda sur mon épaule nue.

— Merci, dis-je en m'écartant de lui.

— Georgie, murmura-t-il sans ôter sa main de mon épaule. Quand j'ai disparu de la circulation... c'est parce qu'il fallait que je quitte Londres à la hâte.

— Pour vous soustraire à la justice ?

— J'ai dû rentrer en Irlande. Lorsque j'ai appris que mon père s'apprêtait à vendre notre domaine à des Américains, je me suis précipité chez moi afin d'essayer de le faire changer d'avis. Je suis arrivé trop tard. La vente avait déjà été conclue.

— Je suis extrêmement navrée.

— C'était inévitable, je suppose. Il était à court d'argent. Ils lui ont fait une offre qu'il n'a pas pu refuser. Le seul avantage, c'est qu'ils ont l'intention de créer une nouvelle écurie de courses. Ils vont employer mon père comme entraîneur, conseiller et homme à tout faire. Il logera dans la maison du gardien.

Il grimaça, comme si cette idée lui était douloureuse.

— Par chance, il n'a pas pu vendre son titre en même temps que le domaine. Sinon, il aurait fallu que je m'appelle simplement M. O'Mara pour le restant de mes jours.

— Je suis vraiment désolée, Darcy.

— Bon, je ne peux rien y faire, mais je n'ai plus de toit à présent. Et je ne compte certainement pas vivre dans la maison de notre ancien gardien tandis qu'un millionnaire texan s'installe dans notre manoir familial.

— Darcy, où êtes-vous ? lança Hanni, dont la voix flotta jusqu'à nous.

— Votre bien-aimée vous attend, dis-je, alors que la princesse sortait de l'obscurité.

— Georgie… cette femme avec qui vous m'avez vu au Savoy…

— Ne vous sentez pas obligé de vous expliquer à propos de vos petites amies, Darcy.

Sans savoir pourquoi, j'eus l'impression d'être sur le point de pleurer. Je n'avais qu'une envie : m'échapper pour aller me réfugier dans ma chambre.

— Ce n'était pas une petite amie, mais ma sœur, Bridget. La vente de notre domaine l'a autant abattue que moi. Nous avions besoin de nous réconforter ensemble.

Avant que je puisse dire quoi que ce soit, Hanni aperçut Darcy et se mit à courir vers nous.

— Darcy, où étiez-vous ? Je vous avais perdu, se plaignit-elle.

265

— J'avais une bonne action à accomplir. J'ai été boy-scout, vous savez. Lady Georgiana, ajouta-t-il en s'inclinant légèrement.

Puis il se tourna vers Hanni et se laissa emmener par la main, m'abandonnant au clair de lune.

★

J'essayai de me faufiler dans le salon sans me faire remarquer. J'ignorais si Gussie était déjà de retour et me demandai dans quel état il était. Je m'attendais à ce que tous les yeux convergent vers moi, mais la scène était exactement telle que je l'avais laissée : le prince était docilement assis sur l'accoudoir du fauteuil de Wallis Simpson, les yeux baissés vers elle comme si aucune autre femme ne se trouvait dans la pièce ; les dames étaient toujours occupées à bavarder, penchées les unes vers les autres.

— Mais c'est tout bonnement incroyable, disait l'une d'elles. Où avez-vous entendu cela ?

— Quelqu'un a-t-il envie de disputer une partie de billard ? suggéra lord Cromer-Strode. Colonel ? Edward ? Où est donc passé ce satané garçon ?

Le visage impassible, Fiona fixait les portes-fenêtres.

— Il est allé se promener. Il fait plutôt chaud dans le salon.

— Une partie de whist ? proposa lady Cromer-Strode, qui avait probablement senti que l'atmosphère devenait tendue. Qui veut jouer au whist, au bridge ou au vingt et un, au choix ?

Tandis qu'on installait des tables, j'en profitai pour sortir discrètement. Une fois dans ma chambre, je contemplai le paysage nocturne par la fenêtre ouverte en tâchant d'assimiler ce qui venait de m'arriver. Comment avais-je pu être stupide au point d'encourager Gussie ? Et pourquoi Darcy avait-il pris la peine de s'expliquer sur ses faits et gestes – avant de se remettre à courir après

Hanni un instant plus tard ? Rien de ce que faisaient les hommes n'était logique. Pourquoi avions-nous perdu notre temps, à l'école, à prendre des leçons de maintien, de français et de piano ? Il aurait mieux valu nous donner des cours qui nous auraient permis de comprendre le comportement masculin. À moins que cela ne dépasse l'entendement.

Un rire de femme me parvint aux oreilles depuis la pelouse, et mon imagination s'enflamma de nouveau. La reine s'attendait-elle à ce que je reste ici encore longtemps ? Pouvais-je désormais décréter qu'Hanni était installée à Dippings et repartir pour Londres au plus vite ? À cet instant, j'aurais donné n'importe quoi pour me trouver dans la petite cuisine de mon grand-père, tandis qu'il me préparait un thé si fort que la cuiller tenait presque à la verticale au centre de la tasse. « Oublie cette bande d'aristos, ma chérie, aurait-il déclaré. Ils valent pas tripette ! »

— Lady Georgiana, veuillez m'excuser, dit une voix derrière moi.

Je faillis bondir au plafond. C'était Mildred, évidemment. Encore une fois, j'avais complètement oublié qu'elle était là. Qu'avait-elle de singulier qui la rendît si insignifiante ? Peut-être aurais-je préféré qu'elle n'existât pas. Elle venait d'entrer précipitamment dans la chambre, l'air troublé et embarrassé.

— J'ignorais que vous souhaiteriez vous retirer aussi tôt, lady Georgiana, commença-t-elle avec agitation. Je pensais que les jeunes gens étaient encore en bas. J'ai cru comprendre qu'il y avait un phonographe et que vous danseriez, alors naturellement j'ai supposé que…

— Ne vous en faites surtout pas, Mildred. Je ne vous demande pas de rester au garde-à-vous et de m'attendre à toute heure du jour et de la nuit.

— Oh, mais vous le pouvez, lady Georgiana, et vous devriez. À quoi bon avoir une femme de chambre si celle-ci n'est pas disponible et prête à vous servir au pied

267

levé ? J'étais en train de discuter tranquillement avec la femme de chambre de lady Cromer-Strode. Nous avons tant de connaissances en commun, voyez-vous. Et puis un valet de pied est arrivé à l'office et m'a dit qu'il vous avait vue monter l'escalier. J'en ai eu un coup au cœur, lady Georgiana, ajouta-t-elle en portant les mains à sa poitrine, comme pour mimer la scène. J'ai couru jusqu'à votre chambre aussi vite que mes jambes ont pu me porter. Dites-moi que vous me pardonnez, s'il vous plaît.

— Mais oui, vous êtes toute pardonnée, Mildred. Je vous autorise à redescendre à l'office afin de reprendre votre petite conversation.

— Vous ne vous sentez pas bien, lady Georgiana ? Voulez-vous que je vous fasse monter du lait chaud ? Une tasse de Bovril ? Un verre de limonade glacée ?

— Je vais très bien, merci. Je suis juste fatiguée et souhaiterais être seule.

— Dans ce cas, laissez-moi vous aider à vous déshabiller, vous serez alors prête à vous coucher.

— Non… merci ! rétorquai-je avec plus de violence que je n'en avais eu l'intention, en me rappelant mon soutien-gorge à moitié dégrafé et les taches d'herbe.

Mildred n'aurait émis aucun commentaire ; les domestiques ne se permettent jamais de remarques déplacées. Elle s'en serait toutefois rendu compte et ne se serait pas privée d'en parler aux autres bonnes.

— Je préfère être seule ce soir, merci, Mildred. Veuillez me laisser.

C'était le ton qui se rapprochait le plus de celui que devait employer mon arrière-grand-mère, impératrice de tout le tralala, et jamais je ne l'avais aussi bien imitée. Son effet fut immédiat. Mildred exécuta une révérence et sortit de la pièce à reculons. J'en fus fort satisfaite – en réalité, ce fut le moment le plus satisfaisant de cette longue et assommante journée. Je me déshabillai, rouge de honte tandis que je m'extirpais de ce qui restait de mon soutien-gorge, et remarquai ma robe toute chiffonnée. Que penserait Mildred ?

Étendue sur mon lit, je me sentais très seule et vide. Darcy était maintenant avec une autre. Il m'était venu en aide, mais simplement parce qu'il m'avait prise en pitié. Je restai couchée un long moment, à contempler le clair de lune entrer à flots par les hautes fenêtres. Il éclairait directement un tableau accroché au mur du fond, sur lequel étaient représentées les Alpes, me rappelant mes heureuses années d'école en Suisse. Je reconnus même les sommets qui y étaient peints.

— La Jungfrau, le Mönch, l'Eiger, murmurai-je pour moi-même, réconfortée par ce spectacle familier qui veillait sur moi.

Puis un détail commença à me tracasser. Je me souvins des paroles d'Hanni à propos de ses chères montagnes bavaroises. « La Zugspitze et la Jungfrau », avait-elle dit. Or, la Jungfrau était en Suisse.

28.

Lorsque je me réveillai à l'aube, le soleil matinal entrait à flots dans ma chambre et le concert des oiseaux était presque assourdissant. Un souffle frais d'air pur venait des fenêtres ouvertes. Comme je n'avais plus sommeil, je me levai. Le petit déjeuner serait servi d'ici un long moment, et il s'écoulerait sans doute une bonne heure avant que Mildred ne me montât une tasse de thé. Je décidai donc d'aller me promener. Je descendis l'escalier à pas de loup et franchis la porte d'entrée sans croiser personne. Les pelouses étaient couvertes de rosée. Dans les rosiers étaient suspendues des toiles d'araignée sur lesquelles les gouttes de rosée étincelaient comme des diamants. Une mince bande de brume flottait juste au-dessus du bassin d'agrément. À mesure que j'avançais, je commençai à me sentir mieux. J'étais restée cloîtrée à Londres trop longtemps. J'étais une fille de la campagne dans l'âme. Mes ancêtres avaient parcouru les Highlands. Marchant à grandes enjambées en balançant les bras, je me mis à fredonner un air. Tout ce qui était arrivé depuis qu'Hanni était là ne serait bientôt plus qu'un mauvais rêve. Elle retournerait en Allemagne, où elle briserait des cœurs les uns après les autres. Je rentrerais pour ma part à Rannoch House. J'irais peut-être même quelque temps en Écosse jusqu'à ce qu'on me convoque à Balmoral. Je monterais à cheval tous les jours, j'éviterais Fig et j'irais rendre visite à ma nourrice.

Après avoir traversé la pelouse, j'entrai dans l'ombre d'un bosquet d'arbres. Soudain, je me figeai sur place. Quelqu'un se déplaçait parmi les buissons de rhododendrons. Je repensai aussitôt aux cabrioles de lord Cromer-Strode, mais même un individu aussi lubrique ne pouvait pas être debout à six heures du matin. Puis j'entrevis une silhouette vêtue de noir. Au moins, cette personne, quelle qu'elle fût, était habillée. J'aurais dû en éprouver du soulagement, si sa façon furtive de se déplacer n'avait pas d'emblée éveillé mes soupçons. C'était peut-être un braconnier. Sans doute était-il plus sage de dévoiler ma présence afin de le surprendre.

Je toussai bruyamment. L'effet fut immédiat. La personne pivota, et je découvris avec stupeur qu'il s'agissait de la bonne d'Hanni.

— Irmgardt, que diable faites-vous ici ? demandai-je avant de me rappeler qu'elle ne parlait pas anglais.

— *Die Prinzessin macht einen Spaziergang*, me dit-elle.

Je pouvais au moins comprendre ces quelques mots d'allemand. La princesse était donc partie en promenade de bon matin.

— Où est-elle ? *Wo ?*

Avant qu'elle puisse répondre, j'entendis un bruit de pas dans les fougères et Hanni apparut, les joues rouges, respirant la santé.

— Oh, Georgie, vous êtes réveillée vous aussi. C'est une belle journée, pas vrai ? Les oiseaux chantaient si fort que je ne pouvais plus dormir. Chez moi, nous marchons beaucoup, nous grimpons dans la montagne. Ici, il n'y a pas de montagnes, ajouta-t-elle avec regret avant de jeter un coup d'œil à Irmgardt, restée derrière nous. Mais ma bonne m'interdit de me promener seule. Rentre, Irmgardt, je n'ai pas besoin de toi.

Elle répéta ces derniers mots en allemand tout en la chassant d'un « Ouste ! », comme on l'aurait fait avec un canard ou un poulet. La domestique battit en retraite à contrecœur.

— La vieille peau l'oblige à me suivre, me murmura Hanni. Elle ne me fait plus confiance quand je veux sortir toute seule. Maintenant, j'ai deux enquiquineuses sur le dos.

À cet instant, nous entendîmes un bruit sourd de sabots, et Edward Fotheringay, monté sur un beau cheval bai, s'approcha de nous.

— Bonjour, mesdemoiselles, nous salua-t-il en tirant sur ses rênes. Agréable matinée, n'est-ce pas ? Je suis allé faire un bon galop. Le vieux Cromer-Strode possède une belle écurie. Où partez-vous comme ça ?

— Nous nous sommes toutes deux réveillées tôt et avons décidé de faire un petit tour, répondis-je.

— Pourquoi ne venez-vous pas faire un peu de cheval avec moi ? proposa Edward. J'irai vous chercher des montures pendant que vous vous changerez.

Pour tout dire, je mourais d'envie de chevaucher de nouveau.

— Je n'aime pas ça, répliqua la princesse. Je n'aime pas quand mes habits sentent la sueur de cheval. Mais je voudrais faire un tour dans votre nouvelle voiture, comme les filles américaines. Ce serait vraiment épatant. Je ne suis jamais montée toute seule dans une auto avec un homme.

— Oh, d'accord. Toujours ravi de montrer à une jolie fille ce dont mon nouvel engin est capable. Je vais ramener le cheval à l'écurie et me changer, j'en ai pour quelques minutes. Et ensuite, nous partirons.

Il s'éloigna au petit galop, tandis que nous reprenions le chemin de la maison.

— Votre baronne sera mécontente, Hanni, lui dis-je. Elle ne vous autorisera pas à monter dans l'auto d'un jeune homme sans chaperon.

— Je me moque de ce qu'elle peut penser ou dire, répliqua la princesse en rejetant la tête en arrière avec un air de défi. Elle est ma dame de compagnie, pas ma mère. De plus, je ne veux pas rester avec la baronne. Elle est de mauvaise humeur.

— Pour quelle raison ?

— Elle affirme qu'on la traite comme une domestique. Elle a un rang plus élevé que lady et lord Cromer-Strode, mais ils l'ont obligée à se placer au bout de la file et à s'asseoir avec un affreux prêtre marié et d'autres gens sans importance.

— Je suppose qu'ils n'ont pas compris qui elle était. Ils s'imaginent qu'elle est une simple dame de compagnie.

— Elle veut que je le leur dise, et que j'exige qu'elle soit traitée avec respect. Mais je n'ai pas envie. Ce serait impoli, hein ? Ce n'est pas ma faute si elle est vieille et moche.

— Évitez de vous exprimer ainsi, Hanni, même quand nous sommes seules. Vous appartenez à la royauté. Toutes vos paroles pourraient être rendues publiques.

— Je sais que vous ne direz rien à personne parce que vous êtes ma copine.

— Mais je ne peux pas vous laisser seule avec un garçon, vraiment.

— Venez avec nous. Vous pourrez me surveiller.

Avais-je réellement envie de regarder Edward et Hanni se faire les yeux doux et, plus important encore, accepteraient-ils que je joue au chaperon depuis la banquette arrière ? Une pensée me traversa alors l'esprit. J'étais censée jouer les détectives. Et il était crucial que je m'y mette au plus vite. L'enquête judiciaire qui examinerait les causes du décès de Sidney Roberts aurait probablement lieu d'ici quelques jours. Notre rôle dans cette affaire serait dévoilé. S'ensuivrait un scandale royal ; horrifiée, l'Allemagne réagirait, des messages diplomatiques traverseraient la Manche et, si nous jouions réellement de malchance, une autre guerre mondiale éclaterait. L'occasion idéale d'interroger Edward loin de l'agitation qui régnait à Dippings se présentait à moi, et je ne pouvais la laisser s'envoler.

— Très bien, acquiesçai-je. Je vous accompagnerai et je tiendrai la chandelle.

— Quelle chandelle ?

— C'est juste une expression idiote.

— Votre langue est idiote, c'est vrai, déclara Hanni.

Je dus convenir qu'elle avait raison.

★

Le fait que je me joigne à eux ne parut pas déranger Edward outre mesure.

— Plus on est de fous, plus on rit, dit-il. Bien, où avez-vous envie d'aller ? Dans un endroit en particulier ? Nous pourrions en profiter pour partir pour la journée.

Une idée géniale me vint en tête : Cambridge – le seul lien entre Edward, Gussie et Sidney Roberts, semblait-il. Je ne risquais pas d'y trouver des indices – je n'y découvrirais probablement pas de messages laissés dans le cloître d'un des collèges (du genre : *Rendez-vous au bord de la rivière. Arrivée de la cargaison de drogue prévue à l'aube*) –, mais il serait intéressant d'observer Edward dans un environnement qui lui était familier.

— Je crois que la princesse apprécierait de découvrir Cambridge, suggérai-je. Si le trajet n'est pas trop long.

— Pas du tout. Je suis toujours content de faire admirer mon ancienne université, répondit Edward en souriant à Hanni.

Notre départ de Dippings eut lieu avant le réveil des autres résidents. Le majordome nous fit gentiment servir du thé et des toasts afin que nous ne partions pas l'estomac vide, et la cuisinière nous prépara à la hâte un panier garni pour le voyage. Tout se passa très convenablement, et la journée à venir s'annonçait joyeuse – si on faisait abstraction du pauvre Sidney Roberts. Hanni semblait l'avoir complètement oublié. Elle ne l'avait pas mentionné une seule fois au cours de nos dernières conversations. Elle ne paraissait pas non plus se soucier de l'enquête judiciaire imminente ni de l'attention publique que celle-ci susciterait. Peut-être avait-elle envie de se retrouver sous le feu des projecteurs. Cela cadrerait avec sa personnalité. Assise à l'avant de l'élégante petite automobile de sport d'Edward, elle levait de temps à autre les yeux vers lui, manifestement enchantée d'être enfin seule (ou presque) dans une voiture avec un garçon.

— L'annonce de cette escapade n'a pas dû plaire à votre baronne, dit Edward, se tournant vers la princesse avec un grand sourire espiègle.

— Je ne l'ai pas réveillée. Elle n'aime pas se lever trop tôt. Irmgardt lui dira où je suis allée.

— À votre retour chez vous, il est probable qu'on vous renverra directement au couvent, la taquina Edward.

— Une lady anglaise très convenable, parente du roi, est assise à l'arrière, répliqua Hanni. Elle veillera à ce que vous vous comportiez correctement.

— Ah, mais et vous ? fit-il avec un sourire encore une fois charmeur. Parviendra-t-elle à vous tenir à l'œil ? Ce ne doit pas être une mince affaire, je le crains.

Il me lança un regard et m'adressa un clin d'œil. Je lui souris en retour.

— J'ai vraiment hâte de découvrir Cambridge, dis-je. Je n'y suis jamais allée.

— Vous n'avez jamais vu Cambridge ? Vous ne connaissez donc rien à la vie. C'est assurément la plus belle ville d'Angleterre. Très supérieure à Oxford, naturellement, qui n'est qu'un petit bourg animé de province.

275

— Auriez-vous des préjugés sur Oxford ? ironisai-je.

Il s'esclaffa. Il avait un rire extrêmement séduisant. Je comprenais pourquoi les jeunes filles le trouvaient attirant. Je n'étais moi-même pas complètement indifférente à son charme, mais puisque j'étais à l'évidence la quatrième sur sa liste après Fiona, Belinda et Hanni – sans même parler de ma mère –, il était inutile de le poursuivre de mes assiduités. Je m'interrogeai sur Edward et Fiona. S'étaient-ils vraiment fiancés, ou s'agissait-il de l'une de ces unions que les familles arrangent à la naissance de leurs enfants ? J'avais remarqué de quelle façon Edward dévisageait Hanni, et je l'avais aussi vu suivre Belinda dans le jardin la veille au soir. Or les hommes qui suivaient Belinda n'avaient qu'une idée en tête.

Le trajet de quatre-vingts kilomètres, le long de chemins écartés bordés d'arbres, fut enchanteur. Le soleil brillait, entrecoupé de taches d'ombre, les pigeons roucoulaient et le vent faisait voler ma chevelure à l'arrière de la voiture décapotée. Hanni et Edward échangeaient parfois quelques mots, mais lorsque l'auto commença à prendre de la vitesse, je ne pus plus me joindre à la conversation, et j'en profitai pour réfléchir. Pourquoi Sidney Roberts s'était-il retrouvé à la fête de Gussie et Edward ? Il n'y était pas à sa place, que ce soit sur le plan de la classe sociale ou sur celui des opinions politiques. Les communistes convaincus se rendaient tout de même rarement à des soirées de jeunes aristos décadents où l'on consommait des cocktails et de la cocaïne – à moins qu'il ne fût venu pour nous convertir à sa cause, ce qui ne m'avait pas paru être le cas. Il m'avait plutôt semblé distant et mal à l'aise, préférant se réfugier sur le balcon.

Je repensai à notre conversation ; sans doute Sidney, issu d'un milieu populaire, était-il flatté d'avoir été convié. Ou bien, comme Darcy, il cherchait simplement à manger et à boire gratis. Mais il ne m'avait pas paru appartenir à cette catégorie d'individus. Je me rappelai que Gussie avait été surpris de le voir ce soir-là. Il en avait fait part à Edward, qui avait laissé entendre qu'il avait été obligé de l'inviter, et que c'était plutôt un brave type, à sa façon. Qu'avait-il voulu dire par « obligé » ? Edward et Gussie lui étaient-ils redevables de quelque chose ? Un autre soupçon surgit dans mon esprit. Était-ce Sidney qui les avait approvisionnés en drogues ? Son personnage de communiste convaincu n'était-il qu'une façade ?

— Vous avez donc étudié à Trinity College, Edward ? demandai-je en me penchant vers le siège du conducteur.

— C'est exact. Ce bon vieux Trinity College. L'un des collèges les plus récents de tous, je le crains. Fondé par Henri VIII. Hier, les jeunes Américaines ont ri comme des baleines en apprenant qu'un établissement créé dans les années 1500 est considéré comme récent. Mais ses bâtiments sont assurément parmi les plus beaux. Je vous emmènerai y faire un tour et vous serez obligée de vous ranger à mon avis.

Nous entrâmes dans Cambridge. Alors que nous franchissions la rivière Cam, j'eus presque le souffle coupé à la vue des édifices de pierre dorée qui se dressaient au centre de pelouses spacieuses. Un étudiant passait parfois près de nous à vélo, des livres sous le bras, sa robe noire claquant derrière lui dans le vent. Deux étudiantes plongées dans une discussion passionnée déambulaient sous les arbres. Je les regardai avec intérêt, comme on étudie une nouvelle espèce animale dans un zoo. Je n'avais jamais vraiment réfléchi au fait que des femmes allaient elles aussi à l'université, et j'éprouvai une pointe de regret à l'idée qu'une telle chance ne s'offrirait jamais à moi.

Nous laissâmes l'automobile à l'ombre d'un immense châtaignier et poursuivîmes à pied. Les voix magnifiques d'un chœur de garçons nous parvinrent depuis la chapelle du King's College, où ce devait être l'heure des matines. Edward avait endossé le rôle du guide touristique consciencieux, nommant chacun des bâtiments devant lesquels nous passions, jusqu'à ce que nous arrivions devant une impressionnante entrée cintrée dans un haut mur.

— Vous voyez, dit-il en nous la faisant franchir. C'est le plus beau collège, n'est-ce pas ?

Nous débouchâmes dans une immense cour bordée d'édifices de pierre jaune richement sculptés. Une pelouse d'un vert luxuriant tapissait le sol et au centre se dressait une fontaine très ornée, surmontée d'un toit.

— Voici la grande cour, la plus vaste de tous les collèges d'Oxford et de Cambridge. On raconte que les étudiants se lavaient autrefois dans cette fontaine, avant l'installation des salles de bains, et c'est également le lieu d'une célèbre course à pied. Le but est de faire le tour de la cour pendant que l'horloge sonne les douze coups de midi. Cet exploit n'a été accompli qu'une ou deux fois, d'après ce que je sais. Allez, suivez-moi.

Il me semblait entendre encore les voix sublimes venant du King's College, puis je me rendis compte que Trinity College possédait une chapelle similaire avec son propre chœur. Des notes mélodieuses flottaient dans les airs. Je m'imaginai presque que des anges vivaient à Cambridge.

— Cet endroit est tellement paisible, dis-je tandis que nous traversions la cour.

Edward se mit à rire.

— Les étudiants se sont tous cloîtrés afin de préparer les examens de fin d'année. Vous devriez voir à quoi ressemblent les lieux un samedi soir normal !

Il ouvrit une porte et nous fit entrer dans un bâtiment plongé dans l'obscurité.

— Voici le réfectoire, expliqua-t-il en désignant une pièce lambrissée de bois sombre, haute de plafond, sur notre gauche. Mieux vaut ne pas y pénétrer. Les élèves n'apprécieraient pas la présence de visiteurs pendant la période des examens. Et de ce côté se trouve une autre cour. Vous devez absolument voir la bibliothèque Wren.

— Du nom de sir Christopher Wren, le célèbre architecte ? demandai-je.

— Lui-même.

Alors que nous nous apprêtions à sortir du bâtiment, un jeune homme franchit la porte d'un pas vif ; il était vêtu d'une robe plus imposante que celles des étudiants que nous avions croisés jusqu'à présent. Il passa devant nous en nous saluant d'un bref signe de tête, puis s'immobilisa.

— Ma parole, je vous connais, n'est-ce pas ? dit-il à notre guide. Fotheringay, c'est bien ça ? Vous apparteniez à la société des Apôtres, si je ne m'abuse.

— Et vous êtes Saunders, répondit Edward. Vous êtes donc enseignant, maintenant ?

— Malheureusement pour moi, ironisa l'intéressé. Je suis trop paresseux pour aller voir ailleurs, je suppose, et on mange bien, à Trinity College. Et vous, que devenez-vous ?

— J'ai surtout voyagé à l'étranger.

— Vraiment ? Sapristi ! Bravo.

Saunders lança à Edward un regard que je ne pus tout à fait interpréter.

— Je regrette rudement d'être aussi paresseux. Où êtes-vous allé ?

— Oh, ici et là. Un peu partout.

Edward se dandinait d'un pied sur l'autre, apparemment mal à l'aise en présence de cet ancien camarade.

— Et qui sont ces délicieuses créatures ? reprit Saunders en se tournant soudain vers Hanni et moi.

— Elles ont été invitées dans le Norfolk pour une partie de campagne, répondit Edward. Voici lady Georgiana de Rannoch et la princesse Hannelore de Bavière.

L'homme rejeta la tête en arrière et éclata de rire.

279

— Elle est bien bonne, celle-là, Fotheringay !

Manifestement, il croyait qu'Edward le faisait marcher. Mais ce dernier ne chercha pas à le détromper.

— Bien, nous ferions mieux d'y aller, dit-il. Ça m'a fait plaisir de vous revoir.

— Vous croiserez probablement quelques autres anges si vous gardez les yeux ouverts, ajouta Saunders, avant de nous saluer d'un signe de tête et de s'éloigner.

Nous sortîmes au grand soleil et traversâmes une autre cour, pas aussi vaste que la première mais tout aussi charmante.

— Qu'est-ce que la société des Apôtres ? demandai-je.

— Oh, un simple club d'étudiants dont j'étais membre, précisa Edward avec insouciance.

— Gussie y appartenait-il, lui aussi ?

— Gussie ? Grands dieux, non ! dit-il en riant. Ce n'était pas du tout sa tasse de thé.

— Et Sidney Roberts ?

— Sidney Roberts ? répéta-t-il, surpris. C'est possible. Je ne m'en souviens pas vraiment. C'était un type plutôt quelconque, ce pauvre diable. Tenez, voici la bibliothèque Wren.

Marchant en tête, il nous conduisit jusqu'à un bâtiment réellement splendide, aux colonnes délicates et aux larges fenêtres cintrées, ouvrit une porte et nous fit entrer. L'odeur caractéristique de livres anciens, d'encaustique et de tabac à pipe imprégnait les lieux. Cela me rappela un autre endroit. J'essayai de me remémorer quelle pièce sentait ainsi au château de Rannoch ; je me souvins alors de la librairie de Wapping. Ce qui me donna une idée. J'attendis qu'Edward passe le premier pour nous emmener à l'étage, puis je fis demi-tour et me faufilai dans la bibliothèque proprement dite. À ma vue, un vieux monsieur assis à un bureau me dévisagea d'un air outré.

— Que faites-vous là, jeune fille ? siffla-t-il à mi-voix. Les visiteurs ne sont pas autorisés à entrer pendant la semaine des examens.

— Je suis vraiment désolée, répondis-je. Mais un ami nous faisait voir les lieux et j'aime tellement les vieux ouvrages qu'il fallait absolument que je jette un coup d'œil à cette bibliothèque.

Son expression se radoucit.

— Vous aimez donc les livres anciens ?

— Passionnément. Je les collectionne.

— C'est très inhabituel pour une demoiselle.

— Je me rends souvent dans une merveilleuse librairie londonienne qui s'appelle Haslett's, dans l'East End, près de la Tamise. La connaissez-vous ?

Il hocha la tête.

— Oui, on y trouve des ouvrages très éclectiques. Y avez-vous fait d'importantes découvertes ?

— Une ou deux, dis-je en le regardant droit dans les yeux. Au fait, qui sont les Apôtres ?

— J'imagine que ce n'est pas des douze disciples du Christ que vous voulez parler ? C'est une sorte de société secrète, à ma connaissance. À forte tendance socialiste – « Vive les droits des travailleurs et à bas le vieil ordre », ce genre de niaiseries. Est-ce chez Haslett's que vous avez entendu parler d'eux ?

— Non, c'étaient des étudiants qui en discutaient, à l'instant. Et les anges, qui sont-ils ?

— C'est ainsi que les anciens membres des Apôtres se surnomment entre eux, paraît-il. Je crois que tout cela est parfaitement inoffensif. Les jeunes hommes ont des tempéraments si passionnés, n'est-ce pas ? Puis ils s'assagissent, se marient et s'avèrent être tout à fait normaux, ajouta-t-il en gloussant. J'aimerais sincèrement vous montrer quelques-unes de nos plus rares éditions, mais comme je vous l'ai dit, les visiteurs ne sont pas admis durant la semaine des examens, je regrette donc...

— Ne vous en faites pas, je comprends. Merci pour tout, dis-je avant de m'empresser de sortir.

Je tombai sur Hanni et Edward qui descendaient l'escalier.

— Nous pensions vous avoir perdue, me dit-il.

— Navrée, je rêvassais et suis partie dans la mauvaise direction, expliquai-je en le gratifiant d'un sourire charmant.

Ainsi, Edward et Sidney avaient peut-être tous deux appartenu à la même société secrète – une société à forte tendance socialiste. Mais quelle importance donner à cette information ?

29.

Sur le trajet du retour, des nuages s'amoncelèrent à l'ouest. L'air était devenu lourd, d'agaçants petits moucherons voletaient autour de nous et un orage se préparait. Hanni s'était assoupie sur le siège passager. Je scrutai la nuque et les cheveux bien coupés de notre conducteur d'un regard inquisiteur. Edward Fotheringay, alias Lunghi Fungy. Une énigme. Je savais qu'il avait fait des études de langues, mais qu'il avait choisi de partir en Inde, où il avait erré d'un lieu à l'autre sans faire grand-chose hormis un peu d'alpinisme en amateur. Il avait été membre d'une société secrète socialiste, et pourtant il portait des vêtements coûteux et appréciait la vie luxueuse qu'il menait. Il était prétendument fiancé à une jeune fille, mais flirtait ouvertement et effrontément avec d'autres femmes. Dieu sait ce qu'il avait fait avec Belinda – et j'en oubliais presque sa liaison avec ma mère !

— Dites-moi, Edward, quelles langues avez-vous étudiées ? demandai-je en m'avançant sur mon siège.

— L'allemand et le russe.

— Intéressant. Et pourquoi ces choix ?

— Parce que je suis sacrément fainéant. Ma mère est d'origine russe, ce qui m'a évité d'avoir à travailler trop dur.

— Et Gussie, qu'a-t-il étudié ?

— Les lettres classiques, cet imbécile. Tout de même, à quoi cela peut-il bien servir ? Et il n'était pas très bon, par-dessus le marché. S'il s'en est sorti en grec, c'est grâce à ce bûcheur de Roberts, qui l'avait préparé aux examens et avait fait ses traductions à sa place.

Je partis d'un rire joyeux.

— C'était donc pour cela qu'il avait une dette vis-à-vis de Sidney Roberts. Je me demandais pourquoi vous l'aviez invité à votre fête.

Il me sembla que son maintien se raidit légèrement.

— Et qu'est-ce qui vous a poussé à aller en Inde ? poursuivis-je gaiement. Y aviez-vous également des liens familiaux ?

— Mon grand-père avait fait partie de la police dans la région du Pendjab, mais ce n'est pas pour cette raison que je suis parti. J'avais simplement envie de voyager, et l'Inde est un pays où il est facile de se déplacer quand on est anglais. On peut loger gratuitement dans de jolis bungalows, prendre ses dîners au mess des officiers, aller danser.

— Un endroit fascinant, visiblement.

— Oh, ça oui. Avec ses éléphants, ses tigres, et tout un tas d'autres choses. Certaines coutumes sont primitives – comme l'incinération des morts sur les marches du Gange. Une habitude répugnante.

— Que comptez-vous faire, maintenant ?

— Je ne me suis pas encore décidé.

— Je crois comprendre qu'un mariage est en vue, du moins d'après Fiona.

— C'est son souhait, répondit Edward en baissant les yeux vers Hanni, qui dormait à présent comme une bienheureuse. C'est une situation sacrément ennuyeuse – nos parents respectifs ont décidé que ce serait une bonne idée alors que nous étions des nourrissons. Oh, comprenez-moi bien, Fiona est une fille plutôt gentille, mais…

Il laissa sa phrase en suspens.

— Un jour, elle héritera de Dippings, fis-je remarquer.

— C'est vrai. Et sa famille est loin d'être dans le besoin. C'est extrêmement tentant, mais ce n'est malheureusement pas ma tasse de thé.

De grosses gouttes commencèrent à crépiter sur la voiture.

— La barbe ! maugréa Edward. Nous allons être trempés. Je n'aurais pas dû enlever la capote. Bon, il ne me reste plus qu'à appuyer sur le champignon pour rentrer au plus vite.

Le moteur rugit, et l'automobile se mit à filer à vive allure sur le chemin, les pneus crissant à chaque tournant. Ce fut d'abord grisant, mais soudain la peur m'envahit. Edward conduisait si vite que si une autre voiture ou une charrette de foin arrivait en sens inverse, il ne pourrait pas l'éviter. J'étais ballottée d'un côté et de l'autre tandis qu'il prenait des virages serrés. J'entrevis un instant son visage, animé d'une euphorie étrange, ardente.

L'orage éclata pour de bon alors que nous étions à une quinzaine de kilomètres de notre destination. Le tonnerre grondait au-dessus de nous. Lorsque l'auto s'arrêta devant la maison, nous étions trempés jusqu'aux os. Des domestiques accoururent avec d'immenses parapluies. Lady Cromer-Strode sortit de la grande galerie pour nous accueillir.

— Nous terminions de prendre le thé, dit-elle. Oh, mes pauvres choux, vous êtes dans un de ces états ! Je vais demander qu'on vous fasse couler des bains immédiatement. Il ne faudrait pas que vous attrapiez froid. Edward, pourquoi diable avez-vous décapoté votre auto par un temps pareil ?

Son regard se posa alors sur Hanni, et son expression changea.

— Votre Altesse, je suis tellement navrée. Nous ne savions pas comment vous contacter. Sinon, nous vous aurions dit de revenir tout de suite. Quelle tragédie !

— De quoi voulez-vous parler ? demandai-je.

— C'est la dame de compagnie de Son Altesse, la baronne. Elle est morte, je le crains.

— Morte ? répéta Hanni d'une voix tremblante. La baronne Rottenmeister ? Elle a eu un accident ?

— Non, ma chère. Elle est morte de cause naturelle. Selon le médecin, elle a fait une crise cardiaque dans la matinée. Après que sa bonne lui eut apporté une tasse de thé. Elle était d'un âge avancé, n'est-ce pas ?

— Mais... je ne me doutais de rien, dit la princesse, dont la lèvre inférieure tremblotait, comme celle d'une enfant sur le point de pleurer. Et j'ai été impolie avec elle hier soir. Nous nous sommes disputées. Je l'ai peut-être contrariée et c'est pour ça que son cœur a lâché.

Je plaçai un bras autour de ses épaules.

— Je suis sûre que ce n'est pas votre faute, Hanni. Cela arrive à tout le monde de se quereller.

— Oui, mais maintenant elle est morte et je ne peux plus lui demander de me pardonner. J'irai en enfer, affirma Hanni en s'efforçant de réprimer ses larmes.

— Venez, dis-je tout en continuant de la tenir par les épaules. Vous devez ôter ces vêtements mouillés. Irmgardt va vous faire couler un bon bain chaud, et lady Cromer-Strode aura l'amabilité de vous faire monter un chocolat chaud dans votre chambre. Ensuite, vous pourrez vous reposer.

— Je ne veux pas dormir. Je vais faire des rêves. La vieille peau va revenir me hanter.

Tandis que je la conduisais dans l'escalier, je dus retenir un sourire.

— Georgie, que va-t-il se passer ? Ma famille va vouloir que je rentre immédiatement.

Oh, mon Dieu ! Je n'avais pas pensé à cette complication. Ses parents n'accepteraient évidemment pas qu'elle reste en Angleterre sans chaperon. Puis je me rappelai que la reine séjournait à Sandringham House.

— Je vais aller rendre visite à Sa Majesté.

— Aujourd'hui, vraiment ?

— Oui, il le faut. Je dois l'informer de ce qui est arrivé, et elle téléphonera certainement à vos parents.

— Dans ce cas, je viens avec vous. Je leur parlerai moi-même.

— Oh, non, je crois qu'il serait plus sage que vous restiez là. Je ne pense pas qu'ils voudront discuter de votre avenir en votre présence.

— Vous me traitez comme un petit chien de compagnie, dit Hanni en faisant la moue. Je refuse de rentrer en Bavière.

Soudain, elle éternua.

— Vos parents seront plus fâchés encore si vous vous enrhumez, répliquai-je, ouvrant la porte de sa chambre et l'obligeant à entrer.

Assise près de la fenêtre, Irmgardt faisait du raccommodage. À la vue de la princesse, elle se leva d'un bond, affichant un air horrifié.

— Un bain chaud, Irmgardt, ordonnai-je. *Heiss Bad.* Tout de suite.

Elle sortit précipitamment de la pièce, tandis que j'aidais Hanni à ôter ses habits trempés et à enfiler son peignoir de bain, ainsi que je l'aurais fait avec une petite fille. Elle me gratifia d'un sourire pâle.

— Vous êtes gentille, Georgie.

Elle me regardait comme si je lui faisais un peu pitié. Et c'était probablement le cas – moi, la vieille fille irrécupérable de vingt et un ans !

— Saviez-vous que la baronne avait le cœur fragile ? lui demandai-je.

Elle secoua la tête.

— Elle semblait toujours en excellente santé. Elle faisait de longues promenades. Elle avait bon appétit.

C'était on ne peut plus vrai. Il me vint à l'esprit que la nourriture trop riche de Dippings, après le régime plutôt maigre de Rannoch House, avait pu contribuer à son décès. J'étais contente que le médecin ait conclu à une crise cardiaque. Sinon, ça aurait été la troisième mort suspecte en l'espace de moins d'une semaine.

30.

En voyant l'état dans lequel j'étais, Mildred fut aux petits soins pour moi. Comme je me sentais à présent déprimée et un peu ébranlée, cela ne me dérangea pas. Cela ne me gêna pas davantage lorsqu'elle me borda dans mon lit après m'avoir offert une tasse de chocolat chaud et de délicieux biscuits. Puis elle m'ordonna de rester couchée jusqu'à ce qu'elle revienne m'habiller pour le dîner. Toutefois, au bout d'une demi-heure, je me sentis revigorée et prête à m'atteler à la tâche désagréable qui m'incombait. Je demandai au majordome d'appeler de ma part Sandringham House. Il s'exécuta. Je fus aussitôt sommée de me rendre à la résidence royale. Lady Cromer-Strode mit à ma disposition une automobile – couverte cette fois, car il pleuvait encore des cordes. Une quinzaine de kilomètres séparaient Dippings de Sandringham, mais le trajet me parut durer une éternité, tandis que je préparais ce que j'allais dire à la reine. Même si je n'étais évidemment pour rien dans la mort de la baronne, je pressentais que Sa Majesté ne le verrait pas de cet œil. Trop d'événements malencontreux s'étaient produits depuis que la princesse m'avait été confiée.

Au cœur de l'été, les jardins d'agrément de Sandringham étaient d'une incroyable splendeur, même sous la pluie. Les parterres agencés à la française étaient d'une perfection absolue. Chaque fleur était à sa place. La maison était à mon avis moins parfaite : une demeure champêtre de l'époque victorienne, immense et informe, où différents styles se mêlaient de manière horrible, des éléments disparates – tours, tourelles, coupoles – saillant çà et là, sans oublier l'assemblage de brique rouge, de pierre grise, de moulures décoratives blanc et brun, et de fenêtres dignes d'une pension de famille en bord de mer. Mais je savais que le roi était particulièrement attaché à ce lieu, et seul cela importait.

Un valet de pied équipé d'un grand parapluie noir me fit entrer à toute allure. On me conduisit jusqu'à un petit salon, où l'on m'annonça. Je trouvai le couple royal s'adonnant aux occupations ordinaires d'un dimanche après-midi. La collection de timbres du roi était posée devant lui sur une petite table, tandis que la reine écrivait des lettres. Levant les yeux, elle me tendit la main.

— Georgiana, quelle agréable surprise. Je crains que vous n'arriviez un peu tard pour le thé. Veuillez vous asseoir.

Je fis de mon mieux pour me prêter à l'habituel rituel du baiser et de la révérence, me cognant maladroitement le nez contre sa joue, comme souvent.

— Je suis en train de répondre à une lettre de ma petite-fille Élisabeth. Elle écrit de très agréable manière pour son âge, ne trouvez-vous pas ?

Elle me montra une feuille de papier réglé sur laquelle j'aperçus une écriture ronde, enfantine.

— Qu'est-ce qui vous amène donc ici, ma chère ? me demanda le roi. Vous n'êtes tout de même pas simplement venue tenir compagnie à deux vieux schnocks.

— Je suis vraiment navrée de vous déranger, madame, monsieur, mais il m'a semblé important de vous informer sans attendre d'un événement plutôt fâcheux.

Je racontai alors ce qui était arrivé à la baronne.

— Juste ciel ! C'est regrettable, commenta la reine en lançant un regard à son mari. Une crise cardiaque, dites-vous ? Vous en êtes certaine, je suppose ?

Je la fixai avec surprise.

— Que voulez-vous dire, madame ?

— Il m'est juste venu à l'esprit qu'elle s'était peut-être donné la mort ; sans doute se sentait-elle coupable d'avoir laissé la jeune fille dont elle avait la charge se retrouver mêlée à une affaire de meurtre. Il est connu que ces étrangers ont un sens excessif du devoir.

— Oh, je ne pense pas, madame, m'empressai-je de dire. Il ne m'a pas semblé que la baronne était femme à agir de la sorte. Non seulement elle avait une haute opinion d'elle-même, mais elle était aussi catholique. Leur Église ne considère-t-elle pas que le suicide est un péché mortel ?

— Il l'est pour nous aussi, répliqua la reine. Mais il est acceptable, dans certains cas. Nous devons immédiatement avertir les parents de la princesse. Nous n'avons pas encore reçu de réponse à la lettre envoyée il y a quelques jours. Croyez-vous qu'il faille plutôt les appeler, mon cher ? demanda-t-elle à son époux.

Celui-ci se renfrogna, puis secoua la tête.

— Ce n'est pas comme s'il s'agissait d'une urgence nationale. Je n'ai jamais aimé le téléphone. Ces appareils sont fichtrement agaçants, avec leur sonnerie stridente. Sans compter qu'on n'entend rien de ce qu'on vous raconte à l'autre bout, et qu'on finit par crier dans le fichu combiné. Non, je pense qu'une lettre devrait suffire, May, conseilla le roi – appelant sa femme par son surnom.

— Je m'en charge de ce pas.

— Qu'allons-nous faire de la princesse Hannelore, madame ? m'enquis-je alors. Ne devrions-nous pas la renvoyer chez elle avant l'enquête judiciaire ?

La reine se rembrunit.

— Non, ce serait une erreur. À ce propos, avez-vous progressé dans vos recherches ?

— J'ai récolté quelques renseignements intéressants, madame, mais c'est pour l'instant insuffisant. Je compte commencer mon enquête pour de bon dès demain.

— Qu'obligez-vous cette jeune fille à faire, May ? demanda le roi en levant la tête de ses timbres.

— Seulement à garder les yeux et les oreilles ouverts. Nous essayons d'éviter toute situation embarrassante, vous le savez, et Georgiana a la tête sur les épaules.

Le roi s'étrangla de rire.

— Si nous vivions sous un autre régime, vous dirigeriez la police secrète.

— Sottises. Je trouve simplement que nos forces de police, quoique solides et loyales, avancent plutôt laborieusement, voilà tout. Je ne vois pas ce qu'il y a de mal à demander à Georgiana de leur porter assistance dans leur enquête.

— Elles ne seront certainement pas de cet avis. Laissez les professionnels se charger de cette affaire et cette jeune fille se divertir ainsi qu'elle est censée le faire à son âge.

— Si tel est votre souhait, mon cher.

Elle me décocha un regard entendu afin de me faire comprendre que je ne devais aucunement tenir compte des remarques de son époux.

— Et qu'allons-nous faire de la princesse ? insistai-je.

— Nous pourrions la faire venir à Sandringham, naturellement, répondit la reine. Mais une jeune personne risquerait de trouver son séjour ici fort ennuyeux, et je ne crois pas que je réussirais à persuader mon fils de la distraire. Il se montre extrêmement contrariant, ces temps-ci.

— Ces temps-ci ? Il est contrariant depuis qu'il est né, grommela le roi.

— Il était à Dippings hier soir, je suppose ?

— Oui, madame.

— Je m'en doutais. A-t-il eu l'occasion de parler avec la princesse ?

— Je ne pense pas qu'il ait remarqué sa présence, madame, bien qu'il ait été placé face à elle lors du dîner.

— J'imagine que l'Américaine était là.

— En effet.

— Avec son époux ?

— Non, pas cette fois. Il est reparti aux États-Unis pour affaires, paraît-il.

— Vous voyez, cela devient sérieux entre eux, ainsi que je vous l'avais dit, déclara la reine, s'adressant à son mari. Et croyez-vous que David soit encore amoureux d'elle, Georgiana ?

— Il se comporte comme un jeune chien qui lui obéirait au doigt et à l'œil, répliquai-je. Elle le mène à la baguette, sans vergogne. Elle l'appelle même par son prénom en public.

— Mon Dieu, soupira-t-elle. C'est tout à fait contrariant. J'espérais tellement que le prince de Galles se comporterait comme n'importe quel homme bien constitué et témoignerait de l'intérêt pour une fille aussi charmante qu'Hannelore. Dites-moi, Georgiana, la princesse est-elle heureuse à Dippings ?

— Très. Il y a de nombreux jeunes gens, et elle s'amuse bien.

— Dans ce cas, qu'elle y reste, en sécurité, jusqu'à ce que nous recevions des nouvelles d'Allemagne. Nous donnerons une dernière chance à mon petit projet avant qu'elle ne soit contrainte de rentrer chez elle.

Je repensai à lord Cromer-Strode, à la proposition qu'il avait faite à la princesse de se rouler dans la paille et à sa propension à pincer les fesses. Hanni était-elle vraiment en sécurité à Dippings ? Mais de quelle manière pouvais-je faire part de mes craintes à des gens aussi guindés que mes austères parents ? De plus, la reine n'avait pas terminé, et personne n'interrompt Sa Majesté.

— Les Cromer-Strode rentreront à Londres en voiture afin d'assister à notre garden-party de mercredi, et je leur demanderai de ramener Hannelore. Cela lui plaira. Lady Cromer-Strode est quelqu'un de bien. Elle veillera à ce qu'il n'arrive rien à la princesse. Ce qui vous permettra de vous consacrer à d'autres activités, ajouta-t-elle en m'adressant encore une fois un regard entendu, dénué d'ambiguïté.

★

Tandis que la voiture me ramenait à Dippings, j'envisageai de prendre un train pour Londres ce soir-là. Je n'avais assurément aucune envie de croiser de nouveau Gussie ou Darcy – s'ils n'étaient pas déjà partis. Pour tout dire, je ne voulais pas endurer une autre plaisante soirée en société. Puis je pris conscience que la soirée serait tout sauf plaisante. Quelqu'un était mort ce jour-là, et il n'y aurait vraisemblablement ni danses, ni jeux de cartes, ni phonographe. Oh, mince alors, étions-nous censés porter le deuil de la baronne ? Je n'avais que des tenues colorées dans ma valise. Bon, c'était sans doute aussi le cas des autres invités. On était en été, après tout, et la seule personne à s'habiller de noir était feu la baronne.

Alors que nous traversions le village de Little Dippings, il me sembla que la pluie allait se calmer. Le ciel s'éclaircissait à l'ouest, comme si le soleil couchant cherchait à percer les nuages.

— Y a-t-il des trains pour Londres ce soir ? demandai-je au chauffeur.

— Oh, non, lady de Rannoch. Le dimanche, il n'y a aucun train à la gare de Little Dippings Halt. Le prochain passe à huit heures demain matin.

J'étais donc coincée ici, que cela me plaise ou non. Je m'agitai, mal à l'aise, sur le siège de cuir de la Rolls. Depuis l'arrivée d'Hanni en Angleterre, j'avais l'impression de marcher sur des œufs, et je me sentais maintenant sur le point de craquer, comme le ressort d'une montre trop remontée. La nouvelle du décès de la baronne avait été la goutte d'eau, j'imagine. Trois morts en moins d'une semaine : mon grand-père aurait déclaré que ce ne pouvait être une coïncidence. Un médecin – compétent, supposais-je – avait pourtant affirmé que la vieille Allemande avait succombé à une crise cardiaque. Du reste, qui aurait voulu sa mort, à l'exception de la princesse ?

Je faillis sourire au souvenir d'Hanni proposant, dans son argot de films de gangsters, de « se débarrasser de la vieille peau », puis me rappelai combien elle avait été peinée en apprenant son décès. Elle trouvait la baronne agaçante, c'était incontestable, mais cela ne voulait pas dire qu'elle souhaitait sa mort. De surcroît, elle était en voiture avec Edward et moi lorsque sa dame de compagnie avait rendu l'âme. Il est vrai qu'Irmgardt était restée à Dippings... Non, c'était ridicule, me dis-je alors que l'automobile franchissait les grilles du domaine.

Équipé d'un grand parapluie, le majordome vint lui-même à ma rencontre.

— Vous arrivez juste à temps pour le souper, lady de Rannoch. Ma maîtresse s'est dit qu'un repas très simple suffirait, étant donné les pénibles circonstances.

— Vous voulez parler du décès de la baronne, je suppose ?

— C'est exact, lady de Rannoch.

— Un fort triste événement. J'ai cru comprendre qu'elle était déjà morte quand la bonne est venue la trouver ce matin ?

— Oh, non, lady de Rannoch. Elle était bien vivante lorsqu'une tasse de thé lui a été apportée par la femme de chambre.

— J'imagine que c'était Irmgardt, la bonne de la princesse ?

— Non, lady de Rannoch. Mildred a gentiment proposé de s'en charger, étant donné que vous étiez partie pour la journée. Quand la baronne n'est pas descendue petit-déjeuner, Mary Ann, la bonne chargée du service à table, est montée la voir et a découvert son corps. La pauvre petite en est encore très affectée. C'est une jeune fille extrêmement sensible.

— Je présume qu'on a ensuite appelé un médecin ?

— Oh, bien sûr. Celui de ma maîtresse, le docteur Harrison. Mais il était trop tard. Il a constaté qu'elle avait eu une crise cardiaque foudroyante et que même si quelqu'un s'était trouvé auprès d'elle, cela n'aurait servi à rien. Qu'il est triste que la princesse ait perdu sa dame de compagnie !

— Oui, en effet, acquiesçai-je.

Nous pénétrâmes dans le vestibule, et j'entendis des voix venir de la salle à manger. Je distinguai parmi elles celle d'Hanni, qui bavardait avec légèreté. Elle s'était apparemment très bien remise du choc.

— Savez-vous s'il est prévu de se changer pour le dîner ? demandai-je au majordome.

— Seulement si vous avez apporté une tenue de couleur plus sombre, lady de Rannoch.

Je n'en étais pas certaine, mais je montai toutefois dans ma chambre afin de voir quel miracle Mildred était capable d'accomplir. La connaissant, elle avait probablement réussi à teindre en noir l'une de mes robes à temps pour le souper. Puis je m'immobilisai brusquement au milieu de l'escalier. Mildred ! Je l'avais oubliée. Que diable allais-je faire d'elle si je rentrais à Londres le lendemain ? Je ne pouvais pas la ramener dans une maison vide, dont le majordome et la cuisinière avaient mystérieusement disparu. J'eus soudain l'impression qu'elle était encore un autre boulet à traîner. Quelle idée avais-je eue de l'engager ! J'avais essayé d'agir convenablement, comme d'habitude. Je regrettais de ne pas avoir le tempérament de ma mère, qui n'avait qu'un but dans la vie : se faire plaisir, tout en envoyant balader le reste du monde.

Mildred n'était pas dans ma chambre quand j'y entrai, mais le majordome avait dû la prévenir, car elle accourut, à bout de souffle, une minute plus tard.

— Je suis désolée, lady Georgiana. Je ne savais pas quand vous rentreriez, ni si Leurs Majestés vous proposeraient de dîner à Sandringham.

— Je ne leur ai rendu qu'une brève visite afin de les informer de la mort de la baronne. J'ai cru comprendre que vous êtes la dernière personne à l'avoir vue en vie.

— C'est exact, lady Georgiana. Et je m'en veux beaucoup, maintenant. Il y avait peut-être quelque chose que j'aurais dû remarquer, quelque chose que j'aurais pu faire.

— Le médecin a expliqué qu'elle avait eu une crise cardiaque foudroyante et que personne n'aurait pu la secourir. Alors ne vous tourmentez pas ainsi, je vous prie.

— Elle ronflait, voyez-vous. Je lui ai tapoté le bras et lui ai dit que son thé se trouvait sur la table de chevet. Elle a marmonné quelques mots en allemand que je n'ai pas compris, étant donné que je ne parle pas cette langue. Vu son caractère, j'ai jugé plus sage de ne pas insister et je suis ressortie sur la pointe des pieds.

Je hochai la tête.

— Mais je me demande à présent si elle n'a pas essayé de me dire qu'elle se sentait mal et qu'il fallait aller chercher un médecin.

— Elle vous a probablement ordonné de la laisser dormir, assurai-je. Vous n'auriez rien pu faire pour l'aider, Mildred. En toute honnêteté.

— Vous êtes trop aimable, lady Georgiana, dit-elle en esquissant un mince sourire. Je crois que vous pourriez porter votre robe bleue pour le dîner, vu que c'est la plus sobre de toutes.

— Mildred, repris-je avec circonspection tandis qu'elle sortait de mon armoire la robe en question, demain matin, je pars à Londres pour la journée. Si j'ai besoin d'un peu plus de temps, je passerai sans doute la nuit à Rannoch House, mais il est inutile que vous m'accompagniez. Je dirai à lady Cromer-Strode que vous resterez ici en attendant mon retour.

— Très bien, lady Georgiana, répondit-elle sans parvenir à dissimuler un petit sourire satisfait.

Il était évident qu'elle se plaisait à Dippings – et qu'elle y était bien nourrie. À l'idée du souper à venir, je me sentie soudain très lasse. Avais-je vraiment envie de revoir Gussie et Darcy ce soir ? Sans compter que je devais me lever tôt le lendemain.

— Mildred, j'ai changé d'avis, lui dis-je alors qu'elle me tendait la robe bleue. Je ne descendrai pas dîner. Vous me ferez porter un plateau-repas dans ma chambre, je vous prie, et vous expliquerez à lady Cromer-Strode que je suis fatiguée. Je suis certaine qu'elle comprendra.

31.

Dippings
Norfolk
Lundi 20 juin 1932

Cher journal,
Cela fait deux jours de suite que je me réveille aux
aurores. J'espère que cela ne deviendra pas une
habitude. Heureusement, la pluie s'est arrêtée. La
journée s'annonce belle. Malheureusement, je ne vais
pas en profiter. Je suis attendue à Londres, où j'ai des
gens à voir. J'aimerais que la reine ne me fasse pas
autant confiance. Je n'ai pas la moindre idée de ce que
je suis censée faire !

Le chauffeur des Cromer-Strode me conduisit à Little
Dippings Halt, la gare la plus proche, où je pris le train
de huit heures pour Londres. Il me fallut ensuite faire
deux changements avant de pouvoir monter dans l'express qui reliait Peterborough et la gare de King's Cross.
Ce fut un vrai soulagement de me retrouver seule et
d'avoir le temps de réfléchir sérieusement. Je passai en
revue les événements récents – la chute de Tubby, Hanni
devant le corps de Sidney Roberts, un couteau ensanglanté à la main, et la mort de la baronne. Ces trois tra-
gédies ne semblaient avoir aucun rapport entre elles – un

accident, un meurtre brutal, audacieux, et une mort de cause naturelle. Sans doute n'étaient-elles que cela, mais trois décès en moins d'une semaine ? Cela sortait quelque peu de l'ordinaire, particulièrement dans un pays qui ne comptait pas parmi les plus violents. Et ces morts s'étaient produites depuis qu'Hanni était entrée dans ma vie.

Ce qui m'incita à me demander si ces drames étaient, d'une manière ou d'une autre, dirigés contre la princesse : une sorte de complot la visait-il ? Son père n'était plus un monarque régnant et n'était plus non plus en faveur auprès d'Hitler, ce curieux petit individu qui semblait être l'étoile montante de la politique allemande. Mais on parlait de restaurer la monarchie bavaroise. Tout cela pouvait-il participer d'un plan destiné à discréditer le père de la princesse ? J'avais entendu dire que le parti nazi était impitoyable et ne reculerait devant rien pour promouvoir sa cause... Mais si quelqu'un voulait se débarrasser d'Hanni, pourquoi ne pas l'assassiner elle plutôt qu'un jeune homme inoffensif comme Sidney Roberts ? À moins qu'il n'ait pas été aussi inoffensif que cela. Pour quelle raison avait-il été invité chez Gussie l'autre soir ? Et pourquoi était-il venu ? Gussie et Edward n'étaient pas son genre du tout. Il ne s'était manifestement pas senti à son aise lors de cette fête.

Je tournai et retournai ces pensées dans mon esprit – en vain, car elles ne m'avaient pas apporté de révélation majeure lorsque le train entra en gare de King's Cross. J'avais prévu de me rendre d'abord à Rannoch House, puis me rappelai que mon grand-père et Mme Huggins ne s'y trouvaient probablement plus. Je pris alors un métro qui m'emmena jusque dans les banlieues de l'Essex. Mon grand-père, vêtu d'un vieux tablier, m'ouvrit la porte. Il parut stupéfait de me voir.

— Ça alors, ça m'en bouche un coin ! Qu'est-ce que tu fais là, ma chérie ? Je croyais que tu menais la grande vie dans un manoir du Norfolk.

300

— La reine veut que j'essaie d'élucider le meurtre avant l'enquête judiciaire, je te l'ai dit. J'ai donc laissé Hanni à la campagne et je suis venue voir ce que nous pouvions faire, toi et moi.

— Et il me semblait t'avoir dit, on ne peut plus clairement, de pas te mêler de tout ça, répliqua-t-il, les sourcils froncés, en me faisant entrer dans sa petite maison d'une propreté impeccable.

— Impossible. J'agis sur ordre de la reine.

— Dans ce cas, qu'elle vienne l'élucider elle-même, ce fichu meurtre, répondit-il avec colère. Quelle idée de mettre en danger une jeune fille comme toi !

Il me conduisit dans la cuisine, où il était visiblement en train de préparer son déjeuner. Des haricots verts épluchés, fraîchement cueillis dans son potager, étaient posés sur la table. Il mit la bouilloire sur le feu sans attendre de savoir si je voulais du thé à cette heure de la journée.

— Je ne ferai rien d'imprudent, c'est promis, dis-je en m'asseyant sur une chaise. As-tu réussi à découvrir quoi que ce soit ?

— Laisse-moi souffler un peu, mon canard. On était en week-end, non ? Mme Huggins et moi, on a dû faire nos valises avant de ficher le camp de ton quartier rupin pour nous réinstaller chez nous. J'ai tout de même posé quelques questions à un gars que je connais et qui est encore dans la police. Je le revois de temps en temps au Queen's Head, le pub du coin. Bon, il m'a pas été d'une grande aide, mais il m'a dit que la plupart des communistes étaient pas bien méchants. Ils veulent un monde qui n'existera jamais – l'égalité, le partage des richesses, du travail pour tout le monde. Ça semble merveilleux, mais ça n'arrivera jamais, pas vrai ? Les gens sont cupides, tu vois. Ils refusent de partager. Mais mon copain m'a dit qu'en Europe les communistes étaient pas aussi idéalistes et inoffensifs que les nôtres. La Russie nous envoie des agitateurs entraînés à déchaîner les foules, à attiser la colère contre les classes dirigeantes et à inciter les gens à se mobiliser. Une guerre civile va éclater en Espagne, d'après lui. C'est l'objectif des Russes. Renverser les gouvernements les uns après les autres.

— Voilà pourquoi cela a fait tant d'histoires quand la princesse Hanni a donné l'impression d'être mêlée à un crime, dans un lieu où se réunissent des communistes, même si Sidney Roberts était un garçon inoffensif, j'en suis certaine.

— Il y a des sales types parmi eux. Regarde ce qu'ils ont fait quand ils ont pris le pouvoir en Russie. Ils ont tué leurs propres grands-mères sans hésiter. Ils ont assassiné tes malheureux cousins, pas vrai ? Jusqu'au plus petit mioche. C'est une bande de sauvages, si tu veux mon avis. Bien sûr, le peuple anglais se soulèvera jamais comme ça. On est trop raisonnables. On connaît notre bonheur.

— Je l'espère. Mais je ne pense pas que ce meurtre ait un rapport avec les communistes. Il s'est simplement produit par hasard dans un lieu où ces militants se retrouvent. Je crois qu'il s'agit de tout autre chose – quelqu'un qui en voulait à Sidney Roberts, par exemple. Ou bien il a pu être tué pour une affaire de drogue. Il devait peut-être une somme d'argent qu'il n'a pas pu payer.

Mon grand-père sourit.

— Il aurait pas été assassiné pour cette raison, ma chérie. On tue pas la poule aux œufs d'or. On la menace, on lui brise les rotules, mais on la garde en vie afin qu'elle finisse par régler sa dette. C'est comme ça que les revendeurs de drogue s'y prennent.

À ces mots, je frissonnai.

— Justement, je me demandais si Gussie Gormsley n'était pas l'un de ces revendeurs. Il vit dans le luxe, et certains insinuent que son argent est mal acquis. Mais je ne le vois pas briser les rotules de qui que ce soit.

— Et poignarder quelqu'un ?

— Franchement, non. Je ne pense pas qu'il possède ce genre de compétence. Par ailleurs, le meurtrier a peut-être réussi à s'enfuir par les toits en passant par la lucarne du grenier, et Gussie est un peu trop costaud pour de telles acrobaties.

Un sifflement strident s'échappa de la bouilloire, et grand-papa versa l'eau dans la théière.

— Bon, maintenant que tu es revenue, qu'est-ce que tu as prévu de faire ?

— Je ne sais pas vraiment. Je pensais d'abord aller interroger les parents de Sidney Roberts. Et j'envisageais aussi d'avoir une petite conversation avec le commissaire Burnall, au cas où il aurait découvert quelque chose.

— Tu crois qu'il sera content que tu fourres ton nez dans ses affaires ?

— Je m'y prendrai avec subtilité, je t'assure. Je lui rendrai visite sous prétexte de lui demander si la date de l'enquête judiciaire a été fixée et de lui annoncer le retour prochain de la princesse en Allemagne... Oh, et je crois que je devrais assister à un meeting communiste – incognito, cela va sans dire. Justement, Sidney nous avait invitées à l'un d'eux, Hanni et moi, je suis donc sûre que cela ne risque rien. Je pourrais observer les participants et voir ce qui s'y raconte.

Mon grand-père secoua la tête en lâchant une exclamation désapprobatrice.

— Tout ira bien, grand-papa.

— Tant que les Chemises noires ne débarquent pas et que ça ne dégénère pas en bonne vieille bagarre. C'est ce qui leur plaît, tu sais. Une sacrée bande de vandales, eux aussi, si tu veux mon avis. Et cet Oswald Mosley qui se prétend gentleman ! Eh bien, aucun gentleman anglais de ma connaissance se comporte comme lui. Et il veut que les gens le saluent comme cet Hitler !

— Comment t'y prendrais-tu, à ma place ? demandai-je. Tu as contribué à résoudre des affaires criminelles, n'est-ce pas ?

— Je faisais surtout des rondes. Mais c'est vrai, j'ai travaillé avec des gens bien, et j'en ai appris un rayon. Je me rappelle le vieil inspecteur Parks. Il avait quelques dictons bien utiles. Par exemple, il disait toujours qu'il faut commencer par ce qu'on sait. Par ce qui semble évident.

Les sourcils froncés, je réfléchis un instant.

— Eh bien, ce qui paraît ici évident, c'est que trois personnes sont mortes en l'espace de quelques jours.

— Trois personnes ? s'étonna-t-il.

Je lui racontai alors comment, la veille, la baronne avait trouvé la mort.

— Mais seul Sidney Roberts a été assassiné, poursuivis-je. C'est donc ce crime que nous devons examiner.

— L'inspecteur Parks disait aussi : « Si des événements semblent relever d'une coïncidence, mieux vaut se méfier. » Est-ce qu'une personne en particulier était présente à chacune de ces morts suspectes ?

— Seulement Hanni et moi. Oh, attends… en fait, nous étions à Cambridge avec Edward Fotheringay quand la baronne a fait une crise cardiaque. Mais Gussie était à Dippings lorsque la baronne est morte, et il était aussi présent quand Tubby est tombé du balcon.

— Et tu dis le soupçonner de fournir de la drogue à ses amis pour se faire de l'argent ?

— Cela m'a en effet traversé l'esprit.

Il opina du chef.

— Je pourrais me renseigner, si tu veux. Je suis encore copain avec deux ou trois types qui devraient en connaître un bout sur le sujet. Allez, bois ton thé avant qu'il refroidisse.

J'en pris une gorgée.

— Pour en revenir à ce qui te semble évident, de quoi as-tu été témoin, au juste ?

— De la chute de Tubby. Il n'a pas été poussé. Et j'ai vu Hanni avec le couteau à la main…

— C'est peut-être elle qui a poignardé la victime, il faut envisager cette hypothèse.

— Oh, non, c'est impossible ! dis-je en riant.

— Pourquoi ?

— C'est une princesse, grand-papa. Une toute jeune fille. Elle sort du couvent. Elle est innocente, naïve.

— Mais assez retorse pour essayer de faucher quelque chose chez Harrods, fit-il observer.

— Voler un sac à main est une chose. Tuer quelqu'un... Non, je ne peux pas le croire. D'une part, elle semblait complètement abasourdie, et je ne vois vraiment pas comment elle aurait eu le temps de commettre ce meurtre, étant donné que je suis arrivée juste après elle. D'autre part, où aurait-elle trouvé le couteau ? Il était plutôt long, tu sais. Elle n'aurait pas pu le cacher dans son petit sac à main. Il y a aussi la question du mobile. Pourquoi une princesse allemande aurait-elle voulu tuer un jeune homme inoffensif, issu de la classe ouvrière, qu'elle connaissait à peine et dont elle s'était entichée ?

Grand-papa but à grand bruit une gorgée de thé.

— Le vieil inspecteur Parks avait aussi l'habitude de dire : « Dans une affaire de meurtre, il faut toujours d'abord se demander à qui profite le crime. »

Je réfléchis avant de répondre :

— Concernant Tubby, j'aimerais savoir qui héritera de la fortune des Tewkesbury, maintenant qu'il est décédé. Dans le cas de Sidney, la question ne se pose pas. Je ne crois pas qu'il ait eu quoi que ce soit à léguer.

— Ce n'est pas seulement une question d'argent. Qui peut profiter de sa mort pour d'autres raisons ?

— Bon, j'ai entendu dire qu'il travaillait avec les syndicats et qu'il les aidait à organiser des grèves, répondis-je après un autre instant de réflexion. Un propriétaire d'usine a peut-être voulu se débarrasser de lui parce qu'il montait les ouvriers contre lui. Cela pourrait être logique, car la police pense que l'assassin n'était pas un amateur, vu l'efficacité du coup de couteau qui a été porté à la victime.

— Et comment proposes-tu, au juste, de découvrir l'identité d'une personne capable d'engager un tueur professionnel ?

Je reposai ma tasse.

— Je n'en ai pas la moindre idée, grand-papa. Franchement, je ne sais pas dans quoi je me suis embarquée, mais il faut bien que je tente le coup, n'est-ce pas ? Je n'ai pas envie de déclencher une nouvelle guerre mondiale.

Mon grand-père reposa à son tour sa tasse et éclata de rire.

— Oh, elle est bien bonne, celle-là ! Toi... déclencher une guerre mondiale parce qu'un jeune type s'est fait poignardé ?

— Rappelle-toi comment la précédente a commencé ! Par l'assassinat d'un bête archiduc dans un petit pays insignifiant. Certaines personnes semblent penser qu'un incident mêlant Hanni et les communistes pourrait suffire à déstabiliser la situation politique en Europe. Je ne vois pas de quelle manière, pour ma part, mais...

Je ne parvins pas à terminer ma phrase.

— Tu te fais trop de souci, ma chérie. Tu prends les choses trop au sérieux. Tu es jeune. Tu devrais te divertir, pas te sentir responsable pour les autres.

— Je ne peux pas m'en empêcher. On m'a élevée en me rebattant sans fin que seul compte le sens du devoir.

Il hocha la tête.

— Bon, je vais voir ce que je peux faire.

— Par ailleurs, accepterais-tu de retourner à Rannoch House avec moi ? Juste pour un jour ou deux. L'idée de m'y retrouver seule ne m'enchante guère.

— Bien sûr, ma chérie. Tant que tu m'obliges pas à enfiler de nouveau cette ridicule tenue de majordome. Mais je crois pas que Mme Huggins se joindra à nous, cette fois. Elle en avait plus que marre de ta cuisine. Elle m'a dit que ça lui filait la trouille de travailler au sous-sol comme une taupe.

— Je comprends parfaitement. Elle peut rester chez elle, évidemment. Il n'y aura que nous deux dans la maison. J'ai laissé Mildred à Dippings, et il a été décidé qu'Hanni continuerait d'y séjourner jusqu'à ce que nous sachions quoi faire d'elle.

— Dans ce cas, on ferait mieux de se mettre au boulot, toi et moi. Mais d'abord, on a besoin d'un bon déjeuner. Je comptais préparer des côtes d'agneau et des pommes de terre nouvelles, avec des haricots du potager. Ça t'ira ?

— Parfait, répondis-je en souriant.

32.

Rannoch House
Lundi 20 juin 1932

Après le déjeuner, nous prîmes un métro pour la
« grande ville », ainsi que l'appelait mon grand-père.
Puis nous partîmes chacun de notre côté, lui pour Scotland Yard et moi pour les banlieues sud, cette fois, afin
de rendre visite aux parents de Sidney Roberts, dont
j'avais trouvé l'adresse.

M. et Mme Roberts habitaient une modeste maison
mitoyenne de Slough. La crasse d'innombrables feux de
charbon maculait sa façade de brique rouge, et le jardin
de devant, de la taille d'un mouchoir de poche, arborait
un seul petit rosier intrépide. Pendant le trajet en métro,
j'avais réfléchi à la manière dont j'aborderais les parents
de Sidney. Je frappai à la porte, qui fut ouverte par une
petite femme maigre dans un tablier à fleurs.

— Oui ? fit-elle en lançant des regards méfiants
autour d'elle.

— Madame Roberts, c'est au sujet de votre fils.

— Vous ne travaillez pas pour un de ces fichus journaux, j'espère ? dit-elle, s'apprêtant à refermer sa porte.

— Non, nous étions à Cambridge ensemble, répondis-
je – bon, d'accord, c'était un mensonge, mais un détective
est autorisé à user de petits subterfuges, n'est-ce pas ? Je

souhaite simplement vous présenter mes respects et vous faire part de mes profonds regrets.

Je vis sa méfiance s'atténuer, cédant la place à une expression de pur chagrin.

— Entrez donc, mademoiselle. Rappelez-moi votre nom ?

Je ne le lui avais pas encore donné, naturellement.

— Maggie, répondis-je – ce n'était pas la première fois que j'empruntais l'identité de ma bonne écossaise. Maggie MacDonald.

— Enchantée, mademoiselle MacDonald, dit-elle en me tendant la main. Mon mari est dans le petit salon. Il sera content de rencontrer une amie de notre Sidney.

Elle me conduisit dans un couloir sombre jusqu'à une pièce meublée, comme il se devait, d'un canapé, de deux fauteuils et d'un piano, lequel était couvert de bibelots en porcelaine de marque Goss – petits souvenirs d'excursions d'une journée dans des stations balnéaires comme Brighton ou Margate. L'homme assis dans un des fauteuils, occupé à lire le journal, se leva d'un bond lorsque j'entrai. Il était d'une maigreur à faire peur, perdait ses cheveux et portait des bretelles par-dessus sa chemise. Il avait la mine hagarde.

— Nous avons une visiteuse, papa, annonça Mme Roberts. Cette demoiselle a connu notre Sidney à l'université, et elle est venue nous présenter ses respects. C'est gentil de sa part, pas vrai ?

— Oui, très aimable, dit-il. Asseyez-vous, je vous prie. Pourquoi ne pas lui préparer une tasse de thé, maman ?

— Oh, non, merci, intervins-je. Je ne veux absolument pas vous déranger.

— Cela ne me dérange pas, assura Mme Roberts en sortant précipitamment du salon, me laissant seule avec son époux.

— Vous avez donc connu notre Sidney à Cambridge, c'est ça ?

— Oui, mais je l'ai perdu de vue après l'obtention de notre diplôme. Vous imaginez donc combien j'ai été choquée d'apprendre la nouvelle par les journaux. Je n'arrivais pas à croire qu'il s'agissait du Sidney que j'avais connu. J'ai alors décidé de venir à Londres afin de découvrir ce qui s'était produit.

— Ma foi, ce qui est sûr, c'est que quelqu'un a subitement mis fin à la vie de notre merveilleux, brillant garçon. Ça paraît injuste, hein ? J'ai participé à la bataille de la Somme du début à la fin et je m'en suis tiré sans une égratignure, mais je vais vous confier une chose, mademoiselle : j'aurais volontiers donné ma vie en échange de celle de mon fils. Sans hésiter. Il avait tant de raisons de vivre, un avenir si prometteur.

Mme Roberts revint avec un plateau sur lequel était posées trois tasses et une théière – couverte d'un cache-théière fait au crochet. C'était manifestement une maison, comme tant d'autres, où la bouilloire était toujours sur le feu.

— Et voilà, dit-elle avec une jovialité forcée. Prenez-vous du lait et du sucre ?

— Du lait, s'il vous plaît.

Elle me servit une tasse. Celle-ci vibra contre la soucoupe quand elle me la tendit d'une main mal assurée.

— J'expliquais que j'aurais voulu échanger ma vie contre la sienne, reprit M. Roberts.

— Ne te mets pas de nouveau dans tous tes états, papa, conseilla son épouse. La situation est extrêmement difficile pour lui, mademoiselle. Il a d'abord perdu son emploi et maintenant, voyez ce qui nous arrive. Nous sommes au bout du rouleau, vous savez.

Je lançai un coup d'œil plein d'envie vers la porte, regrettant ardemment d'être venue. Je regrettais également de ne pouvoir leur offrir un peu d'argent pour les aider – même si je devinais qu'ils ne l'auraient pas accepté.

— J'ai cru comprendre que Sidney vivait encore chez vous ?

— C'est exact, répondit M. Roberts. Il est revenu à la maison après avoir terminé ses études. Nous avions peur qu'il trouve un emploi loin d'ici, mais quand il nous a annoncé qu'il resterait à Londres, sa mère en a été ravie, pas vrai, chérie ?

Elle hocha la tête, puis plaqua la main contre sa bouche.

— D'après les journaux, Sidney a été tué près des docks. Que faisait-il dans ce quartier ?

M. Roberts jeta un regard à sa femme.

— Il travaillait dans une librairie. À quoi bon faire des études si c'est pour finir vendeur, comme n'importe quel autre jeune homme des environs ? Je vais vous dire une chose, mademoiselle. Nous avions de si grands espoirs pour notre Sidney. C'était un garçon tellement intelligent. Nous avons économisé sur tout pour l'envoyer dans un bon lycée, et puis il a décroché une bourse pour Cambridge. Il avait le monde à ses pieds, notre Sidney.

Sa voix se brisa, et il détourna les yeux.

— Nous pensions qu'il ferait du droit, reprit son épouse. Et vu qu'il avait toujours parlé de devenir notaire, nous nous attendions à ce qu'il entre en apprentissage dans une bonne étude. Mais finalement, il nous a annoncé qu'il ne voulait plus rien avoir à faire avec « l'ordre établi de la bourgeoisie », quoi que cela veuille dire.

— Il s'était apparemment mis à fréquenter une drôle de clique, dans son collège, ajouta M. Roberts sur le ton de la confidence. Vous étiez sûrement au courant, si vous étiez une de ses amies.

— Vous voulez parler de la société secrète des Apôtres ?

— Oui, c'est ainsi qu'ils s'appelaient. Vous les connaissiez donc ?

— Pas personnellement, mais j'avais entendu parler d'eux. Et je sais que Sidney était plutôt... disons, un idéaliste.

— Un idéaliste ? Un bougre d'idiot, si vous me passez l'expression, mademoiselle ! répliqua son père. Tout le temps à raconter qu'il fallait donner le pouvoir au peuple et se débarrasser des classes dirigeantes. Je lui disais que ça n'arriverait jamais. Les élites sont faites pour gouverner. Elles savent comment s'y prendre. Si on nous demandait de gérer un pays, à vous ou à moi, ça serait une sacrée pagaille.

Mme Roberts, qui jusque-là n'avait pas détaché les yeux de son mari, se tourna alors vers moi comme si elle tenait absolument à ce que je comprenne.

— Son père a bien essayé de lui faire entendre raison, en vain. Il a commencé à écrire pour un journal, le *Daily Worker*, et à traîner avec ces satanés communistes.

— Une bande de fainéants, tous autant qu'ils sont, ajouta M. Roberts. Ils ne prennent même pas la peine de se raser correctement.

— « Il n'en sortira rien de bon, voilà ce que nous lui répétions. Le jour où tu chercheras un travail convenable, tout ça ressurgira et nuira à tes projets. »

— Sa maman a d'abord voulu qu'on le laisse faire, reprit M. Roberts. Vous savez comment sont les mères, surtout quand elles n'ont qu'un fils.

Il marqua une pause, puis se racla la gorge.

— Elle pensait que ça lui passerait, au fil des mois. Les jeunes gens poussent souvent les choses à l'extrême, pas vrai ? Mais ensuite, ils se trouvent une gentille fille, ils s'assagissent et entendent raison. Simplement... il n'a pas eu le temps...

— Qui aurait pu perpétrer ce crime affreux, selon vous ? demandai-je.

Ils me dévisagèrent d'un air déconcerté.

— Il y a eu erreur sur la personne, à notre avis. Le meurtrier l'a pris pour quelqu'un d'autre. L'endroit était sombre, d'après ce qu'on nous a dit. Le tueur a peut-être poignardé notre pauvre Sidney par erreur. Je ne vois pas d'autre explication.

— Avait-il reçu des menaces ?

Ils me fixèrent encore une fois avec perplexité.

— S'il avait des ennuis, nous n'en avons jamais eu vent, répondit M. Roberts. Bien sûr, il assistait aux réunions communistes et il y avait parfois des bagarres sans gravité. Sa mère ne voulait pas qu'il y aille. Mais à part ça, non, nous ne savons rien. Son meurtrier n'en avait pas après la caisse du magasin, vu que Sidney était à l'étage quand il a été poignardé.

— La police vous a-t-elle fait part de ses soupçons éventuels ?

— S'ils suspectent quelqu'un, ils ne nous en ont rien dit, répliqua-t-il avec amertume. Ils nous ont posé des tas de questions stupides et ont voulu savoir si notre fils avait été mêlé à des activités criminelles. Ils pensent que c'est un professionnel qui l'a tué, à cause de la manière dont il a été poignardé, d'après ce que j'ai compris.

Mme Roberts s'avança au bord de son fauteuil.

— Mais nous leur avons dit que Sidney avait toujours été un bon garçon. Il n'a jamais rien fait de honteux. Et s'il avait manigancé quoi que ce soit de louche, nous l'aurions su, pas vrai, papa ?

— Votre fils vous semblait-il inquiet, ces derniers temps ?

Ils échangèrent un regard.

— C'est drôle que vous demandiez ça, mademoiselle, répondit sa mère. Je crois que quelque chose le tracassait. Une nuit, il a dû faire un cauchemar, car nous l'avons entendu gémir dans son sommeil. Et puis il a marmonné : « Non, c'est mal. Tu ne peux pas faire ça. » Le lendemain matin, nous l'avons interrogé, mais il avait tout oublié. Il avait peut-être des ennuis dont il ne nous a pas parlé. Il y a bien des gangs qui opèrent dans le quartier des docks, non ? Ils faisaient peut-être pression sur Sidney pour qu'il participe à un vol ou à un méfait de ce genre, mais il n'aurait jamais accepté, vous savez. Il était très honnête, notre Sidney.

— Ou bien il a peut-être entendu quelque chose qui n'était pas destiné à ses oreilles, suggéra M. Roberts. Et il est mort parce qu'il avait décidé d'aller trouver la police.

— Cela semble possible, acquiesçai-je en me demandant pourquoi je n'y avais pas songé avant. Et que savez-vous de ses amis ? Je sais qui il fréquentait à l'université. Avait-il encore des contacts avec eux ?

— Je ne crois pas, dit sa mère. À l'exception d'un jeune homme au nom de famille idiot. Edward quelque chose.

— Edward Fotheringay, alias Fungy ? suggérai-je.

— Oui, dit-elle en souriant. Il est venu chercher Sidney deux ou trois fois dans une petite voiture de sport. « Tu affirmes pourtant être contre les aristocrates », lui disions-nous. Son père aimait le taquiner de temps en temps. Mais Sidney disait que cet Edward était quelqu'un de bien et qu'il se souciait lui aussi des masses populaires. À part lui, notre fils n'amenait jamais personne ici. Il n'avait pas non plus de petite amie, pour autant que je sache. Il ne sortait pas beaucoup, sauf pour se rendre à des meetings politiques. Ça a toujours été un garçon plutôt sérieux, pas vrai, papa ?

— Il ne nous a jamais parlé d'une petite amie, en tout cas, précisa M. Roberts.

Il m'observait d'un air bizarre, la tête inclinée sur le côté, comme un oiseau, et j'eus soudain l'impression qu'il s'imaginait que Sidney et moi étions peut-être sortis ensemble.

— Excusez ma curiosité, mademoiselle, mais vous semblez vous intéresser beaucoup à lui. Plus qu'une simple connaissance le ferait.

Je laissai échapper un rire qui, je l'espérais, passerait pour nerveux.

— C'est vrai. Nous avons été proches, par le passé. C'est pour cette raison que j'ai été si choquée d'apprendre sa mort. Je veux découvrir le fin mot de cette affaire. Je tiens à ce que son meurtrier soit traduit en justice.

— Nous vous sommes reconnaissants de votre aide, mademoiselle.

Les Roberts échangèrent un regard. Je décidai alors de me jeter à l'eau.

— Je me demandais... Ces derniers temps, Sidney buvait-il ou fumait-il un peu trop ?

— Une bière et une cigarette de temps à autre, je crois. Mais pas plus que n'importe quel autre jeune homme. Sans doute moins, en réalité, car il dépensait toujours son argent avec parcimonie, notre Sidney, ainsi que vous vous en souvenez probablement. Il a laissé une somme rondelette sur son compte d'épargne, pas vrai, papa ?

Je dressai l'oreille. *Tiens donc, le sage et discret Sidney avait donc amassé de l'argent ?*

— Oui, plus de cinquante livres, déclara fièrement M. Roberts.

Je pouvais oublier la théorie selon laquelle Sidney aurait été revendeur de drogue. Une si petite somme n'aurait même pas couvert les dépenses d'une des fêtes de Gussie.

Je terminai ma tasse de thé et pris congé des Roberts.

J'arrivai fatiguée et déprimée à Rannoch House ; je fus soulagée de constater que mon grand-père s'y était déjà installé et qu'il avait mis la bouilloire sur le feu pour me préparer une tasse de thé – laquelle fut cette fois fort appréciée.

— As-tu glané quoi que ce soit ? s'enquit-il.

— Seulement des informations qui permettent d'écarter certaines hypothèses. D'après ses parents, Sidney était un bon garçon et vivait simplement. Il avait épargné cinquante livres. Ils avaient de grands espoirs pour lui, et ses sympathies communistes les ont déçus. Nous pouvons donc supposer qu'il ne vendait pas de drogue et qu'il n'en consommait pas lui-même. Ils ont suggéré qu'il avait peut-être eu maille à partir avec des criminels – un gang lui aurait demandé de commettre un vol et il aurait refusé –, ou bien qu'il avait entendu quelque chose qu'il n'aurait pas dû.

Grand-papa opina du chef.

— C'est une éventualité, dans ce quartier. Il était employé dans une librairie qui vend de vieux bouquins, m'as-tu dit. Est-ce que certains de ces ouvrages rares auraient pu rapporter un peu d'argent ? On a pu lui demander d'en piquer quelques-uns.

Je n'y avais pas pensé. Une solution des plus simples.

— Tu pourrais te renseigner à ce sujet, n'est-ce pas ? Tes anciens collègues connaissent peut-être des gangs qui revendent des objets d'art et des antiquités volés, ce genre de choses.

— Oui, ça devrait être facile. Mais ça me paraît un peu excessif. On ne poignarde pas un type parce qu'il a refusé de faucher un vieux bouquin. En revanche, s'il avait l'intention d'aller les dénoncer aux flics... Tu as dit que c'était un garçon honnête... Dans ce cas, ça pourrait être plausible. Je vais voir ce qu'en pensent mes vieux copains.

— Et demain, j'irai rendre visite au commissaire Burnall, annonçai-je. Son enquête a peut-être un peu avancé.

— À ta place, je n'y compterais pas trop, ma chérie. Bon, à propos de notre dîner. Il n'y a pas grand-chose dans le garde-manger, vu qu'on pensait que tu resterais à la campagne. Et si j'allais nous chercher un *fish and chips* ?

Je me mis à rire.

— Cela m'étonnerait que tu trouves une friterie à Belgravia, grand-papa !

33.

Rannoch House
Mardi 21 juin 1932

> *Cher journal,*
> *La journée s'annonce chaude. Il est huit heures et demie et il fait déjà lourd. Pas un souffle de vent. Je me passerais bien de ce qui m'attend. Je ne suis pas taillée pour être détective.*

Je reçus une lettre venant de Buckingham au courrier du matin. Je trouvai cela bizarre, étant donné que le couple royal était dans le Norfolk, mais je découvris qu'il s'agissait seulement d'une invitation officielle à la garden-party donnée le jour suivant. La missive se concluait ainsi : *Veuillez présenter ce carton afin de pouvoir être admis dans les jardins du palais.* Il était donc prévu que je voie la reine le lendemain. Elle attendrait des résultats de ma part. Mieux valait que ma journée soit fructueuse.

Après le petit déjeuner, mon grand-père partit pour son ancien poste de police dans l'East End, tandis que je me rendais à Scotland Yard. La chance me sourit : le commissaire Burnall était dans son bureau, et on m'y introduisit aussitôt. Aussi élégamment vêtu que d'habitude, il parut surpris de me voir.

— Que faites-vous là, lady de Rannoch ? Êtes-vous venue vous rendre ?

Je lui décochai un regard d'acier digne de mon arrière-grand-mère, lequel suffit à lui faire perdre contenance.

— Je plaisantais, lady de Rannoch. Bien, en quoi puis-je vous être utile ?

— Je souhaiterais savoir si la date de l'enquête judiciaire a été fixée. La princesse Hannelore sera sans doute contrainte de rentrer bientôt en Allemagne. Par conséquent, si vous pensez que son témoignage sera utile, vous feriez mieux de tout organiser avant son départ.

— Elle compte mettre les voiles, c'est ça ?

— Sa dame de compagnie, la baronne Rottenmeister, vient de mourir. L'étiquette n'autorise naturellement pas Son Altesse à poursuivre son séjour dans un pays étranger sans chaperon.

— Un autre décès ? Les gens semblent tomber comme des mouches dans l'entourage de votre princesse. Êtes-vous certaine que son nom de famille n'est pas Borgia ? ajouta-t-il avec un gloussement hésitant.

— La baronne a succombé à une crise cardiaque alors que Son Altesse et moi visitions Cambridge, répondis-je d'un ton glacial. Et vous ne pouvez tout de même pas sérieusement penser que la princesse et moi avons quelque chose à voir avec le meurtre de Sidney Roberts, si ce n'est que nous avons découvert son corps.

— Vous l'avez trouvée avec l'arme du crime à la main.

— Mais vous avez vous-même affirmé que le coup avait été porté par un assassin chevronné. Croyez-vous vraiment que les bonnes sœurs du couvent des Saints Noms de Jésus et de Marie aient pu l'entraîner à tuer ?

— Sans doute pas, concéda-t-il.

— Et vous ne pouvez quand même pas me soupçonner.

Il hésita une seconde, m'incitant à poursuivre.

— Franchement, commissaire, pour quelle raison aurais-je voulu la mort de M. Roberts ? Je ne l'avais

318

croisé que deux fois – un jour dans Hyde Park et un soir dans une fête, où nous avions brièvement conversé.

— Trois fois, pas deux, me corrigea-t-il. Avez-vous oublié votre rencontre au British Museum ?

— Oui, c'est vrai. Mais seule Hannelore l'a vu au musée.

— Ah bon ?

— Nous avons été séparées un moment et, quand j'ai retrouvé la princesse, elle m'a annoncé, enthousiaste, qu'elle avait croisé Sidney, lequel effectuait des recherches dans la salle de lecture, et qu'il l'avait invitée à visiter sa librairie le jour suivant.

Le commissaire parut réfléchir un instant.

— Par conséquent, si Son Altesse avait eu besoin d'un prétexte pour se rendre dans cette librairie, elle aurait pu concocter cette histoire.

— Oui, sans doute. Mais dans quel but ?

Alors même que je prononçais ces mots, j'entrevis une explication possible. Hanni s'était entichée de Sidney. Elle cherchait une occasion de le revoir. Elle avait déjà prouvé qu'elle ne dédaignait pas de recourir à des subterfuges quand cela l'arrangeait.

— Vous avez peut-être une idée ? reprit Burnall.

— Oui. Je crains que la princesse ne s'emballe un peu facilement pour les garçons, commissaire. Et je crois qu'elle avait jeté son dévolu sur Sidney Roberts. Je me demande bien pourquoi, étant donné qu'on ne lui aurait sûrement pas permis de cultiver une amitié avec un individu sans le sou, issu des classes populaires. Peut-être était-elle attirée par lui justement parce qu'il était un fruit défendu à ses yeux.

Burnall opina du chef.

— Et un assassin dont nous ignorons l'identité a choisi ce moment précis pour poignarder M. Roberts et disparaître sans laisser de traces. Très commode, n'est-ce pas ?

— Il ne s'est pas volatilisé. Vous avez parlé d'une fenêtre dans le grenier permettant une fuite par les toits, il me semble.

— Nous avons examiné cette lucarne, et constaté que la poussière qui en couvrait le rebord était intacte, répondit le commissaire.

— Le meurtrier a pu tout aussi bien se dissimuler parmi les rayonnages et s'éclipser quand M. Solomon est sorti téléphoner à la police. Il a pu se réfugier dans un bâtiment voisin sans que nous le remarquions. Le fait est que nous n'avons pas tué Sidney Roberts, commissaire ; nous n'avions ni mobile ni les compétences nécessaires.

— Je suppose que je dois me résigner à vous croire. Mais sans doute pouvez-vous m'être utile : qui avait un mobile, selon vous ?

— Pour quelle raison le saurais-je ?

— Vous étiez tous présents le soir où un autre jeune homme a perdu la vie, il y a quelques jours de cela. Une fête lors de laquelle certains invités ont consommé de la cocaïne, me semble-t-il.

— Je vous l'ai déjà dit, j'ai été témoin de cette mort. Un accident horrible. Tubby était ivre, il titubait. Il a heurté la balustrade, qui a cédé. Personne n'était assez près de lui pour l'avoir poussé.

— Il s'avère que sa mort n'est pas à mettre sur le compte de sa seule ivresse, déclara lentement Burnall, sans détacher les yeux de mon visage. Une autopsie a dévoilé qu'il avait un important taux d'alcool dans le sang, c'est vrai. De même qu'une quantité mortelle de phénobarbital. Quelqu'un a dû en verser dans son verre.

— Pour l'empoisonner, voulez-vous dire ?

— Pour l'assommer, plutôt. Le meurtrier de Tubby Tewkesbury tenait à ce qu'il tombe du balcon. Et, pour doublement s'en assurer, il avait aussi ôté certaines des vis qui maintenaient en place les barreaux de la balustrade.

— Grands dieux ! m'exclamai-je, incapable de dire quoi que ce soit d'autre.

— Voilà pourquoi j'aimerais que vous réfléchissiez sérieusement, lady de Rannoch. Avez-vous des raisons de croire que l'une des personnes présentes ce soir-là pouvait vouloir se débarrasser de votre copain Tubby ? Et avez-vous aperçu quelqu'un verser quelque chose de louche dans un verre ?

Je fis non de la tête.

— Il faisait sombre et les invités n'ont pas arrêté de préparer des cocktails. Tout le monde a beaucoup bu et, chaque fois que j'ai vu Tubby, il avait un verre à la main. Quant à savoir si quelqu'un voulait sa mort, je pensais que vous auriez déjà enquêté du côté de son héritage.

— Nous nous en sommes occupés, lady de Rannoch. Comme il n'avait aucun frère, ce sont des cousins qui hériteront du domaine. Dont le jeune homme qui a donné cette fête.

— Gussie Gormsley ? dis-je, stupéfaite.

— C'est exact. Augustus Gormsley. Soit, c'est un petit-cousin, mais il a peut-être l'intention de récupérer une plus grosse part en se débarrassant ensuite d'autres héritiers.

Je m'esclaffai.

— Oh, tout de même, commissaire, c'est de la pure folie ! Gussie est...

Alors que je m'apprêtais à prononcer le mot « inoffensif », je me rappelai qu'il aurait abusé de moi si Darcy n'était pas intervenu. Il n'était donc pas aussi inoffensif que cela. Puis je me remémorai que, sur le balcon, Gussie avait apporté un verre, et j'en fis part au commissaire.

— La boisson que Gussie avait à la main n'était même pas destinée à Tubby, ajoutai-je. Gussie l'a offerte à la ronde. Et Tubby l'a acceptée.

— À qui était-elle destinée, dans ce cas ?

Au souvenir de ce qui s'était passé, je me figeai sur place. Gussie avait insisté pour que Sidney Roberts prenne le verre. Après que ce dernier eut décliné, Tubby l'avait pris et vidé d'un trait. Mais pouvais-je vraiment me résoudre à en informer Burnall ? Ces gens appartenaient à mon milieu, après tout. Nous ne nous amusions pas à commettre des meurtres à tout-va. Et j'avais seulement été témoin de ce qui s'était passé sur le balcon. Gussie avait très bien pu proposer le verre à des tas d'autres personnes avant de nous rejoindre.

— Je l'ignore, répondis-je. Gussie, en tant qu'hôte, se contentait d'être agréable et de s'assurer que tout le monde avait un verre.

— Je vois, dit le commissaire en me regardant encore une fois fixement.

— Bien. À propos de la mort de Sidney Roberts, puis-je savoir si vous avez avancé dans vos recherches ? demandai-je, changeant de sujet. Il ne fréquentait aucun criminel, n'est-ce pas ?

— Pourquoi cette question ?

— J'ai rendu visite à ses parents afin de leur présenter mes condoléances, et sa mère m'a raconté qu'il paraissait inquiet, ces derniers temps, et qu'il avait murmuré quelque chose dans son sommeil – il aurait parlé de ne pas vouloir faire quelque chose de mal. Je me suis donc dit qu'on l'avait peut-être forcé à commettre un méfait.

— Intéressant, commenta Burnall en hochant la tête. Nous n'avons pas encore eu vent de rumeurs de ce genre et nous allons nous renseigner. Nous comptons examiner cette affaire sous tous les angles, je vous le promets. Mais peut-être y a-t-il un autre détail croustillant dont vous aimeriez me faire part dès maintenant.

— Si tel était le cas, ce serait volontiers. La princesse séjourne près de Sandringham en ce moment, je présume que vous en avez été informé. De mon côté, je logerai à Rannoch House pendant un jour ou deux. Vous savez donc où me contacter en cas de besoin pour l'enquête.

Sur ces mots, je me levai, et le commissaire fit de même.

— Vous autres aristocrates, vous vous serrez les coudes quoi qu'il arrive, n'est-ce pas ?

— Que voulez-vous dire ?

— Je pense que vous me cachez quelque chose. L'un des vôtres est impliqué, et la vérité finira par se faire jour. Et quand cela se produira et que je découvrirai que vous avez refusé de divulguer certains faits, je vous inculperai. Je me moque bien de votre rang.

— J'en suis certaine, répliquai-je froidement. Il y a quelque temps, vous avez arrêté mon frère alors qu'il était parfaitement innocent. Mais je ne peux que répéter ce que je viens de dire : je ne sais rien de plus sur ces étranges événements. Je le regrette.

Sur ce, je fis une sortie majestueuse.

34.

Tandis que je regagnais Rannoch House en traversant
Green Park, j'observai les enfants qui jouaient, les couples
qui se promenaient main dans la main, les employés de
bureau assis dans l'herbe et profitant du soleil, et il me
sembla que j'étais la seule personne au monde à avoir
des soucis. C'était bien entendu un sentiment illusoire.
À cet instant même, partout dans la ville des chômeurs
faisaient la queue dans l'espoir de trouver du travail ou
d'obtenir un peu de pain et de soupe. Mais la crise économique ne pouvait gâcher le plaisir des gens qui, autour
de moi, passaient cette journée d'été au parc. Moi,
en revanche, je ne parvenais pas à me débarrasser des
pensées qui m'accablaient.

Depuis ma visite au commissaire Burnall, je me sentais
plus désorientée que jamais. « L'un des vôtres est
impliqué », avait-il affirmé, et ces mots ne cessaient de
résonner dans mon esprit. C'était bel et bien quelqu'un
de mon milieu qui avait assassiné le pauvre Tubby Tewkesbury, et la personne qui lui avait offert le fameux
verre était Gussie. Mais il avait d'abord cherché à le proposer à Sidney Roberts. Gussie savait-il que du phénobarbital avait été ajouté à la boisson ? Avait-il eu vraiment
l'intention de provoquer la chute de Sidney ? Et si tel
était le cas, pour quelle raison ? Plusieurs hypothèses me

vinrent en tête – le très honnête Sidney avait peut-être menacé d'informer la police à propos de la cocaïne ; à moins qu'il n'ait été une sorte d'intermédiaire chargé d'apporter la drogue à Mayfair depuis les docks, jusqu'au moment où il avait fini par écouter sa conscience. Mais tuait-on quelqu'un pour une raison apparemment si futile ? Et si Gussie ignorait que le verre contenait du phénobarbital, qui d'autre, parmi les gens présents à la fête, avait voulu tuer Sidney, et pourquoi ? La balustrade en partie dévissée semblait indiquer que le coupable était Gussie – c'était son appartement, après tout.

Je lançai un regard vers la sobre façade blanche de l'immeuble moderne situé face au parc. Et si j'allais voir par moi-même ? Aucun risque que je croise Gussie, qui était loin d'ici, à la campagne. Je réussirais probablement à persuader le concierge de me laisser entrer. Je changeai de cap et me dirigeai vers St James's Mansions. Le portier en uniforme me salua, et je pénétrai dans le hall de verre et de marbre, où un concierge était assis. Je lui expliquai que j'avais participé à la soirée donnée par M. Gormsley.

— Oh, la fameuse fête, dit-il en hochant la tête d'un air compréhensif.

— Tout était plutôt chaotique et je suis partie un peu précipitamment. J'ai peur d'avoir oublié mon petit sac à main dans l'appartement.

— Je suis désolé, mademoiselle, mais M. Gormsley n'est pas là en ce moment.

— Je le sais. J'étais encore à la campagne avec lui hier. Si je jetais un coup d'œil chez lui, au cas où mon sac s'y trouverait, je suis sûre que cela ne le dérangerait pas. Vous devez avoir un passe-partout. Et j'adore ce petit sac, voyez-vous.

Le front plissé, il réfléchit et finit par se lever.

— Bon, je suppose que je peux vous accorder un instant dans l'appartement.

Il se rendit dans sa loge d'un pas traînant pour y prendre un trousseau de clés, puis nous montâmes ensemble dans l'ascenseur.

Une odeur de tabac froid planait encore dans l'appartement, et le soleil de l'après-midi qui entrait à flots par les immenses fenêtres faisait régner une chaleur plutôt désagréable. Le concierge resta sur le seuil. Il n'avait nullement l'intention de me laisser seule, c'était évident.

— Je ne sais pas dans quelle pièce j'ai pu oublier mon sac, dis-je. Tout semble extrêmement bien rangé, n'est-ce pas ?

Le domestique de Gussie avait en effet fait un travail formidable. J'entrai dans le salon avec ses meubles bas contemporains et ses épouvantables œuvres d'art moderne. Je vis un secrétaire dans un coin – mais je ne pouvais tout de même pas faire croire au concierge que je l'avais ouvert pour y déposer mon sac de soirée. Du reste, je n'avais pas la moindre idée de ce que j'espérais trouver. Un papier buvard sur lequel serait visible une lettre disant à Sidney qu'il avait tout intérêt à livrer la drogue ? Sans doute pas. Ou bien une missive de Sidney expliquant qu'il se sentait obligé d'alerter la police ? La corbeille à papiers était vide, le bureau immaculé.

— Je l'ai peut-être laissé dans la chambre à coucher, dis-je à l'homme, qui haussa un sourcil. Je me souviens avoir déposé mon châle sur le lit. Mon sac a pu tomber dessous.

— Je vais aller voir, mademoiselle. Cela vous évitera de vous agenouiller.

J'attendis qu'il s'éloigne avant de me précipiter vers le secrétaire, que j'ouvris sans mal. J'y découvris entre autres un porte-lettres contenant du courrier en attente. Je parcourus rapidement les enveloppes, ouvris les tiroirs les uns après les autres avant de les refermer aussi discrètement que possible.

— Alors, vous avez trouvé quelque chose ? lançai-je au concierge.

— Non, rien, mademoiselle.

— Je vais vérifier dans la cuisine, dis-je en m'éloignant du secrétaire.

Au bout de dix minutes, je dus reconnaître que mes recherches n'avaient rien donné. Bien entendu, la police avait déjà dû passer l'appartement au peigne fin et emporter tout objet suspect. Je repris l'ascenseur en compagnie du concierge. J'avais seulement compris que Gussie vivait au-dessus de ses moyens. J'avais remarqué des tas de factures impayées, certaines ayant fait l'objet de deux ou trois relances, de la part de son tailleur, de son caviste, de Fortnum. Par conséquent, s'il revendait de la drogue, cette activité ne lui rapportait pas grand-chose.

— Je suis navré que vous n'ayez pas retrouvé votre sac, dit le concierge en me raccompagnant vers la sortie de l'immeuble.

L'heure du déjeuner étant passée depuis longtemps, mon ventre gargouillait de manière très peu distinguée. Je coupai de nouveau à travers le parc pour gagner Rannoch House. La maison était vide. Je mangeai un bout de pain et du fromage sur le pouce, puis me changeai avant de ressortir. J'étais plutôt soulagée que mon grand-père ne soit pas encore rentré, car j'avais l'intention d'aller fureter un peu du côté de la librairie et d'assister, si cela était possible, à un meeting communiste. Je me doutais que ces deux projets auraient suscité sa désapprobation. Je lui laissai un mot dans lequel j'expliquais que je partais rejoindre des amis et que je rentrerais probablement tard dans la soirée. Je ne voulais pas qu'il s'inquiète.

Cette fois-ci, je trouvai la librairie un peu plus facilement. La ruelle avait l'allure d'un petit coin oublié et paisible plongé dans l'ombre de cette fin d'après-midi, alors que le soleil nimbait d'un éclat rosé les étages supérieurs des entrepôts. Il n'y avait que deux vieillards dans le café russe, la tête baissée sur la poitrine, des tasses de thé à moitié vides devant eux, et aucun mendiant au coin de la rue. Rien ne bougea autour de moi tandis que je me dirigeais vers la librairie. Un coup de sifflet retentissant me fit sursauter, puis je me rappelai que le fleuve s'étendait juste au-delà de l'impasse. Quand j'entrai dans le magasin, une clochette carillonna. Je remarquai qu'elle était accrochée au-dessus de la porte au moyen d'un petit tasseau. J'avais oublié sa présence. Le jour du meurtre, nous l'aurions entendue carillonner si quelqu'un s'était faufilé hors de la librairie juste après notre départ, n'est-ce pas ?

M. Solomon émergea des profondeurs du magasin.

— Puis-je vous aider, mademoiselle ?

Il ne parut pas me reconnaître. Avait-il mauvaise vue ?

— Je suis l'une des jeunes filles qui ont découvert le corps de votre assistant la semaine dernière. Je ne m'en suis pas encore remise, pas plus que vous, j'imagine.

— En effet, mademoiselle. Sidney était quelqu'un de bien. Un garçon si prometteur.

— Je me demandais simplement si la police avait avancé dans son enquête.

— La police ne me dit rien. Je n'en sais pas plus que vous, quoique je sois prêt à parier que les Chemises noires y sont pour quelque chose.

— Les Chemises noires, vraiment ?

— Vous avez évidemment entendu parler de ces brutes dont s'entoure Mosley, le fasciste qui a fondé le New Party. Le pire fauteur de troubles qui soit. Il prend modèle sur l'horrible Mussolini.

— Oui, bien sûr. J'ai vu ses partisans opérer récemment au Speakers' Corner, où ils ont semé le désordre.

Le libraire soupira.

— Ils sont venus ici, vous savez, il y a seulement deux semaines. Ils méprisent les communistes et aussi les Juifs, bien entendu. Une bande de voyous. Avant de partir, ils ont renversé un présentoir de livres rares et précieux.

— Mais pourquoi seraient-ils revenus poignarder M. Roberts ?

— Pour prouver leur supériorité, peut-être. À moins qu'ils n'aient voulu me tuer, puisque je représente tout ce qu'ils détestent, et qu'ils n'aient pris Sidney pour moi.

— Avez-vous suggéré cette piste à la police ?

— J'ai plutôt l'impression que certains policiers admirent les idées fascistes et méprisent le socialisme. Ils ne veulent pas l'égalité entre les gens. Ils aiment le pouvoir.

Je regardai son visage sérieux, ses yeux enfoncés et sa mine perpétuellement inquiète. J'aurais aimé pouvoir lui rendre service.

— Sidney écrivait aussi pour le *Daily Worker*, n'est-ce pas ?

— Oui. Il avait une belle plume. S'il avait vécu, je crois qu'il aurait pu devenir un excellent écrivain.

— Et j'ai cru comprendre qu'il aidait les syndicats à exprimer leurs griefs.

— En effet. Il était également un bon orateur. Le parti a besoin de gens comme lui – d'hommes qui veulent sincèrement améliorer les conditions de vie des travailleurs. Ils se font rares, hélas.

— Vous n'avez donc jamais eu l'impression qu'il était mêlé à quoi que ce soit... d'illégal, par exemple ?

— D'illégal ? répéta-t-il, l'air atterré. Qu'insinuez-vous, jeune fille ?

— Je ne sais pas... des cambriolages, un trafic de drogue ?

— Notre M. Roberts ? Il aurait refusé de participer à de telles choses. Il était d'une très haute moralité.

J'étais à court de questions et n'avais pas trouvé d'excuse qui m'aurait permis d'explorer la librairie par moi-même ; j'étais toutefois réticente à partir.

— Sidney m'avait invitée à un meeting, repris-je. Je n'en ai pas eu l'occasion de son vivant, mais il me semble

329

que je devrais assister à l'une de ces réunions, ne serait-ce que pour honorer sa mémoire.

M. Solomon me fixa d'un œil critique.

— C'est un noble sentiment de votre part, mademoiselle. Justement, une conférence a lieu ce soir dans la salle paroissiale du quartier, à deux pas. Vous devriez trouver cela très instructif. À vingt heures. Je serai ravi de vous y voir.

Je sortis dans la ruelle plongée dans l'ombre et me retournai vers la vitrine aux petits carreaux poussiéreux. Pourquoi ne pas essayer de m'y introduire discrètement dès que M. Solomon s'absenterait un instant ? Mais même si j'y parvenais, à quoi bon ? La police avait minutieusement fouillé les lieux, en pure perte. À moins que Burnall n'ait découvert quelque chose dont il n'aurait pas souhaité me faire part. Je m'attardai dans la rue jusqu'à ce que le libraire sorte enfin. Il ferma derrière lui. Lorsqu'il passa devant moi, je me plaquai dans l'embrasure d'une porte, puis tentai d'ouvrir celle de la librairie. Elle était verrouillée, évidemment.

J'entendis sonner la cloche d'une église toute proche. Dix-sept heures. À l'autre bout de la ruelle passaient des flots de dockers et de dactylographes qui rentraient chez eux après leur journée de travail. J'avais trois heures à tuer avant la conférence, mais il serait absurde de prendre un métro bondé et rentrer à Rannoch House. Le temps que je gagne la station la plus proche et que j'arrive chez moi, il me faudrait aussitôt faire demi-tour pour revenir à Wapping. En outre, mon grand-père essaierait probablement de me retenir à la maison. L'un dans l'autre, il était plus logique de rester dans ce quartier. Je sortis de la ruelle et, à quelques pas de là, trouvai la salle paroissiale où la conférence devait avoir lieu. Je vis une annonce sur le panneau d'affichage placé à l'extérieur du bâtiment : *Ce soir, M. Bill Strutt de la Ligue des travailleurs britanniques viendra nous parler de sa vision pour une nouvelle Grande-Bretagne. Venez écouter son édifiant discours.*

J'errai dans la grand-rue de Wapping, m'imprégnant des sons et des odeurs des docks – les effluves humides de pourriture qui montaient du fleuve et qui rivalisaient avec les odeurs de *fish and chips* vendus dans une échoppe, les coups de sirène mélancoliques des remorqueurs qui couvraient le martèlement des souliers sur les pavés. J'entrai dans la friterie et m'achetai pour neuf pence de *fish and chips*, que je mangeai tout en marchant, à même le papier journal dans lequel ils étaient enveloppés. Un repas tout à fait satisfaisant, en dehors du fait que l'un de mes gants était maintenant maculé de graisse – j'avais bêtement oublié de l'enlever. Je poussai jusqu'à la Tour de Londres, où le Tower Bridge enjambait la Tamise. Les pierres blanches de la tour s'étaient teintées de rose dans la lumière du couchant. Le tout présentait un fort beau spectacle. Je m'assis sur un banc et contemplai la scène que m'offrait la Tamise, pleine d'animation. Un cargo remonta le courant, et le pont bascula pour le laisser passer, interrompant la circulation de part et d'autre du fleuve. Celui-ci s'écoulait, sombre et huileux, des débris tournoyant dans ses eaux turbides. Le soleil baissa à l'horizon, et une brise glaciale se leva sur la Tamise, m'obligeant à quitter mon siège.

Il me restait encore plus d'une heure à attendre et, bien que la grand-rue de Wapping grouillât encore d'activité, c'était le genre de quartier où il valait mieux ne pas se faire remarquer. Je regrettais de ne pas être accompagnée d'un homme, car j'aurais alors pu entrer dans l'un des nombreux pubs qui continuaient à attirer des clients en dépit de la crise. Je finis par me rappeler le café russe. Je regagnai la ruelle et entrai dans l'établissement ; tous les regards se portèrent sur moi. Ce fut seulement une fois assise que je m'aperçus que j'étais la seule femme.

331

— Je me souviens de vous, me dit le vieux serveur avec un accent étranger prononcé. De vous et de l'autre fille. Vous étiez là le jour où ce pauvre garçon a été poignardé.

— C'est exact.

— Pourquoi êtes-vous revenue ?

— Sidney Roberts m'avait invitée à l'un de ses meetings, et j'ai cru bon de venir assister à l'un d'eux en sa mémoire.

Il fit la moue.

— Ce n'est pas un endroit pour une jeune fille à la nuit tombée. Vous devriez rentrer chez vous.

La même pensée m'était venue en voyant le soleil se coucher, et je m'étais alors dit qu'il me faudrait marcher jusqu'à la station de métro la plus proche lorsque la conférence se terminerait. J'avais cependant vu des bus. J'en prendrais un jusqu'à un quartier mieux fréquenté, où je trouverais un taxi. Je commandai du thé. Il me fut servi dans un verre muni d'un support argenté ; une tranche de citron flottait dans la boisson pâle et sucrée. Je bus à petites gorgées, avec gratitude, en prenant mon temps, tout en écoutant les conversations autour de moi. Apparemment, les gens parlaient surtout le russe, mais je crus entendre aussi de l'allemand.

Autour de dix-neuf heures trente, je retournai à la salle paroissiale. Les portes étaient ouvertes et deux ou trois personnes étaient déjà assises à l'intérieur – des ouvriers coiffés d'une casquette et une femme d'âge moyen vêtue de noir. Ils me saluèrent d'un signe de tête, et je les imitai. Peu à peu, les bancs se remplirent, et l'air s'emplit de fumée (et de quintes de toux). Dans la chaleur persistante de cette soirée d'été, l'odeur des corps sales n'était pas très agréable non plus. Le banc me paraissait déjà dur et inconfortable, et je sentais des regards posés sur moi. Je détonnai dans cet endroit : je n'y étais pas à ma place, même habillée le plus simplement possible. La plupart des spectateurs portaient des habits élimés, rapiécés aux coudes et aux genoux. J'étais trop propre sur moi, trop raffinée, trop bien vêtue. Je regrettai sincèrement de ne pas avoir suivi le conseil de mon grand-père et de ne pas être restée à la maison. Qu'espérais-je accomplir dans ce lieu ? Ces gens avaient été les compagnons de Sidney Roberts. Ils auraient tenu à le protéger, pas à l'assassiner.

— C'est la première fois que je vous vois ici, me dit un jeune homme vêtu d'un gilet rouge vif en s'asseyant à côté de moi.

— En effet. J'étais une amie de Sidney Roberts... vous savez, le garçon qui a été tué la semaine dernière ?

— Oh, oui, j'en ai entendu parler. Pauvre type.

Il s'exprimait bien, et je remarquai qu'il portait une chevalière. C'était donc quelqu'un de mon milieu.

— Bienvenue, reprit-il. Je m'appelle Miles. Je crois que vous allez apprécier cette conférence. Bill est un orateur formidable.

Je m'apprêtais à lui demander s'il avait fait ses études à Cambridge avec Sidney, quand une porte située au fond de la salle s'ouvrit, livrant passage à plusieurs individus qui montèrent sur l'estrade. Ils présentèrent le conférencier. C'était un petit homme d'allure modeste, sans doute âgé d'une quarantaine d'années et pas mieux habillé que son public. Mais, dès qu'il ouvrit la bouche, je compris ce que Miles avait voulu dire. Il défendait la vision d'une société nouvelle – avec le partage des richesses et de la charge de travail.

— L'Empire s'est engraissé et s'est consolidé sur le dos des travailleurs, déclara-t-il en martelant la table du poing à mesure qu'il s'échauffait. Et en sommes-nous remerciés ? Bien au contraire : lorsque la production ralentit, on nous licencie. Qui a combattu dans les tranchées durant la guerre ? Les travailleurs. Et les officiers, où étaient-ils ? Derrière les lignes, occupés à boire du scotch. Aujourd'hui, qui fait la queue pour trouver un emploi ou obtenir du pain, pendant que les patrons rentrent chez eux pour déguster un bon rôti ? Vous m'avez bien compris, mes amis : c'est grâce à nous que l'Empire fonctionne, et personne ne nous a jamais remerciés. Dans ce cas, pourquoi ne pas changer les choses ? Et si nous devenions les patrons ? Pourquoi ne pas élire nos propres candidats pour gérer les mines de charbon, les filatures de laine, les docks et le pays tout entier ? Nous saurions déjà à quel point il est éreintant de travailler de ses mains, pas vrai ? Nous ferions en sorte que chacun soit payé équitablement en échange de son labeur. Nous améliorerions les conditions de sécurité. Finis les éboulements dans les mines, les doigts perdus dans des machines défectueuses. Et c'est envisageable de notre vivant. Nous devons faire connaître notre cause, et le peuple se soulèvera derrière nous. Élisez-nous au Parlement, et un flot grandissant de gens nous soutiendront.

— Il y a déjà le Parti travailliste, au cas où vous l'auriez pas remarqué ! lança un perturbateur depuis le fond de la salle.

— Les travaillistes ? s'esclaffa Bill Strutt. Ils se fichent bien des travailleurs. Ils ne valent pas mieux que les conservateurs. Ont-ils mis un terme aux licenciements ou soutenu les manifestations et les grèves ? Ils n'ont rien fait, bon Dieu ! Il est temps que les choses changent, camarades. Il est temps d'instaurer le vrai socialisme. Il est temps que nous nous emparions de ce qui nous appartient de droit.

— Et qu'est-ce qui vous fait croire qu'on sera mieux loti ? répliqua un autre homme. Regardez la Russie. Leur situation s'est arrangée depuis que Staline est au pouvoir ? Ils crèvent de faim, mon vieux. À la moindre incartade, ils sont expédiés en Sibérie, c'est ce que j'ai entendu dire.

— Ah mais la situation est différente là-bas, répondit Strutt. Les paysans russes étaient quasiment des serfs. Ils n'étaient pas éduqués comme nos travailleurs britanniques et, contrairement à eux, ils n'avaient pas l'habitude d'avoir leur mot à dire sur la façon de gérer les choses. La Russie a donc encore une longue route à parcourir. En revanche, nous sommes prêts à prendre le pouvoir, camarades…

Des acclamations un peu tièdes et des trépignements accueillirent ces paroles. Je commençai à penser que tout cela était plutôt ridicule. Je regardai autour de moi. Dans l'auditoire, beaucoup regardaient l'orateur avec une expression extatique. Puis je me figeai. La salle avait beau être mal éclairée, je crus reconnaître quelqu'un assis dans un coin, loin de moi. Quelqu'un qui ressemblait à s'y méprendre à Edward Fotheringay.

35.

Je rabattis plus fermement mon chapeau cloche sur un œil afin qu'Edward ne puisse me repérer et j'attendis que le discours se termine. L'orateur fut bientôt interrompu par des huées et des bordées d'injures. Quelques personnes s'étaient apparemment dissimulées dans la foule, avec pour seul objectif de provoquer du chahut. Bill Strutt finit par en avoir assez.

— Camarades, je constate que certains parmi vous refusent d'écouter ou d'apprendre. Il existe dans toute société des esprits fermés que nous ne toucherons jamais, alors je préfère m'arrêter pour aujourd'hui, avant que les choses ne tournent à la bagarre. Je vous demande de quitter les lieux en gardant votre calme et votre sang-froid. Prouvons que nous valons mieux que d'autres, que nous n'avons pas besoin de la violence pour promouvoir notre cause. N'oubliez pas notre vision, camarades. Pour un avenir meilleur pour nous tous – un avenir communiste !

Il descendit de l'estrade, accompagné par de bruyants applaudissements et quelques huées. L'assistance, à présent debout, refluait vers les portes. Je lançai un coup d'œil à Edward qui, comme un saumon remontant le courant, se frayait lentement un chemin à travers la foule plutôt que de rejoindre l'exode. Entraînée vers la sortie, je me faufilai entre les gens afin de gagner peu à peu l'allée latérale, à l'écart des autres. Les hommes qui étaient montés sur l'estrade avaient disparu derrière la petite porte vers laquelle Edward se dirigeait. Je progressai lentement et péniblement, bousculée par des ouvriers et des dockers solidement charpentés.

— La sortie est de ce côté, ma belle, me dit l'un d'eux. Allez, venez donc, je vous paierai une bière.

Il essaya de passer un bras autour de ma taille.

— Non, merci. J'attends quelqu'un, répliquai-je en m'esquivant, hors d'atteinte.

J'embrassai l'endroit du regard, mais Edward avait disparu. Je vis une porte sur laquelle un panneau indiquait *Toilettes*. J'allai m'y enfermer. Les bruits de pas finirent par s'évanouir. Je retournai dans la salle, maintenant plongée dans la pénombre – seul un rai de lumière du jour qui filtrait encore par les hautes fenêtres me permit de distinguer l'agencement des lieux ; je m'aperçus que les grandes portes d'entrée étaient désormais fermées. Tout le monde était parti. Tout en me dirigeant vers la sortie située près de l'estrade, je trébuchai contre une chaise abandonnée dans l'allée latérale. Je retins mon souffle, au cas où quelqu'un m'aurait entendue. Voyant que rien ne se passait, je gagnai la porte.

Je me retrouvai dans un étroit couloir, dans le noir total. Je cherchai un interrupteur, puis me ravisai. Il ne fallait pas que j'attire l'attention. J'ignorais si je courais un danger – c'était après tout Edward qui avait préparé les cocktails le soir de la fête, je venais de me le rappeler. Je me souvins aussi de l'étrange euphorie que j'avais entrevue sur son visage tandis qu'il filait sous la pluie battante, au volant de son automobile. Il y avait chez lui quelque chose qui, assurément, incitait à la méfiance.

Je longeai lentement l'étroit corridor sur la pointe des pieds, à tâtons. Je vis sur ma droite une porte entrouverte, risquai un œil à l'intérieur et constatai qu'il s'agissait d'un placard à balais. Je repris ma route en me mettant à compter les pas qui m'en séparaient, consciente que l'endroit pourrait me servir de cachette si les hommes qui étaient passés par là revenaient inopinément. Le couloir se termina brusquement devant un mur. Je l'explorai du bout des doigts sans trouver ni porte ni poignée. Où avaient disparu Edward et les autres ? Et pourquoi n'avais-je pas eu l'idée d'apporter une torche électrique, comme tout détective digne de ce nom ?

Je finis par découvrir une fissure qui semblait indiquer la présence d'un encadrement de porte, sans parvenir toutefois à déceler de poignée. J'y plaquai l'oreille et distinguai un faible bruit de voix.

— Cette fille était là cet après-midi, dit distinctement un homme. Elle avait prévu d'assister à la conférence de ce soir.

— Oui, je crois que je l'ai vue dans la salle.

Était-ce Edward ? Sa voix était trop étouffée pour que j'en sois certaine.

— Croyez-vous qu'elle soupçonne quelque chose ? demanda une troisième personne.

C'était manifestement une femme, mais sa voix était grave et gutturale, avec un accent étranger prononcé.

— Quelle importance ? Il est trop tard, de toute manière.

Était-ce de nouveau Edward ?

— Vous avez donc toujours l'intention d'aller jusqu'au bout ?

— Je sais ce qui est arrivé à cet imbécile de Roberts – un petit donneur de leçons avec une moralité de prolétaire. Si j'avais prévu de faire marche arrière, je me serais déjà sauvé à toutes jambes en Australie.

— La mort de Sidney continue de me troubler. Était-il vraiment indispensable de le tuer ?

— Il nous aurait trahis, déclara la voix féminine.

— Et vous continuez de penser qu'il est sage de procéder ainsi, vu les circonstances ?

— Quelle autre option avons-nous ? Nos premières tentatives ont échoué, et le temps nous est réellement compté.

— Ce n'est pas malin d'avoir tué la baronne.

— Là encore, nous n'avions pas le choix, mon vieux. Elle s'apprêtait à appeler le père de la princesse, et nous ne pouvions pas la laisser faire, n'est-ce pas ?

Il y avait donc trois personnes, deux hommes, une femme, qui parlaient doucement comme s'ils craignaient d'être entendus.

— Bon, tout est arrangé dans ce cas ? Avez-vous besoin de notre aide ?

— Prévoyez une issue qui nous permettra de nous échapper, si l'un de nous y parvient.

— La situation n'est pas idéale, je ne cesse de vous le répéter.

— Nous devrons nous en contenter. C'est maintenant ou jamais, est-ce d'accord ?

— Oui, je suppose. Mais j'ai toujours trouvé cette idée mauvaise. À quoi cela va-t-il mener, si ce n'est nous mettre à dos la moitié de la population ?

— J'espère que vous n'allez pas faire du sentiment, Solomon, hein ?

— Vous connaissez mon avis sur la question : on ne doit recourir à la violence qu'en cas de nécessité absolue.

— Très juste. Seulement en cas de nécessité absolue.

Les voix s'éloignaient. Quelques mots furent encore échangés, mais je ne les saisis pas, puis je crus entendre une sorte de bruit sourd. Je rebroussai chemin à l'aveuglette et me réfugiai dans le placard à balais, au cas où ils réapparaîtraient. J'attendis un long moment, tant et si bien que j'eus bientôt les jambes raides et courbaturées à force de rester penchée parmi les seaux et les balais à franges. Je finis par sortir de mon abri et tendis l'oreille. Rien. Ils avaient dû emprunter une autre issue pour quitter la pièce où ils s'étaient entretenus.

Je retournai dans la salle principale. La nuit était tombée et la lueur d'un réverbère scintillait à travers l'une des fenêtres. L'endroit me paraissait à présent dangereux, plein d'ombres vacillantes et de formes étranges.

Un chant rauque, brusquement entonné dans un pub voisin, me fit prendre conscience que j'étais dans un quartier où il était fort improbable que je sois en sécurité. Lentement, prudemment, je descendis l'allée centrale jusqu'aux portes donnant sur la rue. J'eus beau les pousser, elles ne cédèrent pas. Je cherchai vainement une poignée. Elles avaient certainement été cadenassées de l'extérieur. J'étais coincée.

Il devait y avoir une autre sortie. Je repartis dans la direction inverse, maintenant consciente du moindre petit bruit – l'écho de mes pas sur le sol de pierre, de mystérieux bruissements et grincements, sans aucun doute parfaitement normaux dans un vieux bâtiment plongé dans l'obscurité, mais qui me paraissaient particulièrement sinistres. Je n'arrivais pas à me persuader que j'étais complètement seule. Je voyais des ombres se mouvoir dans chaque recoin et je sursautais en entendant le klaxon d'une automobile qui passait dehors.

— Courage, Georgie ! Cela ne te ressemble pas, me réprimandai-je vertement.

Moi qui avais osé passer la nuit sur les remparts pour voir le fantôme de mon grand-père ; moi que mon frère et ses amis avaient fait descendre dans le puits du château... Et j'aurais à présent peur d'être seule dans le noir ? Bon, la situation était quelque peu différente. Je venais d'entendre des criminels avouer avoir tué la baronne Rottenmeister et Sidney Roberts – d'après ce que j'avais pu comprendre. Ce qui signifiait que ma vie ne vaudrait pas grand-chose s'ils me surprenaient ici.

Je remontai de nouveau l'étroit couloir et, dans le mur du fond, retrouvai la fissure. J'explorai la paroi du bout des doigts sans déceler ni poignée ni fissure parallèle à la première. J'exerçai une poussée. Je donnai de petits coups dans la paroi. Puis, très contrariée, je tapai du pied sur le plancher. Je sentis alors quelque chose céder et, sans un bruit, un pan de mur pivota vers l'intérieur. Je n'hésitai pas plus d'une seconde avant de franchir l'ouverture. L'odeur caractéristique des livres anciens et du tabac à pipe m'indiqua d'emblée que j'étais de retour dans la librairie. Il existait donc une issue que la police n'avait pas découverte. Pas très malin de leur part. À quel étage étais-je arrivée ? Il faisait très sombre. Si je trouvais un interrupteur, oserais-je allumer ? Je restai immobile, à l'écoute, car j'ignorais si M. Solomon et ses compagnons étaient encore dans le magasin. Je n'avais aucune envie de tomber sur eux dans l'obscurité. Afin de me rassurer, je tendis la main vers l'ouverture que je venais d'emprunter, sans la retrouver. Je reculai, le cœur battant à tout rompre, et m'aperçus que j'étais entourée d'étagères de livres. Le passage secret s'était refermé. J'étais maintenant coincée dans la librairie.

Après avoir attendu un moment qui me parut durer une éternité, à l'affût du moindre bruit ou mouvement, je quittai l'abri que m'offrait cette allée latérale et avançai à tâtons le long d'un rayonnage. Devant moi, une faible lueur éclairait à peine les contours des rangées d'étagères. Je progressais lentement en direction de cette lumière quand mon pied heurta quelque chose de mou. Je me penchai, avant de reculer, saisie d'horreur. Quelqu'un gisait là. Avec prudence, je tendis le bras ; mes doigts entrèrent en contact avec une manche, puis une main. Elle était encore tiède. Je tâtai le pouls au niveau du poignet, sans rien percevoir. La pâle lueur me permit de distinguer des lunettes posées sur un visage émacié. Ce ne pouvait être que M. Solomon.

Il fallait que j'aille chercher de l'aide. Peut-être y avait-il encore une chance de le sauver. Je le contournai lentement et me remis à avancer en direction de la lumière. Celle-ci gagna en intensité, et bientôt je découvris qu'elle provenait d'un réverbère qui éclairait le magasin à travers la vitrine poussiéreuse. Je poussai un énorme soupir de soulagement. J'allais pouvoir aller chercher un agent de police et lui raconter tout ce que je savais. Même si j'ignorais ce que les complices de M. Solomon manigançaient, je serais capable de les en empêcher. Je m'emparai de la poignée. Elle bougea un peu, mais la porte ne s'ouvrit pas. Je la secouai vigoureusement, puis plus légèrement, je poussai le battant de toutes mes forces... ce qui ne m'avança à rien, à part déclencher le désagréable carillon de la clochette. Ils avaient fermé à clé derrière eux. J'étais piégée ici avec le corps de M. Solomon.

J'observai la vitrine. Trouverais-je un objet assez solide pour la briser ? Mais les carreaux étaient si petits que je ne réussirais pas à m'y faufiler.

Je m'effondrai sur le sol, les bras posés sur le large rebord de fenêtre. À cet instant, je n'avais plus envie d'être une adulte indépendante, seule dans une grande ville. Je n'aspirais qu'à une chose : être chez moi, au château de Rannoch, avec ma nourrice, Binky, et même Fig, dans un endroit sûr, loin d'ici... Je regardai audehors dans l'espoir de voir mon grand-père arriver, forcer la porte et m'emmener. Mais je lui avais dit que je sortais avec des amis, et il ignorait qui étaient lesdits amis ou comment les contacter. Quant à Darcy, il était à la campagne, en train de se promener au clair de lune en compagnie d'Hanni – puisque Edward lui avait laissé le champ entièrement libre.

Il ne me restait plus qu'à attendre jusqu'au matin l'arrivée des employés qui travaillaient dans cette rue ; je briserais alors un carreau et j'appellerais à l'aide. Et ensuite... ensuite, la police débarquerait, et je devrais raconter comment je m'étais retrouvée coincée dans la librairie avec le cadavre de M. Solomon pour seule compagnie. Me croirait-on sur parole ? Peut-être serais-je accusée de l'avoir assassiné. J'imaginais déjà le sourire agaçant de Harry Sugg. « Oh, vraiment ? Vous avez été enfermée ici par erreur ? Et cet homme est tout simplement mort par erreur ? Ma foi, si vous êtes innocente, étant donné que je n'ai vu que vous dans ce magasin, cela vous ennuierait-il de m'expliquer où est le coupable ? »

Les pensées bourdonnaient furieusement dans ma tête. Les communistes dont j'avais surpris la conversation complotaient un coup affreux – auquel Sidney avait refusé de prendre part et contre lequel M. Solomon s'était élevé : projetaient-ils une manifestation violente ? Ou bien comptaient-ils investir le Parlement, voire assassiner le Premier ministre ? Et si, au matin, ces criminels revenaient avec une camionnette afin d'emporter le corps, ils me découvriraient sur les lieux et se débarrasseraient aussi de moi. Assise dans la lumière du réverbère qui éclairait les ouvrages empilés sur le sol autour de moi, je songeai que c'était décidément la librairie la plus chaotique qui soit. Je commençai à feuilleter des livres pour enfants en espérant y dénicher un vieux compagnon familier et réconfortant qui me rappellerait ma petite enfance. Mais aucun n'était écrit dans ma langue, et tous comportaient des illustrations de sorcières maléfiques et d'ogres féroces. Autant dire que je ne me sentis guère réconfortée. En bas de la pile, je trouvai un ouvrage intitulé *Apprenons le russe*. Sur la couverture, deux enfants souriants portaient un marteau et une faucille. *Comme par hasard*, me dis-je. Peut-être les communistes offraient-ils un exemplaire de ce livre à tous ceux qui assistaient à leurs meetings idiots. Je l'ouvris rapidement.

L'alphabet russe est différent du nôtre. Il vous faut apprendre à le maîtriser avant de pouvoir lire des mots en russe, lus-je, avant de parcourir des yeux le reste de la page. *En russe, la lettre C correspond à notre S.* Mon regard se porta un peu plus loin. *La lettre R s'écrit P en russe.* Je me surpris à repenser aux deux initiales que j'avais vues sur une feuille de papier, dans la chambre de Hanni : la première fois suivies de points d'interrogation, la seconde rayées d'une croix rouge. C. P. signifiait en réalité S. R. – Sidney Roberts ?

Ce qui voulait dire que les coupables ne pouvaient être qu'Edward Fotheringay et la fichue société secrète gauchiste à laquelle il appartenait à Cambridge. Il avait étudié le russe et l'allemand. Sa mère était russe. Il affirmait avoir vécu en Inde, mais le colonel Horsmonden ne l'y avait jamais croisé et Edward s'était montré évasif dans ses réponses aux questions du colonel. Je le soupçonnais à présent de ne jamais avoir mis les pieds en Inde. Il avait dû se rendre en Russie afin de s'y entraîner, en prévision du moment où il serait renvoyé en Grande-Bretagne afin de renverser le gouvernement par la force, ainsi que les communistes l'avaient fait là-bas. Ou peut-être afin d'y provoquer le chaos et sans doute une nouvelle guerre mondiale, de laquelle le communisme sortirait triomphant. J'aurais dû déceler ces signes plus tôt. C'était lui qui, l'autre soir, avait préparé les cocktails et tenté de tuer Sidney Roberts. Et il avait essayé de mêler Hanni à cette affaire. Mais pourquoi ? Il avait peut-être voulu semer la discorde entre l'Allemagne et l'Angleterre, ou alors se servir de la princesse pour installer les communistes au pouvoir en Allemagne. Elle était assez naïve et lui assez beau garçon pour qu'elle croie tout ce qu'il pouvait lui dire.

Une autre question s'imposait à présent : Edward l'avait-il convaincue de l'aider à assassiner Sidney ? Non, cela ne tenait pas debout. Hanni et moi nous étions trouvées ensemble dans la librairie. Elle ne m'avait précédée que de quelques secondes à l'étage, elle n'avait pas de couteau sur elle, j'en étais certaine, et ce n'était pas au couvent qu'elle avait appris à tuer, tout de même.

Je refermai le livre. C'était absurde. Les initiales C. P. n'avaient probablement aucun rapport avec Sidney Roberts. Les heures s'écoulèrent lentement. Je dus m'assoupir par intermittences, car soudain je me redressai avec un torticolis et remarquai que le ciel était maintenant grisâtre. Il ferait bientôt jour. Le pauvre M. Solomon était étendu là, la bouche et les yeux ouverts, pareil à un mannequin de cire au musée Madame Tussauds.

Je devais trouver un moyen de sortir d'ici. Je m'aventurai au fond de la librairie en tâchant de ne pas trop m'éloigner de la lueur de l'aube ; j'examinai les allées latérales et, en quête d'une porte secrète, donnai des coups de pied dans les étagères. Mais quand le jour finit par se lever, je n'avais toujours rien découvert. Bien sûr, il y avait le grenier dont avait parlé Burnall. Cela valait sûrement la peine d'essayer. Je me rendis au premier étage et, dans le plafond, repérai une trappe à laquelle une corde était attachée. Je la tirai, et une échelle s'abaissa. Je la gravis précautionneusement – je crains les araignées et déteste leurs toiles. Le grenier était en effet poussiéreux. Des livres étaient empilés près de vieilles malles et de gros objets cachés sous des housses de protection. Dans le demi-jour, ces formes me semblaient menaçantes, et je m'attendais presque à ce que l'un des draps se soulève brusquement et révèle Dieu sait quoi.

J'atteignis cependant sans encombre la lucarne, à l'autre bout de la pièce. Son rebord était propre – la police l'avait épousseté pour relever des empreintes et, par chance, la croisée avait dû être forcée car je n'eus pas trop de peine à l'ouvrir. Je traînai une malle juste au-dessous de la petite fenêtre, grimpai dessus et passai la tête au-dehors. Le monde extérieur était enveloppé d'une brume épaisse, de sorte qu'on n'y voyait pas à plus d'un mètre ou deux. Et ce que je réussis à distinguer n'était guère encourageant. Bon sang ! Le toit descendait à pic. À cause du brouillard, les ardoises étaient humides. L'idée de m'y risquer ne me disait rien – si je glissais, à quoi me rattraperais-je ?

Je descendis de la malle et y entassai des livres jusqu'à ce que la pile soit assez haute pour que j'atteigne la fenêtre. Je pus alors me hisser à l'extérieur et me mettre debout sur le rebord tout en me retenant à la partie supérieure du châssis pour ne pas tomber. La seule issue était vers le haut. Je contournai lentement la lucarne et passai un pied à l'extérieur afin de grimper sur le côté et gagner le sommet du toit. Je portais fort heureusement mes vieux bas en fil d'Écosse plutôt que ceux de soie, ainsi que mes sandales dont les semelles étaient en crêpe, non en cuir. Les ardoises étaient malgré tout extrêmement glissantes et j'avais le plus grand mal à respirer tant mon cœur battait vite. Je me mis à califourchon sur le sommet du toit, un peu comme on chevauche une monture. Face à moi, la toiture se terminait contre le mur aveugle d'un haut bâtiment. Je ne voyais aucune gouttière ni quelque autre issue vers le bas. Inutile de poursuivre de ce côté.

Je pivotai et commençai à avancer dans l'autre direction, le cœur battant toujours à tout rompre. La rue me paraissait tellement loin ! J'atteignis des tuyaux de cheminée que je parvins à contourner et poursuivis mon chemin le long du toit qui formait un angle droit. En arrivant à l'autre extrémité, je ravalai des larmes de frustration. Mon toit et le bâtiment voisin n'étaient pas mitoyens ; la distance qui les séparait au-dessus du vide était certes courte, mas il me serait toutefois impossible de me baisser jusqu'à la gouttière, puis de me tourner afin de pouvoir rejoindre d'un bond l'autre édifice – encore faudrait-il que j'aie le cran de sauter. Et à supposer que je m'y risque, à quoi me raccrocherais-je de l'autre côté ?

Que faire à présent ? J'étais épuisée, tendue, les muscles tremblants, et je n'avais pas envie de rebrousser chemin jusqu'à la lucarne. Si j'appelais à l'aide, quelqu'un m'entendrait-il ? Peut-être, mais dans cette brume, je resterais invisible. Puis le brouillard s'enroula en volutes et s'écarta un bref instant ; j'entendis alors un clapotis en contrebas. La Tamise était toute proche. J'attendis patiemment que la brume se dissipe de nouveau. Plusieurs mètres me séparaient du fleuve, mais il se trouvait juste au-dessous, et chez moi, en Écosse, j'avais souvent plongé dans le loch depuis un grand rocher. La question était de savoir si le fleuve était assez profond à cet endroit. La réponse m'arriva presque immédiatement : le son grave d'une sirène de cargo, inquiétante et lugubre, résonna à travers la brume. De gros bateaux accostaient les quais, et la marée était apparemment haute. L'eau serait assez profonde, évidemment. Quoi qu'il en soit, après une nuit de terreur, durant laquelle j'avais trop peu dormi, je n'avais pas de meilleur plan en tête.

Le ciel s'éclaircit, tandis que la brume tournoyait et s'effilochait. De temps à autre, je voyais distinctement les eaux grises en contrebas. J'en étais capable. J'allais y arriver. Je passai une jambe de l'autre côté du toit et me mis à descendre en crabe. Une ardoise se détacha, glissa dans la pente et tomba dans l'eau. Un couple de pigeons prit son envol depuis le toit voisin et, de surprise, je manquai perdre l'équilibre. À travers la brume, des sons me parvinrent aux oreilles : la ville se réveillait.

J'ignore combien de temps je serais restée perchée là-haut à essayer de rassembler mon courage si je ne m'étais soudain rendu compte que mon pied s'engourdissait. Pas question d'attendre davantage. Je devais agir sur-le-champ. Je pris une profonde inspiration, me redressai sur la gouttière et sautai en avant. J'atterris dans le fleuve avec un grand plouf. Le froid me coupa le souffle. Je m'enfonçai, puis battis des pieds et remontai à la surface en crachotant, un goût d'eau huileuse dans la bouche. La brume s'enroulait juste au-dessus de la Tamise et en cachait les berges, m'empêchant de m'orienter, tandis que ma jupe, pareille à une horrible créature marine, s'accrochait à mes jambes ; je tâchai de ne pas céder à la panique. La plainte lointaine d'une corne de brume me rappela que de gros bateaux naviguaient dans ces eaux. Je n'avais pas la moindre envie d'être percutée par un cargo. Distinguant sur ma gauche les contours sombres du bâtiment depuis lequel je venais de sauter, je nageai dans cette direction.

Il s'agissait à présent de sortir du fleuve pour retrouver la terre ferme. Je me retrouvai face à un mur aveugle. Puis j'entendis un cri et, sur ma droite, je vis des hommes sur un dock. Soudain, l'un d'eux enleva sa veste, plongea dans la Tamise et nagea vigoureusement vers moi.

— Tout va bien, ma jolie, je vous tiens.

Plaçant un bras autour de mon cou, il me traîna en direction de la rive. Je voulus lui dire que j'étais parfaitement capable de nager seule jusqu'au quai, mais il m'enlaçait si fermement que je ne pouvais parler. Nous atteignîmes une échelle, et des mains me hissèrent brusquement hors de l'eau.

— Bravo, Fred, dit l'un des dockers.

— Tout ira bien maintenant, ma petite, ajouta un autre.

— Vous auriez pas dû faire ça, déclara un troisième. Il en vaut pas la peine. Il y a toujours une bonne raison de rester en vie, vous verrez.

Je pris alors conscience d'une chose : ils s'imaginaient que j'avais cherché à me tuer. J'hésitai entre le rire et l'indignation.

— Mais non, vous ne comprenez pas, protestai-je. Des communistes m'ont enfermée dans un bâtiment. J'ai dû m'échapper par le toit, et le seul moyen d'en descendre était de sauter dans l'eau.

— Mais oui, bien sûr, ma belle.

Ils échangèrent des regards et de grands sourires entendus.

— Allez, venez, on va vous emmener jusqu'à notre baraque et vous offrir une tasse de thé. Pas la peine de mentionner cet incident à la police.

Je me souvins alors que le suicide était un crime, naturellement.

36.

Rannoch House
Mercredi 22 juin 1932

Une heure plus tard, saine et sauve, j'étais de retour à Rannoch House, où je dus affronter la colère de mon grand-père.

— J'étais fou d'inquiétude, tu peux me croire ! hurla-t-il. Je savais pas s'il t'était arrivé quelque chose de grave ou si tu étais juste restée jusqu'à point d'heure à l'une de tes fêtes de snobs.

— Je suis vraiment désolée, répondis-je avant de tout lui raconter.

— C'était bigrement idiot de ta part, se contenta-t-il de dire une fois mon récit terminé. Un de ces jours, tu iras beaucoup trop loin, ma fille. Si tu étais un chat, tu aurais déjà perdu plusieurs de tes neuf vies.

— J'en ai conscience, oui. Mais j'ai bien fait de prendre ces risques, car je sais tout désormais. Dès que je me serai changée, j'irai trouver le commissaire Burnall afin de lui faire part de ce que j'ai découvert. Ces gens préparent un mauvais coup, grand-papa.

— Tu vas nulle part, répliqua-t-il. D'abord je vais te faire couler un bain chaud, ensuite tu prendras un bon petit déjeuner et on téléphonera à Scotland Yard pour

349

demander que le commissaire te rende visite. Il est pas encore arrivé au bureau, de toute façon.

Il était inutile de discuter. J'avais l'impression d'être de nouveau avec ma nourrice. Quand elle affichait une mine pareille, il aurait été vain de protester. Je laissai mon grand-père me conduire à l'étage, puis je me prélassai dans un bain chaud pendant un moment avant de m'habiller et de descendre à la cuisine, où m'attendaient un œuf à la coque et des mouillettes. Cette fois encore, cela me ramena à mon enfance et me procura un délicieux sentiment de sécurité.

Mon grand-père appela Scotland Yard, et le commissaire Burnall se présenta en personne une demi-heure plus tard environ.

— Vous souhaitez me confier quelque chose d'important, lady de Rannoch ?

Je relatai les événements de la veille. Il m'écouta attentivement.

— Pouvez-vous me donner le nom de ces personnes ?

— Il y avait deux hommes et une femme, je crois. Mais cette dernière avait une voix grave, avec un accent étranger ; peut-être était-ce un homme. Le corps était celui de M. Solomon, j'en suis sûre. Et je suis presque certaine que l'un de ses anciens complices était Edward Fotheringay.

— Le même Edward Fotheringay qui partage actuellement un appartement londonien avec Gormsley ?

J'eus envie de répliquer : « Combien d'Edward Fotheringay peut-il y avoir ? » Mais je me contentai de hocher poliment la tête car, pour l'instant, il semblait me croire.

Puis il sourit, et cette illusion vola en éclats.

— Votre histoire est plutôt tirée par les cheveux, n'est-ce pas, lady de Rannoch ? Essayez-vous de me mener en bateau afin que je cesse de soupçonner votre copain Gormsley ?

— J'ai des preuves. Vous trouverez le corps de M. Solomon dans sa librairie. Je pense que ses anciens complices l'ont tué car il n'était pas disposé à accepter leur plan, de la même manière que Sidney Roberts s'y était opposé.

Burnall se leva immédiatement et se dirigea vers le vestibule. Je l'entendis aboyer des ordres dans le téléphone. Puis il revint au salon.

— J'ai envoyé des hommes sur place. Auriez-vous l'amabilité de coucher votre déposition par écrit ?

Je me rendis dans le petit salon, m'assis devant le secrétaire et tâchai de raconter ce que j'avais vécu aussi succinctement que possible. J'étais sur le point de terminer quand le téléphone sonna. Burnall alla répondre, devançant mon grand-père. Il me rejoignit en arborant un air interrogateur.

— Bon, cela vous ennuierait-il de me dire la vérité, lady de Rannoch ?

— Comment cela ? C'est ce que je viens de faire.

— La librairie était vide.

— Mais j'y étais il y a encore quelques heures. J'ai touché le corps. C'était un cadavre. Et je suis sûre d'avoir reconnu le visage de M. Solomon.

— Mes hommes ont dû forcer la porte pour entrer. Ils n'ont rien remarqué de suspect à l'intérieur.

— J'avais donc raison. Ses meurtriers sont probablement revenus chercher son corps après mon départ.

Burnall me fixait comme s'il essayait de lire dans mes pensées.

— Mentir à la police est un sérieux délit.

— Je ne vous ai pas menti ! m'entendis-je crier – je sais pourtant qu'une lady ne hausse jamais la voix ; ma gouvernante en aurait été horrifiée. Écoutez, j'aurais pu mourir la nuit dernière. Si vous voulez la preuve que j'étais sur place, allez donc interroger les dockers qui m'ont repêchée dans la Tamise ce matin.

Son expression se radoucit quelque peu.

— Je ne doute pas que vous ayez vécu une expérience effrayante, quelle qu'elle soit, et peut-être avez-vous été enfermée dans la librairie par erreur. Mais je crois que vous vous êtes laissé emporter par votre imagination. Il ne s'agissait peut-être que d'un tas de chiffons, qu'en pensez-vous ?

— Un tas de chiffons qui portait des lunettes et qui avait des dents ? J'ai vu son visage, commissaire, et il était mort. Accompagnez-moi là-bas, je vous montrerai l'endroit exact où il était étendu. Si vous examinez attentivement les lieux, vous trouverez des traces de sang, j'en suis convaincue. Mais aujourd'hui, il y a plus important. Si ces gens préparent une action violente et spectaculaire, vous devez mettre vos hommes en état d'alerte, qu'ils soient en place.

— Et où suggérez-vous que je place mes agents ? demanda Burnall.

— Je n'en ai aucune idée. La première chose à faire serait d'arrêter Edward Fotheringay.

— J'ai déjà ordonné à mes hommes de le convoquer afin de l'interroger. Si vous ne pouvez pas me fournir davantage de détails, je ne vois pas ce que je peux faire d'autre pour l'heure.

— Vous ne me croyez pas vraiment, n'est-ce pas ?

— Je crois que toute menace doit être prise au sérieux, mais étant donné que le corps a disparu et que la nature du danger paraît bien vague, j'ai du mal à faire la part des choses entre ce qui relève d'une hystérie de jeune fille et la vérité. En réalité, sans Sidney Roberts, je m'en tiendrais là. Puisqu'il a été éliminé par un assassin accompli, je suis forcé de reconnaître qu'il y a peut-être du vrai dans ce que vous racontez.

Il se dirigea vers la porte.

— Je devrais sans doute alerter le ministre de l'Intérieur. Si des criminels étrangers sont mêlés à cette affaire, il faut qu'il soit mis au courant. En attendant je vous conseille de vous tenir tranquille, lady de Rannoch. Si tout ce que vous m'avez dit des événements de la nuit dernière est véridique, alors vous avez de la chance d'être encore en vie.

Sur ce, il s'en alla. Mon grand-père apparut.

— Quel bêcheur, ce type, hein ? Allez, va donc te coucher. Tu as besoin d'une bonne sieste.

Je montai sans discuter dans ma chambre. J'avais maintenant un début de nausée et une sensation de vide que je mis sur le compte de la peur autant que du manque de sommeil. Je me pelotonnai sous mon édredon. Je dus m'assoupir aussitôt, car je fus réveillée par quelqu'un qui me secouait gentiment. Je sursautai et essayai de m'asseoir.

— Désolé de te déranger, mon canard, dit mon grand-père, penché au-dessus de moi. Mais je viens de me rappeler que tu es censée aller à une garden-party.

— Oh, Seigneur, j'avais complètement oublié ! m'exclamai-je en m'empressant de sortir du lit. Quelle heure est-il ?

— Presque treize heures, et ça commence à quatorze heures.

— Oh là là. Je ferais mieux de me remuer, pas vrai ? Pour une fois, je regrette que Mildred ne soit pas là. Elle aurait su me dire comment m'habiller.

J'ouvris grandes les portes de mon armoire et me souvins que ma malle, qui contenait la majeure partie de mes vêtements, était restée à Dippings. Je n'avais rien à me mettre. Je ne pouvais pas y aller. Puis me vint en tête une pensée qui me fit froid dans le dos : la garden-party royale ! Le roi et la reine se mêleraient à leurs sujets sur la pelouse du palais. Cet événement était-il celui que les conspirateurs attendaient pour agir ?

Je me précipitai au rez-de-chaussée et téléphonai au commissaire Burnall ; on me répondit qu'il s'était absenté pour enquêter sur une affaire. La jeune standardiste proposa de me mettre en communication avec un autre policier, mais je raccrochai, devinant que personne ne me prendrait au sérieux. En outre, des agents de police devaient être de service au palais. Je me rendrais moi-même à la garden-party afin de les alerter. Il n'y avait plus qu'à dépenser ce qui restait de l'argent de Binky. Si la princesse revenait loger chez moi, je serais obligée de demander une contribution à la reine. Et si mes soupçons se révélaient fondés, elle me devrait un peu plus qu'une robe neuve !

Je trouvai le chapeau à plumes blanches que je portais d'habitude pour les mariages et m'en coiffai – il semblait un peu ridicule avec une simple robe de coton. Je pris ensuite un taxi qui me conduisit chez Harrods.

— J'ai besoin d'une tenue assortie à ce chapeau, dis-je en pointant le couvre-chef du doigt. C'est pour la garden-party royale. Je suis pressée.

La vendeuse parut d'abord surprise, mais se montra très ingénieuse. En quelques minutes, notre choix fut fait : une robe de soie blanche avec des rayures bleu marine qui me donnait une allure fort élégante. Je l'enfilai, fis un chèque, laissai ma robe de coton dans la salle d'essayage, puis me mis en route pour Buckingham, où j'arrivai peu après quatorze heures. Je rejoignis la queue des invités qui s'était formée devant l'entrée latérale, où tous attendaient d'être admis dans la cour. Pour certains d'entre eux, c'était manifestement leur première visite au palais, et ils semblaient nerveux et excités.

— Si les copains me voyaient, hein, maman ? déclara un homme qui se tenait devant moi.

— Tu peux être fier de toi, ça c'est sûr, Stanley ! lança son interlocutrice.

La file avançait lentement, chaque visiteur tendant son carton à la grille. Lorsque vint mon tour, je demandai :

— Pourriez-vous me dire si quelqu'un du nom d'Edward Fotheringay compte parmi les invités ?

Le jeune homme à l'air soucieux secoua la tête.

— Comme ça, de but en blanc, impossible de vous répondre. La liste complète est au palais, mais il suffit de présenter son carton pour pouvoir entrer.

— Pourriez-vous envoyer quelqu'un la vérifier ?

— Je crains que nous ne soyons très occupés pour le moment, répliqua-t-il avec raideur.

— Dans ce cas, pourriez-vous me dire où trouver la personne en charge de la sécurité ?

Les gens qui attendaient derrière moi commençaient à s'impatienter. Le jeune homme regarda autour de lui en se demandant comment se débarrasser de moi. Puis il fit un signe à un policier en uniforme, qui s'approcha à la hâte.

— Quel est le problème ? s'enquit-il.

Je le pris à part et lui expliquai qu'il me fallait savoir si Edward Fotheringay était présent à la garden-party. C'était une question de sécurité nationale, précisai-je, je devais parler à un responsable. Je vis qu'il hésitait à me croire.

— Une question de sécurité nationale, dites-vous ? Et quel est votre nom, mademoiselle ?

— Je suis lady Georgiana de Rannoch, la cousine de Sa Majesté le roi.

Son expression changea du tout au tout.

— Très bien, lady de Rannoch. Et vous êtes certaine que cet homme cherche à provoquer un incident ?

— Oui, je le crains vraiment.

— Veuillez me suivre, lady de Rannoch.

Il se mit en route d'un bon pas, gravit une volée de marches et m'introduisit dans l'une des pièces situées au premier étage du palais.

— Si vous voulez bien attendre ici, je vais chercher mes supérieurs.

Je patientai donc. Dans le couloir, une horloge de parquet martelait les minutes de son tic-tac sonore. Je finis par en avoir assez. Je passai la tête par la porte. Le silence était total. Aucun signe d'activité. L'agent de police m'avait-il réellement crue ou m'avait-il délibérément laissée dans cette pièce afin de me tenir à l'écart ? Je ne pouvais attendre plus longtemps. Si Edward se trouvait parmi la foule des invités, il fallait l'empêcher d'agir. Je sortis de la pièce et me dirigeai vers les jardins, à présent bondés de gens élégamment vêtus – messieurs avec hauts-de-forme et complets-jaquettes, dames en robes de soie ondoyantes et coiffées de somptueux chapeaux colorés, comme on en porte aux courses de l'hippodrome d'Ascot. Nombre de longues plumes faillirent m'éborgner tandis que je me frayais un chemin entre les invités. Quelques ladies moins distinguées que les autres, s'imaginant que j'essayais d'atteindre une position plus avantageuse, tentèrent de me bloquer la route au moyen de coudes menaçants.

Des serveurs se déplaçaient entre les invités avec des plateaux chargés de verres de Pimm's et de coupes de champagne, de canapés et de petits-fours. Je me mis à avancer dans le sillage de l'un d'eux afin qu'il m'ouvre la voie, tandis que mes yeux fouillaient les lieux en quête d'Edward. Mais il y avait d'innombrables élégants jeunes hommes bruns coiffés d'un haut-de-forme, et tout autant de buissons et de statues derrière lesquels se cacher furtivement. Si ce fichu policier ne m'avait pas crue, mon entreprise était sans espoir. Puis j'entendis quelqu'un m'appeler et je vis lady Cromer-Strode qui me faisait des signes de la main.

— Nous vous cherchions, me dit-elle. Hanni craignait que vous ne soyez pas venue.

La princesse se tenait près d'elle, l'air boudeur dans une robe de soie grise quelconque et peu seyante.

— Lady Cromer-Strode a dit que je devais porter le deuil de la baronne et que ma robe rose n'était pas convenable pour ça, se plaignit-elle. Cette tenue appartient à Fiona. Elle est trop grande pour moi.

Je dévisageai Hanni en essayant d'associer les soupçons que je nourrissais à son égard à la personne dont j'avais eu la charge pendant un peu plus d'une semaine.

— Comment cela se passe-t-il chez les Cromer-Strode, en dehors du fait qu'ils vous ont obligée à porter une robe qui vous déplaît ? Vous vous y amusez bien ?

Hanni se renfrogna.

— Je m'ennuie. La plupart des invités sont rentrés chez eux. Il ne reste que des vieux, maintenant.

— Darcy et Edward sont tous les deux repartis ? demandai-je à voix basse, car je ne voulais pas éveiller l'attention de Fiona.

La princesse opina du chef. Fiona avait toutefois dû entendre le nom de son bien-aimé, car elle intervint :

— Edward a dit qu'il se joindrait à nous aujourd'hui. Mais je ne l'ai pas encore vu.

— La file d'attente est longue à l'entrée, répondis-je. Il s'y trouve probablement.

Alors même que je prononçais ces paroles, je pris conscience que les employés chargés de vérifier les cartons d'invitation n'avaient sans doute pas reçu l'ordre d'intercepter Edward et de l'empêcher d'entrer. Il fallait que je retourne les avertir.

— Je reviens dans un instant, dis-je à Hanni. Gardez-moi une place.

Tandis que, non sans peine, je me frayais de nouveau un chemin en direction des grilles, un murmure parcourut l'assistance, et la fanfare de la Garde entonna l'hymne national. Le couple royal avait dû sortir du palais. Un silence plein d'attente tomba sur la foule, qui s'écarta pour céder le passage au roi et à la reine. Alors que tout le monde s'était tourné dans leur direction afin de les apercevoir, j'étais la seule à me presser dans l'autre sens. Soudain, quelqu'un me saisit par le bras, et je sursautai.

— J'ignorais que tu étais venue faire la bringue ici.

C'était ma mère, absolument ravissante dans une toilette noir et blanc, une coupe de champagne à la main. D'ordinaire, la voir ne m'enchantait guère mais, ce jour-là, j'aurais pu la serrer contre moi.

— Que fais-tu là ? demandai-je.

— C'est une idée de Max. Son entreprise automobile cherche à nouer un partenariat avec une société anglaise. Il s'est dit que cette garden-party lui permettrait de rencontrer le propriétaire à titre officieux, histoire que les choses démarrent sur un bon pied, pour ainsi dire. Il est peut-être en ce moment même en train de parler affaires dans un coin. Cet homme est doué pour gagner de l'argent, je dois le reconnaître.

Elle me dévisagea d'un œil critique.

— Jolie robe. Mais c'est du prêt-à-porter. Tu devrais vraiment te trouver une bonne couturière.

— C'est une question d'argent, maman. Si tu proposes de financer ma garde-robe...

— Nous irons faire des emplettes, ma chérie...

— Maman, l'interrompis-je, tu n'aurais pas aperçu Edward Fotheringay cet après-midi, par hasard ?

Elle me décocha un regard glacial.

— Et pour quelle drôle de raison chercherais-je Edward Fotheringay ?

— La dernière fois que je t'ai vue, vous sembliez très bons copains, tous les deux.

— Ce n'était qu'une brève aventure folle et fougueuse. Un désir vif et soudain pour un homme gentil, solide, anglais – oh, et jeune aussi. Un corps ferme et bien fait. Mais il s'est finalement avéré que cette liaison ne me convenait pas du tout. Ce garçon n'a pas un sou et il ne peut pas s'empêcher d'aller voir ailleurs. Par conséquent, ne prononce plus jamais son nom, je te prie, surtout quand Max est dans les parages.

— Mais est-ce que tu l'as vu aujourd'hui ? insistai-je. C'est important.

— Je n'ai pas essayé de savoir s'il était là, ma chérie.

Elle jetait des coups d'œil autour d'elle, savourant les regards envieux et admiratifs qu'elle suscitait. Elle avait toujours aimé être le point de mire. Je m'apprêtais à reprendre mon chemin quand elle me saisit de nouveau le bras.

— Au fait, je voulais te demander… Qui était cette jolie petite blonde que tu as amenée à la fête de l'autre soir ? Elle est ici aujourd'hui, de ce côté, affublée d'une robe incroyablement hideuse.

— C'est la princesse Hannelore. Je ne t'ai pas dit qu'elle logeait chez moi ?

— La princesse Hannelore ?

— Oui, de Bavière.

Ma mère fixait Hanni, qui se tenait à présent au premier rang de l'allée que le roi et la reine allaient bientôt remonter.

— Je peux t'assurer que cette fille n'est pas la princesse Hannelore, à moins qu'elle n'ait considérablement rapetissé ces dernières semaines.

J'étais abasourdie, ce qui parut l'amuser.

— Hannelore est beaucoup plus grande et mince. Et, d'après ce que j'ai entendu dire quand j'étais en Allemagne, elle a été bien malade. En ce moment, elle se rétablit en Méditerranée, sur le yacht de ses parents.

— Mais alors, qui est cette fille ? demandai-je d'une voix étranglée.

— Je ne l'avais jamais vue avant la semaine dernière, répondit ma mère. Oh, tiens, voilà Max ! Ouh ouh, Max chéri !

Sur ce, elle s'éloigna. Un bourdonnement de voix indiqua que le couple royal approchait. Hanni – ou quel que soit son nom – se tenait là, penchée en avant pour apercevoir brièvement le roi et la reine, comme le reste de l'assistance. Des pensées pleines de soupçons tournoyaient dans mon esprit. Edward avait-il pu la persuader d'agir à sa place ? De faire exploser une bombe ? Je l'étudiai attentivement. Elle n'avait pas de sac à main et ne portait qu'un petit chapeau de paille. Où aurait-elle dissimulé une bombe ?

Leurs Majestés venaient d'apparaître, serrant des mains et échangeant quelques mots avec les gens devant lesquels elles passaient. Toujours aucun signe d'Edward. Puis, deux choses se produisirent simultanément. Je repérai un visage familier : Darcy O'Mara se tenait de l'autre côté de l'allée. Ses boucles sombres et indisciplinées avaient été domptées pour l'occasion et, dans son costume-jaquette, il était d'une beauté à couper le souffle. Avant que je puisse croiser son regard, je vis Hanni plonger la main dans les plis de son ample robe et en tirer un petit pistolet.

Le roi et la reine étaient presque arrivés à sa hauteur.

— Darcy ! criai-je. Elle a un...

Je n'eus pas le temps de terminer ma phrase. Il s'élança en avant et se jeta sur Hanni à l'instant où le coup partait, pas plus retentissant que si elle avait utilisé un pistolet à amorces. Ils basculèrent tous deux à terre. Des cris et des hurlements s'élevèrent et, dans le chaos ambiant, policiers et domestiques accoururent.

— Elle est armée ! hurlai-je. Elle a voulu tuer Leurs Majestés !

— Espèces d'imbéciles ! cracha Hanni à l'intention des hommes occupés à lui arracher son pistolet. La prochaine fois, nous réussirons !

J'attendis que Darcy se relève. Puis je vis qu'il restait étendu sur le gravier. Un mince filet de sang coulait de son épaule droite.

37.

— Darcy ! hurlai-je en me frayant un passage jusqu'à lui. Il est blessé. Allez chercher une ambulance. Faites quelque chose !

Des mains se chargeaient déjà de le retourner. Son visage était livide, et une large et vilaine tache sombre ornait sa jaquette.

— Non !

Je m'effondrai près de lui.

— Il n'est pas mort, c'est impossible. Darcy, ne mourez pas, s'il vous plaît. Je ferais n'importe quoi pour vous. Je vous en supplie.

Je lui pris la main. Elle était encore tiède.

Il battit des cils. Ses yeux s'ouvrirent et se posèrent sur moi.

— N'importe quoi ? chuchota-t-il avant de perdre de nouveau connaissance.

— Écartez-vous, lança une voix à la ronde. Je suis médecin, laissez-moi passer.

Un peu haletant, un homme corpulent vêtu d'un costume-jaquette s'agenouilla près de moi. Il ouvrit la veste et la chemise de Darcy, sortit son mouchoir et le pressa contre la plaie.

— Portez-le à l'intérieur, vous autres, ordonna-t-il. Vite.

Plusieurs hommes soulevèrent Darcy, et la foule s'écarta sur leur passage. J'aperçus le visage stupéfait de

Sa Majesté la reine avant qu'elle ne se tourne vers l'assistance.

— La situation est entre de bonnes mains, annonça-t-elle de sa voix limpide. Poursuivons les festivités et oublions tout de cet incident.

Elle se remit en marche parmi les invités, serrant de nouveau des mains.

— Edward Fotheringay doit être quelque part dans les jardins ! criai-je aux policiers qui emmenaient Hanni. Ne le laissez pas s'échapper.

Puis, en trébuchant, je gravis les marches du perron à la suite des hommes qui portaient Darcy. Ils le déposèrent sur le sol d'une des pièces de l'office, en dessous du *piano nobile*. Après avoir ôté son col et retroussé ses manches, le corpulent docteur examina son patient.

N'y tenant plus, je demandai :

— Ne devrions-nous pas appeler une ambulance ? Il faudrait le faire transporter à l'hôpital plutôt que de perdre votre temps ici !

Il leva vers moi son gros visage barbu, rougi par l'effort.

— Chère mademoiselle, la plupart des gens me considèrent comme le plus grand chirurgien d'Angleterre, quand bien même tout jeune freluquet de l'hôpital St Thomas contesterait sans nul doute cette affirmation. J'ai seulement besoin de vérifier si… Ah, bien. Oui.

Il regarda la foule à présent massée autour de nous.

— Ma voiture et mon chauffeur attendent dehors. Ayez l'obligeance d'aller les prévenir, mon brave, dit-il à un homme. Et vous, allez chercher des serviettes, ajouta-t-il à l'intention des serviteurs du palais restés plantés là, les yeux écarquillés. Il faut arrêter l'hémorragie.

Puis il se releva avec difficulté.

— L'hôpital de Westminster est le plus proche, je suppose, mais St Thomas est plus grand et probablement plus compétent en cas d'urgence – bien que je regrette de devoir l'admettre, en tant qu'ancien praticien de l'hôpital du University College. C'est donc réglé. Emportez-le jusqu'à mon auto. Nous irons à St Thomas.

— Va-t-il s'en sortir ? m'enquis-je en posant brièvement la main sur le bras du médecin. Va-t-il survivre à sa blessure ?

Il baissa les yeux vers moi en souriant.

— Il a eu beaucoup de veine. La balle a traversé l'épaule droite avant de ressortir sans toucher le poumon, apparemment. Il sera donc inutile d'opérer pour la récupérer. La plaie a seulement besoin d'être nettoyée et recousue, ce dont je peux me charger moi-même. Il souffrira rudement pendant un temps, évidemment, mais à moins qu'il n'insiste pour se jeter régulièrement sur la trajectoire d'autres balles, je peux affirmer, sans risque de me tromper, qu'il mènera une vie longue et heureuse.

Des larmes jaillirent de mes yeux. Je me détournai et repartis vers les jardins – je ne voulais pas que les domestiques me voient pleurer. Dehors, sous le soleil lumineux, je fus aussitôt accostée par des agents en civil chargés de la sécurité du palais, maintenant très intéressés par ce que j'avais à dire. Ainsi, il me fallut tout leur raconter, depuis l'arrivée de la fausse princesse jusqu'à la soirée de la veille, à la suite du meeting communiste. Ils prirent des notes avec une lenteur inouïe et me posèrent les mêmes questions je ne sais combien de fois, alors que je n'avais qu'une envie : être auprès de Darcy.

Ils finirent par me libérer. Un taxi me conduisit à l'hôpital St Thomas, sur l'autre rive de la Tamise. Comme cela est coutumier – et exaspérant – dans ce genre d'endroit, on refusa de me laisser voir Darcy pendant une éternité. Je restai assise dans une salle d'attente lugubre au linoléum marron et aux murs d'un vert terne auxquels étaient accrochés de joyeux écriteaux tels que *Toux et éternuements propagent les maladies* ou *On peut attraper des maladies vénériennes sur le siège des toilettes.*

Après que j'eus harcelé pour la énième fois une infirmière qui passait dans le couloir, on m'autorisa enfin à voir Darcy. Il était emmitouflé sous des draps blancs amidonnés, et son visage était aussi pâle que son oreiller. Ses paupières étaient fermées, et j'eus l'impression qu'il ne respirait plus. Je dus échapper une petite exclamation de surprise, car il ouvrit les yeux et sourit en me voyant.

— Bonjour, lui dis-je, soudain intimidée. Comment vous sentez-vous ?

— Dans les vapes, à vrai dire. Je crois qu'on m'a donné quelque chose pour me détendre. C'est plutôt agréable.

— Vous saviez, n'est-ce pas ? demandai-je en m'asseyant au bord de son lit. Vous saviez qu'elle allait commettre un méfait de ce genre ?

— Je m'en doutais, oui. Un membre du parti allemand nous avait prévenus que les communistes enverraient des agents. Voilà pourquoi j'avais cette jeune fille à l'œil.

Le soulagement m'envahit.

— C'est pour cette raison que vous avez cherché à vous faire bien voir d'elle et à vous montrer si amical ?

— Ce n'était pas une mission bien difficile. En revanche, si on m'avait chargé de surveiller la baronne... ma foi, la pauvre vieille serait peut-être encore en vie, mais j'aurais eu davantage de mal.

Je le regardai en silence.

— Qu'y a-t-il ? finit-il par demander.

— Darcy... qui êtes-vous ?

— Vous le savez bien. L'honorable Darcy O'Mara, héritier de lord Kilhenny, désormais sans terre.

— Je veux dire, qu'êtes-vous donc ?

— Un jeune Irlandais fougueux qui aime parfois se divertir et mettre un peu de piquant dans sa vie, répondit-il en esquissant son habituel sourire espiègle.

— Vous ne comptez pas m'en dire davantage, n'est-ce pas ?

— On m'a ordonné de rester muet.

— Vous êtes exaspérant, vous savez ! m'exclamai-je avec plus de véhémence que je n'en avais eu l'intention – comme cela se produit après un choc. Vous m'avez fait une peur bleue. Ne me refaites plus jamais un coup pareil.

— Remarquez, s'il faut en arriver là pour vous convaincre de coucher avec moi de votre plein gré, ça en valait la peine. Et je n'ai pas oublié votre promesse.

— Quelle promesse ?

— Que vous feriez n'importe quoi pour moi si je restais en vie.

— Reprenez d'abord des forces, dis-je avant de me pencher pour déposer un baiser sur son front.

— Oh, j'ai la ferme intention d'en reprendre, croyez-moi, répliqua-t-il en tendant la main pour me caresser le visage.

— Cela suffit, nous interrompit sévèrement l'infirmière responsable de la salle. Il est temps de partir, mademoiselle.

La main de Darcy resta posée sur ma joue.

— Revenez vite, d'accord ? chuchota-t-il. Ne m'abandonnez pas à la merci de ce dragon.

— Je vous ai entendu ! dit l'infirmière.

★

Lundi 27 juin 1932

Cher journal,
Journée mouvementée en perspective.
Mildred est rentrée à Londres hier soir et m'a annoncé qu'elle comptait me quitter. Lady Cromer-Strode lui a apparemment fait une offre qu'elle ne peut refuser. J'ai essayé de ne pas sourire lorsqu'elle m'a fait part de cette triste nouvelle.

Darcy sort de l'hôpital un peu plus tard dans la journée.
Oh, et la reine m'a sommée de lui rendre visite.

— Quel événement inouï, n'est-ce pas, Georgiana ? me dit Sa Majesté.

Plusieurs jours s'étaient écoulés depuis la garden-party, et tout était rentré dans l'ordre à Buckingham. La presse avait fait ses choux gras de cette histoire, avec des gros titres sur les anarchistes et les assassins qui se trouvaient parmi nous, et la vague d'affection pour la famille royale qu'avait suscitée cet épisode épouvantable avait été extrêmement touchante. Hanni et ses complices avaient ainsi accompli tout le contraire de ce qu'ils avaient espéré.

— Oui, des plus inouïs, madame.

— Cette jeune femme nous a tous dupés. Je n'arrive toujours pas à comprendre comment elle a pu agir en toute impunité.

— Elle a saisi l'occasion, madame. D'après ce que l'on m'a raconté, un agent communiste s'était infiltré à la cour bavaroise. Ses camarades et lui espéraient déstabiliser l'Allemagne et renverser le gouvernement actuel. Quand la vraie princesse Hannelore est soudain tombée malade et que son père vous a écrit pour vous faire savoir qu'en définitive elle ne pourrait pas accepter votre aimable invitation, sa lettre a été interceptée. La famille royale est partie faire une longue croisière sur son yacht, et les communistes ont envoyé cette fille à la place d'Hannelore. Elle est actrice, voyez-vous, elle avait joué des rôles secondaires à Hollywood. Consciente que son anglais paraîtrait trop américanisé, elle m'a fait croire qu'elle était fan de films américains. Je dois admettre qu'elle a très bien interprété son rôle. Elle n'a commis qu'une erreur, dont je me suis aperçue après coup.

— Laquelle ?

— Elle a affirmé que la Jungfrau se trouvait en Bavière, alors que ce sommet est en Suisse. Quelle Bavaroise ne connaîtrait-elle pas le nom de ses propres montagnes ?

— Était-elle réellement allemande ?

— Oui, mais pas bavaroise.

— Cette fille était donc la meneuse ? Elle semblait si douce et innocente.

— Comme je vous l'ai dit, elle a joué son rôle à merveille. Elle a plus de dix-huit ans, naturellement, mais elle fait très jeune. Et elle n'était pas la « meneuse », ainsi que vous le dites. L'agent envoyé de Russie afin de superviser l'opération était Irmgardt, la femme de chambre. C'est elle dont j'ai entendu la voix dans la librairie, l'autre soir. La police l'a arrêtée à Douvres alors qu'elle tentait de s'enfuir.

— Et la baronne… était-elle mêlée à leur complot ?

— Non, nullement. C'était une vraie baronne. Elle n'avait pas vu Hannelore depuis quelques années, ce qui explique qu'elle ait été bernée si aisément. Mais sa présence était manifestement devenue une menace pour les conspirateurs. Ils ont d'abord réussi à l'expédier chez la comtesse douairière Sophia, mais ensuite, elle a parlé d'appeler le père de la princesse. Cela aurait évidemment chamboulé tous leurs projets. Irmgardt a alors versé un poison dans sa tasse de thé afin de provoquer une crise cardiaque. La fausse Hannelore et Edward Fotheringay avaient un alibi inattaquable, puisqu'ils étaient avec moi à Cambridge.

— C'est affreux, tellement affreux, dit la reine en frémissant d'effroi. Et qui a tué ce pauvre garçon dans la librairie ?

— Sidney Roberts ? La prétendue princesse, bien entendu. C'était un assassin professionnel, après tout. Je crois que son couteau avait une lame pliante, ce qui lui a permis de le dissimuler assez facilement. Vous avez vraiment de la chance d'être encore en vie, madame. Elle n'a eu de cesse que de chercher des occasions de vous tuer. Elle insistait toujours pour que je l'emmène au palais, puis à Sandringham afin de vous voir.

— Bonté divine !

La reine dut boire une gorgée de thé.

— Qui s'attendrait à être confronté à de telles menaces dans la campagne anglaise ?

— Surtout de la part de notre propre noblesse, ajoutai-je. Je suis contente qu'Edward Fotheringay ait enfin été arrêté alors qu'il tentait de fuir le pays.

— C'est compréhensible, étant donné que ce garçon n'est qu'à moitié britannique. Sa mère était russe, n'est-ce pas ?

— Une aristocrate. Il est donc d'autant plus étrange qu'il ait été séduit par le communisme.

— Les jeunes gens sont si bizarres, déclara Sa Majesté. Sauf vous, bien entendu. Vous avez été magnifique, Georgiana. Le roi et moi vous sommes extrêmement reconnaissants.

Elle marqua une pause, puis me regarda en soupirant.

— Il reste que mon fils n'est toujours pas près d'épouser un bon parti, n'est-ce pas ?

— Je crains que vous n'ayez raison, madame.

— Si ce garçon n'est même pas capable de choisir une femme pour le bien de son pays, je m'inquiète de ce qui arrivera à l'Empire à la mort de mon époux, Georgiana. Il y a tant de jeunes filles convenables parmi lesquelles David pourrait faire son choix… Vous, par exemple.

— Oh, non, madame. Je ne pourrais jamais rivaliser avec Mme Simpson.

En outre, songeai-je – m'abstenant de le dire à haute voix –, c'était à un autre que je témoignais de l'intérêt.

Remerciements

Je souhaite tout particulièrement remercier les trois demoiselles Hedley – Jensen, Reagan et Danika –, de Sonoma en Californie, qui font de brèves apparitions dans ce roman.

Et je remercie, comme toujours, la formidable équipe qui m'encourage à la maison : Clare, Jane et John ; ainsi que celle de New York, tout aussi formidable : Meg, Kelly, Jackie et Catherine.

★

La traductrice tient à remercier Elisabeth Willenz pour son aide précieuse.

L'Affaire Léon Sadorski
(Prix Libr'à Nous 2017, catégorie polar)
Romain Slocombe

Une forêt obscure
Fabio M. Mitchelli

La Prunelle de ses yeux
Ingrid Desjours

Chacun sa vérité
(Grand Prix de littérature policière 2017,
domaine étranger,
Prix Nouvelles Voix du polar 2018,
roman étranger)
Sara Lövestam

Aurore de sang
Alexis Aubenque

Brutale
Jacques-Olivier Bosco

Les Filles des autres
Amy Gentry

Dompteur d'anges
Claire Favan

Ragdoll
(Prix Griffe noire du polar de l'année 2017)
Daniel Cole

Kaboul Express
Cédric Bannel

Domina
L. S. Hilton

Tu tueras l'ange
Sandrone Dazieri

Les Survivants
Ingar Johnsrud

L'Étoile jaune de l'inspecteur Sadorski
Romain Slocombe

Le Zoo
(Prix Transfuge du meilleur polar étranger 2017)
Gin Phillips

Le Tueur au miroir
Fabio M. Mitchelli

Sous son toit
Nicole Neubauer

Rendez-vous avec le mal
Les Détectives du Yorkshire, tome 2
Julia Chapman

Sadorski et l'ange du péché
Romain Slocombe

Sur le toit de l'enfer
Ilaria Tuti

Inexorable
Claire Favan

L'Île au ciel noir
Lara Dearman

Rendez-vous avec le mystère
Les Détectives du Yorkshire, tome 3
Julia Chapman

L'Empathie
Antoine Renand

Blood Orange
Harriet Tyce

Libre comme l'air
Sara Lövestam

De si bonnes amies
Amy Gentry

Rendez-vous avec le poison
Les Détectives du Yorkshire, tome 4
Julia Chapman

Le Bûcher de Moorea
Patrice Guirao

Tu tueras le roi
Sandrone Dazieri

Son Espionne royale mène l'enquête
Son Espionne royale, tome 1
Rhys Bowen

À PARAÎTRE DANS
LA BÊTE NOIRE

Coups de vieux
Dominique Forma
(août 2019)

Grand Prix des Enquêteurs 2019
(septembre 2019)

Retrouvez
LA BÊTE NOIRE
sur Facebook, Twitter et Instagram

*Cet ouvrage a été composé et mis en pages
par ÉTIANNE COMPOSITION
à Montrouge.*

Imprimé en France par CPI
en mai 2019

L'Éditeur de cet ouvrage s'engage
pour la préservation de l'environnement
et utilise du papier issu de forêts gérées de manière responsable.

N° d'édition : 58740/01 – N° d'impression : 3033998